LE FOND DE L'ENFER

Paru dans Le Livre de Poche :

IAN RANKIN

Le Fond de l'enfer

TRADUIT DE L'ANGLAIS (ÉCOSSE) PAR FRÉDÉRIC GRELLIER

LE LIVRE DE POCHE

Titre original :

HIDE AND SEEK

ISBN : 2-253-09918-X - 1re publication - LGF
ISBN : 978-2-253-09918-5 - 1re publication - LGF

Pour Michael Shaw
Tout vient à point...

« Longtemps j'ai tenu mes démons en cage,
ils se sont échappés en rugissant. »

L'Étrange Cas du Docteur Jekyll et de Mister Hyde,

STEVENSON.

— Cache-toi !

Il criait à tue-tête, paniqué, le visage blême. Elle se tenait en haut de l'escalier. Il se précipita maladroitement vers elle, l'attrapa par les bras et la fit descendre sans contrôler sa force, à telle enseigne qu'elle eut peur de tomber avec lui.

— Ronnie ! s'écria-t-elle. Me cacher de qui ?

— Cache-toi ! s'égosilla-t-il de plus belle. Cache-toi ! Ils arrivent ! Ils arrivent !

Il la poussa jusqu'à la porte d'entrée. Elle l'avait déjà vu en manque, mais jamais à ce point. Elle se dit qu'un shoot lui ferait du bien. D'autant qu'il avait tout le nécessaire en haut dans la chambre. De grosses gouttes de sueur dégoulinaient de ses mèches collées. Dire que deux minutes auparavant elle se faisait tout un plat de savoir si elle devait oui ou non s'aventurer dans les toilettes immondes du squat ! Plus maintenant...

— Ils arrivent ! répéta-t-il, cette fois en chuchotant. Cache-toi.

— Tu me fais peur, Ronnie...

Il la dévisagea ; ses yeux semblaient presque la reconnaître. Puis il détourna le regard et se replongea dans un lointain qui n'appartenait qu'à lui. Dans un sifflement de serpent, il répéta :

— Cache-toi !

Sur ce, il ouvrit brusquement la porte. Dehors il pleuvait, ce qui la fit hésiter. Aiguillonnée par la peur, elle se décida tout de même à franchir le seuil. Mais il lui agrippa le bras et la fit rentrer. Il la serra contre lui, le corps palpitant, trempé d'une sueur iodée. Il approcha la bouche de son oreille, son haleine était chaude.

— Ils m'ont assassiné.

Soudain, il la poussa violemment et cette fois elle se retrouva dehors pour de bon ; la porte claqua dans son dos. Ronnie resta seul dans la maison. Seul avec lui-même. Figée dans l'allée à fixer la porte d'entrée, elle hésita à frapper.

Ça ne changerait rien. Elle le savait très bien. Elle se mit donc à pleurer. Peu habituée à s'apitoyer sur son sort, elle inclina pourtant la tête et sanglota une bonne minute, puis inspira longuement à trois reprises, se retourna et s'éloigna d'un pas rapide à travers le jardinet — ou ce qui en tenait lieu. Quelqu'un la recueillerait. Quelqu'un à même de la réconforter, d'évacuer la peur et de lui sécher ses vêtements.

Comme d'habitude.

Rebus fixait intensément l'assiette posée devant lui, oubliant la conversation autour de la table, la musique en bruit de fond, l'éclairage tremblant des chandelles. Il n'avait que faire des prix de l'immobilier à Barnton ou du dernier *Delicatessen* à la mode de Grassmarket. Il n'avait rien à dire aux autres convives, une maître de conférences à sa droite et un libraire à sa gauche. D'ailleurs, de quoi parlaient-ils au juste ? Oui, vraiment charmant comme dîner ! La conversation était aussi relevée que l'entrée... Rebus était content que Rian l'ait invité. Bien sûr qu'il était content... Pourtant, à force de contempler la demi-langouste dans son assiette, il se sentait gagné par un vague désespoir. Qu'avait-il en commun avec ces gens ? Les ferait-il rire en racontant l'histoire du berger allemand et de la tête coupée ? Non, sûrement pas. Ils souriraient poliment, puis se pencheraient vers leur assiette, une manière de reconnaître qu'il n'était pas... eh bien, qu'il n'était *pas comme eux*.

— Des légumes, John ?

La voix de Rian lui signifiait qu'il ne « participait » pas assez, qu'il pourrait « converser », faire au moins l'effort de marquer de l'intérêt. Il s'empara du plat ovale avec un sourire, mais prit soin d'éviter son regard.

Rian était une fille sympa. Un vrai canon, avec quelque chose de très personnel. Cheveux roux, coupe à la garçonne. Yeux profonds, d'un vert étincelant. Lèvres fines mais prometteuses. Ça, elle lui plaisait. Sans quoi il n'aurait pas accepté l'invitation. Il chercha dans le plat quelle branche de brocoli risquait le moins de se casser en mille morceaux pendant le transfert jusqu'à son assiette.

— C'est un régal, Rian.

D'un sourire, elle remercia le libraire de son compliment et rougit légèrement. Il n'en faut pas plus, John. Ce genre de petite gentillesse suffisait à la rendre heureuse. Mais sortant de sa bouche, il savait que les mots auraient pris une tournure sarcastique. Il ne pouvait pas se départir de son ton naturel comme on retire un vêtement. Ce ton soigneusement entretenu au fil des ans, qui était devenu le sien. Aussi, quand l'universitaire abonda dans le sens du libraire, John Rebus se contenta-t-il de sourire en opinant du chef. Un sourire trop figé, un hochement de tête un peu trop prononcé, à tel point que les regards se rivèrent de nouveau sur lui. Le morceau de brocoli se brisa, pile au-dessus de son set de table, et s'éparpilla sur la nappe.

— Merde !

Ça lui avait échappé. Il savait bien que ce n'était pas convenable, pas dans ce genre d'occasion. Après tout, il n'était qu'un être humain, pas un manuel de bonnes manières ambulant !

— Désolé, s'excusa-t-il.

— Ça peut arriver à tout le monde.

La voix de Rian était franchement glaciale.

Histoire de conclure en beauté un week-end génial. Le samedi, il avait fait des courses, soi-disant parce qu'il n'avait aucun costume mettable pour ce dîner. Mais il avait reculé devant les prix et préféré s'acheter des livres, dont *Le Docteur Jivago*, pour l'offrir à Rian. Et puis il s'était dit qu'il le lirait bien d'abord ; il lui avait donc apporté des fleurs et des chocolats, oubliant qu'elle détestait les lis (*l'avait-il jamais su ?*) et qu'elle comptait commencer un régime. Merde ! Et pour couronner le tout, ce matin il avait voulu essayer une nouvelle paroisse de l'Église d'Écosse, située pas très loin de chez lui. La dernière qu'il avait fréquentée lui avait paru d'une froideur insoutenable, obnubilée par le péché et la pénitence, mais celle-ci était oppressante pour les raisons inverses : rien que de l'amour et de la joie, et de toute manière qu'avait-on à se faire pardonner ? Il avait chanté en chœur, puis était reparti sans demander son reste, après avoir serré la main du pasteur sur le perron en lui promettant de revenir.

— Encore un peu de vin, John ? lui proposa le libraire.

Un bon petit vin rouge, à vrai dire, mais le libraire, qui l'avait apporté, l'avait vanté avec tellement d'insistance que John se sentit obligé de refuser. L'autre fronça les sourcils, puis se servit de bon cœur, réjoui à l'idée d'en avoir plus.

— Santé ! lança-t-il.

La conversation reprit, au sujet d'Édimbourg qui devenait de plus en plus animé. Sur ce point Rebus ne pouvait qu'être d'accord. On était fin mai et déjà la saison touristique battait presque son plein. Mais ce n'était pas tout. Si quelqu'un lui avait prédit, ne serait-ce que cinq ans auparavant, qu'avant la fin des années 1980 on se mettrait à émigrer du sud de l'Angleterre vers le nord jusqu'aux Lothians, il lui aurait ri au nez. Pourtant, c'était devenu réalité et ça méritait bien qu'on en discute dans les dîners en ville.

Plus tard, beaucoup plus tard, une fois l'autre couple parti, Rebus aida Rian à débarrasser.

— Tu faisais la tête ? lui demanda-t-elle.

Une seule chose lui vint à l'esprit : la poignée de main du pasteur, empreinte d'une assurance qui dénotait une foi de charbonnier.

— Mais non. Tu veux pas qu'on laisse tout ça pour demain ?

Elle jeta un coup d'œil à la ronde : dans la cuisine s'entassaient les casseroles et les verres sales, et les restes de langoustes.

— OK, fit-elle. T'as une idée, à la place ?

Il haussa lentement les sourcils, puis les ramena très près de ses yeux. Un sourire marqué d'une pointe de lubricité apparut sur ses lèvres. Il prit un air de sainte nitouche.

— Dites-moi, inspecteur : serait-ce là un indice ?

— En voilà un autre, dit-il en se jetant sur elle.

Il la serra dans ses bras et enfouit son visage dans son cou. Elle se mit à crier, en lui martelant le dos de ses petits poings serrés.

— Une bavure ! s'écria-t-elle d'une voix étranglée. Au secours ! Police ! À l'aide !

— Oui, madame ?

Il la fit sortir de la cuisine et l'entraîna par la taille vers la chambre et la fin du week-end qui les attendaient dans l'obscurité.

Fin de soirée, sur un chantier à la périphérie d'Édimbourg. Un complexe de bureaux en construction. Le site était séparé de la route par une clôture de quatre mètres cinquante. Une route récente, conçue pour soulager les embouteillages aux abords de la ville, pour permettre aux banlieusards de venir aisément travailler dans le centre.

A cette heure tardive aucune voiture n'y passait. On entendait seulement le lent ronronnement d'une bétonneuse. Un individu y déversait des pelletées de sable gris, en se souvenant de l'époque où il faisait des chantiers. Dur comme boulot, mais honnête.

Deux autres types se tenaient devant une fosse dont ils observaient le fond.

— Ça devrait être bon, dit l'un d'eux.

— Ouais, acquiesça l'autre.

Ils se dirigèrent vers une vieille Mercedes violette.

— C'est sûrement un gros bonnet, pour nous obtenir les clés et monter un coup pareil. Un vachement gros bonnet.

— Tu sais bien qu'on n'est pas là pour poser des questions, lui lança le plus âgé du trio, qui avait une vraie tête de calviniste.

Il ouvrit le coffre de la voiture. Dedans se trouvait le cadavre recroquevillé d'un adolescent malingre. Sa peau avait la couleur d'un croquis au crayon, avec des taches plus sombres indiquant des traces de coups.

— Quel gâchis ! fit remarquer le calviniste.

— Ouais, dit l'autre.

Ils s'y mirent à deux pour sortir le corps du coffre et le porter délicatement jusqu'au trou. Il tomba au fond en souplesse. Une jambe se prit dans la glaise de la paroi et resta coincée en l'air ; le pantalon se retroussa, dévoilant une cheville nue.

— C'est bon, dit le calviniste en s'adressant au type de la bétonneuse. Remplis-moi ça et on file. Je crève de faim.

LUNDI

Depuis près d'une génération, personne ne semblait avoir fait fuir ces visiteurs occasionnels ni réparé leurs dégâts.

Génial, pour entamer la semaine.

Le lotissement, du moins ce qu'il en apercevait à travers le pare-brise battu par la pluie, retournait progressivement à l'abandon. Le quartier retrouvait l'état qui était le sien avant l'arrivée des promoteurs. Les projets immobiliers du même acabit s'étaient concentrés autour d'Édimbourg dans les années 1960. Dire qu'on y voyait une solution d'avenir au problème du logement ! C'était à se demander si les urbanistes tiraient jamais le moindre enseignement de leurs erreurs. Les solutions miracles d'aujourd'hui risquaient de connaître le même sort.

Les mauvaises herbes envahissaient les espaces verts ; les aires de jeux ressemblaient à des zones bombardées, où le goudron parsemé d'éclats de verre attendait les genoux chancelants. La plupart des pavillons arboraient des fenêtres condamnées, des gouttières éventrées qui déversaient des torrents d'eau de pluie, des jardinets marécageux aux clôtures défoncées et privées de leur portail. Ça devait avoir l'air encore plus déprimant par une journée ensoleillée.

Pourtant, à une centaine de mètres de là un promoteur faisait construire un complexe d'appartements. Une affiche sur la palissade du chantier annonçait une résidence GRAND LUXE, soi-disant située à MUIR VILLAGE. Ce n'était pas Rebus qui allait tomber dans le panneau, mais il se demanda combien de jeunes gens s'y laisseraient prendre. On était ici à Pilmuir, et ça n'était pas près de changer. Un vrai dépotoir.

Il repéra sans peine le pavillon qu'il cherchait. Deux voitures de police et une ambulance étaient déjà là, rangées à côté de l'épave d'une Ford Cortina. Il aurait trouvé même sans ces attractions secondaires. Les fenêtres étaient condamnées, comme celles des deux maisons voisines, mais ici la porte d'entrée était grande ouverte sur l'intérieur obscur. Et par une journée pareille, aurait-on idée de laisser ouvert s'il n'y avait un cadavre à l'intérieur, et des vivants superstitieux condamnés à le veiller ?

Ne pouvant se garer assez près à son goût, Rebus ouvrit sa portière en jurant dans sa barbe et se couvrit la tête de son imper pour piquer un sprint sous la pluie battante. Quelque chose tomba de sa poche sur le bord de la route. Un bout de papier, mais il le ramassa tout de même et le fourra dans sa poche tout en courant. L'allée menant à la porte d'entrée était crevassée par endroits et rendue glissante par les mauvaises herbes. Il dérapa et faillit tomber, mais atteignit le seuil sain et sauf, s'égoutta et attendit le comité d'accueil.

Un constable intrigué passa la tête dans l'encadrement d'une porte.

— Inspecteur Rebus, se présenta Rebus.

— Par ici, monsieur.

— J'arrive dans une minute.

La tête disparut et il jeta un coup d'œil à l'entrée. Seul le papier peint en lambeaux rappelait que des gens avaient vécu ici. Ça empestait le plâtre humide et le bois moisi. On se sentait plus dans une caverne que dans une maison. Un abri rudimentaire, temporaire et négligé.

Il s'engagea à l'intérieur, passa devant une cage d'escalier et fut happé par les ténèbres. Obturées par des planches, les fenêtres ne laissaient filtrer aucune lumière. Sans doute dans le but de tenir les squatters à l'écart, sauf que les sans-abri d'Édimbourg étaient trop nombreux et trop futés. Ils étaient passés à travers les murs. Ils y avaient fait leur tanière. Et l'un d'eux y était mort.

La pièce où il pénétra était étonnamment grande mais basse de plafond. Deux agents brandirent des torches électriques en caoutchouc pour éclairer la scène, projetant des ombres dansantes sur les murs en Placoplâtre. On aurait dit un tableau du Caravage — un centre lumineux entouré d'une obscurité croissante. Sur le plancher nu, entre deux grosses bougies fondues qui avaient l'air d'œufs sur le plat, se trouvait le cadavre, jambes serrées et bras écartés. Une croix sans clous, torse nu. À côté était posé un bocal en verre qui avait contenu en son temps quelque chose d'anodin comme du café instantané, remplacé par des seringues. Voilà que les jeunes se piquent de religion, songea Rebus avec un sourire coupable.

Le médecin légiste, un homme émacié et mélancolique, était agenouillé devant le corps comme pour lui administrer l'extrême-onction. Un photographe, debout devant le mur opposé, était en train d'évaluer la luminosité. Rebus s'avança et s'arrêta derrière le médecin.

— Passe-moi ta torche, dit-il en tendant la main vers l'agent le plus proche.

Il braqua le faisceau sur le cadavre, en commençant par les pieds nus. Blue-jean. Torse efflanqué, côtes visibles sous la peau blafarde. Pour terminer, le cou et le visage. Bouche ouverte, yeux fermés. On voyait des traces de sueur séchée sur le front et dans les cheveux. Non mais, qu'est-ce que... On aurait bien dit de la salive autour de la bouche, sur les lèvres... Soudain, une goutte d'eau surgit de nulle part et tomba dans la bouche ouverte. Stupéfait, Rebus s'attendait à voir l'individu déglutir, passer sa langue sur ses lèvres desséchées et ressusciter. Pas du tout.

— Une fuite dans le toit, expliqua le médecin sans interrompre son examen.

Rebus éclaira le plafond et aperçut la tache d'où l'eau dégouttait. Tout de même déroutant.

— Désolé d'arriver si tard, dit-il en s'efforçant de garder une voix posée. Alors, quel est le verdict ?

— Overdose, répondit le médecin avec indifférence. Héroïne. Sauf erreur le contenu de cette dose, dit-il en agitant un petit sachet en plastique. Il en a un autre dans la main droite. Encore plein.

Rebus braqua sa torche sur une main inerte en partie refermée autour d'un sachet de poudre blanche.

— Effectivement. Je pensais qu'aujourd'hui les jeunes ne se shootaient plus, mais se faisaient des joints.

Le médecin le regarda enfin.

— Très naïf comme point de vue, inspecteur. Parlez-en au Royal Infirmary. Eux vous diront combien on compte de drogués par injection à Édimbourg. Ça doit bien atteindre plusieurs centaines. C'est pour ça qu'on est la capitale du sida en Grande-Bretagne.

— Ouais, on a toujours été fiers de nos records. Les maladies cardio-vasculaires, les dentiers, et maintenant le sida.

Le médecin sourit.

— J'ai quelque chose qui pourrait vous intéresser. Il y a des hématomes sur le corps. Pas très faciles à distinguer dans cette obscurité, mais ça ne fait aucun doute.

Rebus s'accroupit et balaya de nouveau le torse avec sa torche. En effet, il y avait des ecchymoses. Beaucoup.

— Surtout aux côtes, reprit le médecin. Mais aussi au visage.

— Peut-être qu'il est tombé, suggéra Rebus.

— Peut-être bien.

— Monsieur ?

La voix vibrante d'un des constables se fit entendre.

— Qu'est-ce que c'est ? demanda Rebus en se tournant vers lui.

— Venez voir.

Rebus n'était que trop soulagé de pouvoir s'éloigner du médecin et de son patient. Le jeune agent le conduisit vers le mur opposé, sur lequel il braqua sa lampe. Rebus comprit soudain pourquoi.

On avait dessiné quelque chose sur le mur. Une étoile à cinq branches, entourée de deux cercles concentriques, dont le plus grand mesurait un mètre cinquante de diamètre. Du travail soigné : branches de l'étoile bien droites, cercles d'une régularité quasi parfaite. Le reste du mur était nu.

— Vous en dites quoi, monsieur ? lui demanda le constable.

— Eh bien, c'est sûr que ça n'a rien à voir avec les graffitis habituels.

— De la sorcellerie ?

— Ou bien de l'astrologie. Les junkies donnent souvent dans le mysticisme ou le vaudou. Ça va de pair.

— Les bougies...

— Attention aux conclusions hâtives, mon garçon. C'est pas comme ça que tu vas atterrir à la brigade criminelle. À ton avis, pourquoi est-ce qu'on a tous des lampes de poche ?

— Parce que l'électricité est coupée.

— Bravo ! D'où les bougies. CQFD.

— Si vous le dites, monsieur.

— Oui, je le dis, mon garçon. Qui a trouvé le cadavre ?

— Moi, monsieur. On a reçu un coup de fil anonyme. Une voix de femme. Sans doute une des squatters. On dirait qu'ils ont filé en vitesse.

— Il n'y avait personne quand vous êtes arrivés ?

— Non, monsieur.

— On a une idée de qui il s'agit ? demanda Rebus en pointant la torche vers le cadavre.

— Pas encore, monsieur. Et vu que toutes les maisons sont occupées par des squatters, ça m'étonnerait qu'on en tire quoi que ce soit.

— Au contraire. Si quelqu'un a des chances de connaître l'identité du défunt, c'est bien ces gens-là. Toi et ton copain, vous allez frapper à quelques portes. Mais faites ça décontractés : faut surtout pas qu'ils aient peur d'être expulsés ou quoi que ce soit.

— Bien, monsieur.

L'agent ne semblait pas convaincu. D'abord, il était certain de se faire insulter. Et puis il pleuvait encore à verse.

— Allez, on y va, lui ordonna Rebus avec une pointe de sévérité.

L'agent s'exécuta, prenant son collègue au passage.

Rebus s'approcha du photographe.

— Vous m'avez l'air de prendre beaucoup de photos.

— Je n'ai pas le choix, avec si peu de lumière. Si je veux être sûr d'en avoir quelques-unes de réussies.

— Vous n'avez pas perdu de temps pour arriver ici, hein ?

— Le superintendant a donné des ordres. Il veut

des photos dès qu'il est question de drogue. Ça fait partie de sa campagne.

— C'est un peu morbide, non ?

Rebus avait déjà rencontré le nouveau superintendant en chef. Un homme très porté sur la sensibilisation et la responsabilisation du public. Un homme bourré de bonnes idées, mais sans les effectifs pour les mettre en œuvre.

Rebus profita de l'occasion.

— Écoutez, tant que vous y êtes, vous pouvez me prendre quelques clichés du mur là-bas ?

— Pas de problème.

— Merci, dit Rebus qui s'adressa ensuite au médecin. Saura-t-on rapidement ce que contient le sachet ?

— En fin d'après-midi, au plus tard demain matin.

Rebus hocha la tête. Pourquoi marquait-il tant d'intérêt pour une banale overdose ? Ça tenait peut-être à cette journée maussade, ou à l'atmosphère de cette maison, ou à la position du cadavre. En tout cas, il ressentait quelque chose. Et si, au bout du compte, ce n'était qu'un rhumatisme articulaire, eh bien, tant pis. Il sortit de la pièce et fit le tour de la maison.

Les vraies horreurs se trouvaient en fait dans la salle de bains.

Ça devait faire plusieurs semaines que les toilettes étaient bouchées. On avait vaguement tenté d'y remédier, à en juger d'après la ventouse qui traînait par terre, mais en vain. Le lavabo tenait donc lieu d'urinoir. Quant à la baignoire, elle accueillait les matières fécales, où grouillait une douzaine de grosses mouches noires. Elle servait aussi de dépotoir : s'y entassaient des sacs-poubelle, des bouts de bois... Rebus ne demanda pas son reste et referma soigneusement la porte. Il souhaitait bien du plaisir aux agents municipaux qui seraient chargés de combattre cette vermine.

Une des chambres était entièrement vide, mais dans l'autre se trouvait un sac de couchage, trempé à cause de la fuite du toit. On s'était efforcé d'apporter une touche personnelle à la pièce en accrochant des photos aux murs. De plus près, Rebus constata qu'il s'agissait de clichés originaux, qui auraient pu constituer une sorte de press-book. Il avait beau ne rien y connaître, il voyait que c'était du travail de qualité. Il y avait plusieurs photos du château d'Édimbourg sous la pluie et la brume, ce qui lui conférait un aspect particulièrement lugubre. Même en plein soleil, la forteresse n'avait rien de franchement riant. Une jeune fille posait sur une ou deux photos. Difficile de lui donner un âge. Elle affichait un grand sourire, ne se prenant pas du tout au sérieux.

À côté du sac de couchage, un sac-poubelle contenait des habits et une pile de livres de poche bien cornés : Harlan Ellison, Clive Barker, Ramsey Campbell. De la SF et du fantastique. Rebus reposa les livres à leur place et redescendit au rez-de-chaussée.

— J'ai terminé, lui dit le photographe. Je vous ferai parvenir les photos demain.

— Merci.

— Au fait, je fais aussi du portrait. Une jolie photo de famille pour les grands-parents ? Vos enfants ?

Rebus prit la carte de visite qu'il lui tendit, puis enfila son imper et se dirigea vers sa voiture. Il n'aimait pas les photos, surtout de lui-même. D'abord, il ne se trouvait pas du tout photogénique, mais il y avait une raison encore plus profonde.

Quelque part, il était persuadé qu'une photo avait le pouvoir de vous voler votre âme.

Comme il rentrait au poste dans les embouteillages de la mi-journée, Rebus essaya d'imaginer ce que donnerait une photo de lui et son épouse avec leur fille. Non, il était vraiment incapable de visualiser ça. Ils étaient beaucoup moins liés depuis que Rhona s'était installée à Londres avec Samantha. Sammy lui écrivait régulièrement, mais Rebus mettait du temps à lui répondre ; sa fille semblait en prendre ombrage, ses lettres s'espaçaient de plus en plus. Dans la dernière, elle disait qu'elle espérait que tout allait bien avec Gill. Il n'avait pas eu le courage de lui annoncer que Gill Templar l'avait quitté depuis plusieurs mois. Ça ne le gênait pas de mettre Samantha au courant ; par contre, il aurait été malade que Rhona l'apprenne. Un échec sentimental de plus dans l'escarcelle. Le nouveau copain de Gill était animateur dans une radio locale. Rebus avait l'impression d'être poursuivi par la voix enflammée du type chaque fois qu'il mettait les pieds dans un magasin ou une station-service, ou passait devant la fenêtre ouverte d'un HLM.

Lui et Gill se croisaient forcément une ou deux fois par semaine, lors de réunions au poste ou sur des lieux d'enquête. *A fortiori* depuis qu'il s'était vu promu au même grade qu'elle.

Inspecteur John Rebus.

Autant dire que ça avait pris du temps ! C'était une enquête longue et délicate, où il avait payé de sa personne, qui lui avait valu cette promotion. Il en était certain.

Autre certitude : il ne reverrait pas Rian de sitôt. Pas après le dîner de la veille, et leurs ébats plus ou moins ratés. Et côté sexe, ça ratait souvent. Allongé près de Rian, il s'était soudain rendu compte que ses yeux ressemblaient étonnamment à ceux de Gill Templar. Un pis-aller ? Tout de même, il avait passé l'âge.

— Tu vieillis, John, se dit-il à lui-même.

La faim le tenaillait et il aperçut un pub juste après

le prochain feu. Qu'à cela ne tienne : il avait bien mérité une pause déjeuner, non ?

Le Sutherland Bar était désert. Le lundi midi est toujours un des moments les plus creux de la semaine : tout le fric est claqué, et on n'a rien en vue. En plus, le barman eut vite fait de rappeler à Rebus que le Sutherland n'était pas là pour nourrir la clientèle du midi.

— Pas de plats chauds, annonça-t-il, et pas de sandwichs.

— Et une part de tourte ? quémanda Rebus. Enfin, *n'importe quoi*, histoire d'accompagner la bière.

— Si vous voulez à manger, c'est pas les cafés qui manquent dans le coin. Dans ce pub, on sert de la blonde, de la brune et des alcools forts. Pas de frites.

— Des chips ?

Le barman le dévisagea un instant.

— Quel parfum ?

— Fromage-oignon.

— On n'en a plus.

— Juste au sel, alors.

— Non plus.

Il avait l'air de trouver ça amusant.

— Qu'est-ce que vous avez à me proposer, nom d'un chien ? demanda Rebus, passablement agacé.

— J'en ai deux sortes : curry ou œuf-bacon-tomate.

— Œuf ? fit Rebus avec un soupir. Donnez-moi un paquet de chaque.

Le type disparut derrière le comptoir, sans doute à la recherche des paquets les plus minuscules, et périmés si possible.

— Vous n'auriez pas des cacahouètes ?

Une ultime supplique, en désespoir de cause.

Le barman leva les yeux vers lui.

— Grillées, salées ou au vinaigre.

— Un de chaque, soupira Rebus, résigné à une mort précoce. Et remettez-moi une demi-pinte à quatre-vingts shillings.

Il venait de terminer sa deuxième bière quand la porte du bar trembla et laissa entrer une silhouette reconnaissable entre toutes. L'individu n'avait pas encore franchi le seuil qu'il faisait déjà signe qu'on lui serve à boire. Apercevant Rebus, il sourit et voulut se percher sur le grand tabouret à côté du sien.

— Salut, John.

— Salut, Tony.

Ayant du mal à tenir son immense carcasse en équilibre sur le diamètre réduit du tabouret, l'inspecteur Anthony McCall jugea finalement préférable de rester debout, un pied posé sur la tringle en cuivre qui courait le long du bar et les deux coudes plantés sur le comptoir où venait d'être passé un coup de torchon. Il jeta un regard affamé à Rebus.

— Passe-moi une chip.

Le paquet lui fut tendu et il y prit une pleine poignée, qu'il engouffra tout rond.

— Alors, t'étais où ce matin ? lui demanda Rebus. J'ai dû sortir à ta place.

— Le macchabée de Pilmuir ? Ah, désolé, John. J'ai eu une soirée un peu arrosée hier soir. J'avais la gueule de bois c'matin. J'vais boire un verre pour faire passer ça.

On plaça devant lui une pinte de bière trouble. En quatre gorgées, il en avala les trois quarts.

— De toute manière, j'avais rien de mieux à faire, dit Rebus qui but une gorgée à son tour. Mais putain, ces baraques sont vraiment crades.

McCall hocha pensivement la tête.

— Ça n'a pas toujours été comme ça, John. J'suis né là-bas.

— Ah bon ?

— Enfin, plus exactement dans le lotissement d'avant. Soi-disant que c'était un endroit épouvantable, alors ils ont tout rasé pour construire Pilmuir à la place. Aujourd'hui c'est carrément l'enfer sur terre !

— C'est drôle que tu dises ça, fit remarquer Rebus. Un des agents a suggéré la piste de l'occultisme.

McCall cessa de fixer sa bière pour le dévisager.

— Il y avait un motif de magie noire dessiné sur le mur, lui expliqua Rebus. Et des bougies par terre.

— Comme pour un sacrifice ? gloussa McCall. Ma femme est dingue de films d'horreur. Elle en emprunte tout le temps à la bibliothèque. Je suis sûr qu'elle passe ses journées à regarder ça.

— J'imagine que ça doit bien exister, la sorcellerie, les cultes sataniques. Tout ça n'est pas sorti de l'imagination des rédacteurs en chef de tabloïds.

— Je sais où tu pourrais te renseigner.

— Ah oui ?

— À l'université.

Rebus fronça les sourcils, incrédule.

— Je suis sérieux, insista McCall. Ils ont un département où on étudie les fantômes et ce genre de sornettes. Je ne sais plus quel écrivain leur a légué du fric pour monter ça. Il y a vraiment des gens qui sont frappés !

Rebus opina du chef.

— Mais oui, maintenant que tu m'en parles, je me souviens que j'ai lu ça. C'est une donation d'Arthur Koestler, n'est-ce pas ?

McCall haussa les épaules et vida son verre.

— Moi, mon truc, c'est plutôt Arthur Daley[1] !

Rebus était en train de passer en revue la paperasse entassée sur son bureau quand le téléphone sonna.

— Inspecteur Rebus.

— On m'a dit que c'était à vous que je devais m'adresser.

Une voix de jeune femme, pleine de méfiance.

— Sans doute à juste titre. Qu'est-ce que je peux faire pour vous, mademoiselle... ?

— Tracy...

La voix devint un simple murmure en prononçant la seconde syllabe. Elle venait déjà de se faire piéger.

— Peu importe qui je suis ! s'emporta-t-elle avant de se calmer aussitôt. J'appelle au sujet du squat à Pilmuir, celui où on a retrouvé...

Encore une fois, la voix devint inaudible.

— Ah oui... dit Rebus en se redressant, intrigué pour de bon. C'est vous qui avez appelé la première fois ?

— Quoi ?

— Pour nous prévenir que quelqu'un était mort là-bas.

— Oui, c'est moi. Pauvre Ronnie...

— Ronnie, c'est le défunt ?

Il griffonna le nom au dos d'une chemise dans le bac des en-cours, ainsi que « Tracy — premier coup de fil ».

— Oui...

La voix était de plus en plus étranglée, au bord des larmes.

1. Célèbre chroniqueur sportif du *New York Times*, récompensé par le prix Pulitzer en 1956. *(N.d.T.)*

— Pourriez-vous m'indiquer le nom de famille de Ronnie ?

— Non... Je ne l'ai jamais su, poursuivit-elle après un silence. Je ne sais même pas s'il s'appelait vraiment Ronnie. Presque tout le monde change de prénom.

— J'aimerais qu'on parle de Ronnie, Tracy. On peut faire ça au téléphone, mais je préférerais de vive voix. Ne vous en faites pas, vous n'avez rien à craindre...

— *Mais si !* C'est pour ça que j'appelle. Vous savez, Ronnie m'a tout dit.

— Il vous a dit quoi, Tracy ?

— Qu'on l'avait assassiné.

Soudain, la pièce disparut autour de Rebus. N'existaient plus que cette voix désincarnée, le téléphone et lui-même.

— Il vous a dit ça, Tracy ?

— Oui.

Elle s'était mise à pleurer, reniflant pour refouler ses larmes. Rebus imaginait une gamine apeurée, tout juste sortie de l'école, se tenant quelque part dans une cabine téléphonique.

— Je dois me cacher, finit-elle par dire. Ronnie m'a répété ça tout le temps.

— Vous voulez que je vienne vous chercher en voiture ? Dites-moi où vous êtes.

— Non !

— Alors, dites-moi comment Ronnie a été assassiné. Vous savez où on l'a retrouvé ?

— Il était par terre à côté de la fenêtre.

— Pas tout à fait.

— Si, il était là. Devant la fenêtre. Tout recroquevillé. J'ai cru qu'il dormait. Mais quand je lui ai touché le bras, il était froid... J'ai été chercher Charlie, mais il était pas là. Alors j'ai paniqué.

— Vous dites que Ronnie était recroquevillé ? demanda Rebus qui dessinait des ronds sur la chemise.

— Oui.

— Dans le salon ?

Elle avait l'air perdue.

— Quoi ? Mais non, pas dans le salon. En haut, dans sa chambre.

— Je vois.

Rebus continuait de gribouiller machinalement. Il essayait d'imaginer Ronnie mourant, pas encore tout à fait mort, se traînant jusqu'au rez-de-chaussée après le départ de Tracy, se retrouvant dans le salon. Ce qui pourrait expliquer les hématomes. Oui, mais les bougies... Il était étendu pile entre elles...

— C'était quand ?

— Tard hier soir, je ne sais pas quand précisément. J'ai paniqué. Quand je me suis calmée, j'ai appelé la police.

— À quelle heure ?

Elle réfléchit avant de répondre.

— Vers sept heures ce matin.

— Tracy, accepteriez-vous de répéter ça à d'autres personnes ?

— Pourquoi ?

— Je vous expliquerai ça quand je passerai vous prendre. Dites-moi où vous êtes.

Un nouveau temps de réflexion.

— Je suis revenue à Pilmuir, se résolut-elle enfin à lui confier. Dans un autre squat.

— Bon, j'imagine que vous préférez que je n'y passe pas ? Mais vous ne devez pas être trop loin de Shore Road. On pourrait se retrouver là-bas ?

— Eh bien...

— Il y a un pub, enchaîna-t-il pour couper court à toute hésitation. Le Dock Leaf. Vous connaissez ?

— Je m'en suis fait virer plusieurs fois.

— Moi aussi. OK. Je vous retrouve devant dans une heure. C'est bon ?

— D'accord.

Elle ne paraissait pas enchantée et Rebus se demanda si elle serait au rendez-vous. Et alors ? Ça n'avait pas l'air d'un canular, mais cette gamine n'était peut-être qu'une victime de plus, qui avait inventé ça pour attirer l'attention, pour faire croire que sa vie était plus passionnante qu'elle ne l'était en réalité.

Malgré tout, il avait ressenti quelque chose sur place, alors...

— D'accord, répéta-t-elle.

Et elle raccrocha.

Shore Road était une voie rapide qui contournait la ville par la rive nord. On y trouvait des usines, des entrepôts et de gigantesques magasins d'ameublement et de bricolage, avec en arrière-plan les eaux grises et calmes du Firth of Forth. La plupart du temps on apercevait la côte du Fife en face, mais pas ce jour-là où une brume glaciale flottait à la surface de la rivière. Les lotissements, avec leurs immeubles de trois étages ancêtres des tours en béton, étaient situés de l'autre côté de la route, en face de la zone industrielle. Il y avait quelques épiceries de quartier, où l'on se rencontre entre voisins pour échanger des potins, et quelques pubs à l'ancienne, où les étrangers ne passent pas inaperçus.

Au Dock Leaf, une génération de buveurs minables en avait remplacé une autre. L'actuelle clientèle était jeune et au chômage, vivait à six dans des trois pièces loués dans Shore Road. Malgré tout, aucun problème de petite délinquance : pas question de saccager son propre nid. Les valeurs tenaient bon.

Comme il était en avance, Rebus eut le temps de prendre un verre au comptoir. Une pinte de blonde bon marché. Personne ne le connaissait, mais on avait compris ce qu'il était : les regards devinrent fuyants et les conversations, de simples murmures. Quand il ressortit à trois heures et demie, il fut ébloui par la lumière du jour.

— C'est vous le policier ?

— C'est ça. Tracy ?

Elle était adossée à la façade du pub. Rebus porta la main à ses yeux pour la dévisager et fut surpris de découvrir une jeune femme qui devait avoir entre vingt et vingt-cinq ans. Mis à part le visage qui trahissait son âge, elle avait le genre éternelle rebelle : cheveux blonds oxygénés en brosse, deux clous à l'oreille gauche (mais aucun à droite), tee-shirt *tie and dye*, jean moulant délavé et baskets rouges montantes. Elle était grande, de la même taille que Rebus. Ses yeux s'habituant à la luminosité, il put distinguer ses joues sillonnées de larmes, et d'anciennes cicatrices d'acné. Mais elle avait aussi des pattes-d'oie au coin des yeux, signe que la vie lui avait apporté son lot de fous rires. Ce qui ne transparaissait pas du tout dans ses yeux vert olive. À un moment de sa vie Tracy avait dû prendre le mauvais embranchement, et Rebus avait le sentiment que depuis elle cherchait en vain à faire marche arrière.

La dernière fois qu'il l'avait vue, elle riait. Du moins son portrait dont les coins rebiquaient sur le mur dans la chambre de Ronnie. C'était la fille des photos.

— Tu t'appelles vraiment Tracy ?

— Plus ou moins.

Ils marchaient. Elle traversa à un passage piéton, sans se donner la peine de vérifier que la voie était libre. Rebus la suivit jusqu'à un muret, devant lequel elle s'arrêta pour observer le Forth. Les bras serrés contre elle, elle fixa la brume qui montait.

— C'est mon deuxième prénom.

Rebus appuya ses avant-bras sur le muret.

— Ça fait longtemps que tu connais Ronnie ?

— Trois mois. Depuis que je suis arrivée à Pilmuir.

— Qui d'autre habitait dans cette maison ?

Elle haussa les épaules.

— Les gens allaient et venaient. Nous, ça faisait juste quelques semaines qu'on y était. Des fois, je descendais le matin et il y avait une demi-douzaine d'inconnus en train de dormir par terre. Ça ne dérangeait personne. On était comme une grande famille.

— Qu'est-ce qui te fait penser que Ronnie a été assassiné ?

Elle se tourna vers lui, en colère, les yeux remplis de larmes.

— Je vous l'ai expliqué au téléphone ! *C'est lui qui me l'a dit !* Il était sorti et venait de rentrer avec de la came. Sauf que quelque chose clochait. D'habitude, dès qu'il avait un peu de drogue, il était comme un gosse à Noël. Mais pas là. Il avait peur, on aurait dit une espèce de robot. Il m'a répété plusieurs fois de me cacher, qu'ils allaient arriver.

— Qui ça ?

— J'en sais rien.

— Tout ça s'est passé après qu'il a pris sa dose ?

— Non, justement. C'est ça qu'est vraiment dingue. C'était *avant*. Il avait son sachet à la main. Il m'a poussée dehors.

— Tu n'étais pas là quand il a pris sa dose ?

— Jamais de la vie ! Je peux pas supporter ça. Vous savez, dit-elle en le regardant droit dans les yeux, je suis pas une camée. J'veux dire, ça m'arrive de fumer un joint, mais jamais de... vous savez, de...

— Tu n'as rien remarqué d'autre chez Ronnie ?

— Comme quoi ?

— Eh bien, l'état dans lequel il se trouvait.

— Vous voulez parler des traces de coups ?

— Oui.

— Il rentrait souvent dans cet état-là. Il n'en parlait pas.

— J'imagine qu'il se battait souvent. Il s'énervait facilement ?

— Pas avec moi.

Rebus plongea les mains dans ses poches. Un vent glacial balayait la rivière. Il se demanda si la jeune femme n'avait pas froid, ayant remarqué malgré lui ses tétons parfaitement visibles sous le tee-shirt en coton.

— Tu veux mon blouson ?

— Seulement si votre portefeuille est dans la poche ! rétorqua-t-elle avec un sourire.

Il sourit à son tour et lui proposa une cigarette à la place. Elle accepta, mais lui s'abstint. Il ne lui en restait plus que trois sur sa ration quotidienne, et il fallait tenir toute la soirée.

— Est-ce que tu sais qui était le dealer de Ronnie ? s'enquit-il, mine de rien, en l'aidant à allumer la cigarette.

Abritée par le blouson de Rebus, tenant le briquet d'une main tremblante, elle fit non de la tête. Le coupe-vent finit par jouer son office et elle tira une longue bouffée.

— Je n'ai jamais bien su, dit-elle. Ça aussi, il n'en parlait pas.

— Il te parlait de quoi ?

Elle y réfléchit, puis sourit de nouveau.

— De pas grand-chose, maintenant que j'y pense. C'est ça qui me plaisait chez lui. Sous ses airs pas compliqués, on avait l'impression qu'il cachait quelque chose.

— Du genre ?

Elle haussa les épaules.

— Tout et n'importe quoi, peut-être rien du tout.

L'entretien était plus laborieux que Rebus ne s'y attendait, sans compter qu'il commençait à avoir vraiment froid. Le moment était venu d'accélérer le mouvement.

— Tu l'as retrouvé dans la chambre ?

— Oui.

— Et il n'y avait personne d'autre dans le squat ?

— C'est ça. Un peu plus tôt il y avait quelques personnes, mais tout le monde était parti. J'avais vu un type dans la chambre de Ronnie, quelqu'un que je ne connaissais pas. Et il y avait aussi Charlie.

— Tu m'as cité son nom au téléphone.

— Oui, eh bien, quand j'ai découvert Ronnie, je me suis tout de suite mise à la recherche de Charlie. D'habitude il traîne dans le coin, dans un des autres squats, ou bien il fait la manche en ville. Vachement bizarre comme type !

— C'est-à-dire ?

— Vous n'avez pas vu le mur dans le salon ?

— Tu veux parler de l'étoile ?

— Oui. C'est Charlie qui l'a peinte.

— Il s'intéresse à l'occultisme ?

— Il est complètement fana.

— Et Ronnie ?

— Ronnie ? Alors là, pas du tout ! Il était même pas fichu de regarder un film d'horreur. Ça lui faisait trop peur.

— Pourtant, il avait pas mal de livres d'épouvante dans sa chambre.

— C'est Charlie qui essayait de l'y intéresser. Ronnie, ça lui donnait des cauchemars. Alors il avait encore plus besoin de se shooter.

— Où dégotait-il l'argent ?

Rebus aperçut un petit bateau qui filait dans la brume. Quelque chose en tomba, dans l'eau, sans qu'il puisse distinguer quoi.

— Je ne tenais pas sa comptabilité.

— Qui ça alors ?

Il suivait du regard l'embarcation qui virait vers l'ouest, en direction de Queensferry.

— Personne n'a envie de savoir d'où vient l'argent, c'est vrai. Sinon, on risque bien d'être considéré comme complice, non ?

— Ça dépend, dit Rebus, qui grelottait.

— En tout cas, moi, je ne voulais pas savoir. Chaque fois qu'il cherchait à m'en parler, je me bouchais les oreilles.

— Il n'a jamais eu de boulot ?

— Je ne sais pas. Il disait toujours qu'il voulait devenir photographe. Il avait arrêté l'école avec cette idée en tête. C'est la seule chose qu'il refusait de mettre en gage, même pour s'acheter de la drogue.

Rebus n'y était plus.

— Quoi donc ?

— Son appareil photo. Il l'avait payé une petite fortune, chaque penny économisé sur ses allocations de la Sécurité sociale.

La Sécurité sociale : une expression qui en disait long ! Cela étant, aucun appareil photo n'avait été retrouvé dans la chambre. On pouvait donc ajouter un vol à la liste.

— Tracy, je vais avoir besoin d'une déposition.

Elle se méfia.

— Pourquoi ?

— Histoire d'avoir une trace officielle, pour qu'on fasse quelque chose au sujet de la mort de Ronnie. Tu veux bien m'aider ?

Elle mit du temps avant de d'acquiescer d'un signe de tête. Le bateau avait disparu, sans laisser de traces. Aucun objet ne flottait à la surface. Rebus posa doucement la main sur l'épaule de la jeune femme.

— Merci. Ma voiture est par là.

Après avoir pris sa déposition, Rebus avait insisté pour la ramener chez elle ; même si elle avait demandé qu'il la dépose à quelques rues d'où elle habitait, il connaissait maintenant son adresse.

— Mais je vous promets pas d'y rester dix ans, lui avait-elle dit.

Peu importe. Il lui avait donné ses numéros de téléphone, personnel et professionnel. Il était certain qu'elle resterait en contact.

— Une dernière chose, avait-il ajouté juste avant qu'elle referme la portière. Quand Ronnie disait : « Ils arrivent ! », tu penses qu'il parlait de qui ?

Penchée vers lui, elle avait haussé les épaules, puis s'était figée, revivant la scène.

— Il était en manque, inspecteur. Il pensait peut-être aux serpents et aux araignées.

C'est ça, songea Rebus en démarrant quand elle eut claqué la portière. Ou peut-être aux serpents et aux araignées qui lui procuraient sa came.

En rentrant au poste de police de Great London Road, il trouva un message du superintendant Watson qui souhaitait le voir. Rebus rappela aussitôt le bureau de son supérieur.

— Je veux bien passer tout de suite, si c'est possible.

Vérification faite, la secrétaire confirma qu'il pouvait venir.

Rebus avait souvent croisé Watson depuis que celui-ci avait été muté du Nord. Il avait l'air plutôt raisonnable, même s'il était un peu... eh bien, un peu trop campagnard au goût de certains. Pas mal de plaisanteries circulaient déjà sur ce chef sorti tout droit de sa cambrousse d'Aberdeen, et on le surnommait « le Paysan » dans son dos.

— Entrez, John, entrez.

Le superintendant se leva, juste le temps d'indiquer vaguement un siège à Rebus. Le bureau était méticuleusement rangé : dossiers classés dans deux bacs, place nette devant Watson, mis à part un épais dossier et deux crayons bien taillés. À côté de la chemise impeccable trônaient les photos de deux enfants.

— Mes rejetons, expliqua Watson. Ils sont plus âgés maintenant, mais ça donne toujours du travail.

C'était un homme corpulent, fort comme un taureau, disaient les mauvaises langues. Il avait le teint rougeaud, les cheveux clairsemés et argentés aux tempes. Rebus n'avait aucune peine à l'imaginer en bottes, un chapeau de pêcheur sur la tête, arpentant la lande flanqué de son fidèle colley. Pourquoi l'avait-il convoqué ? Cherchait-il quelqu'un pour jouer les colleys ?

— Ce matin, vous vous êtes déplacé pour une overdose.

Un simple constat : Rebus jugea inutile de répondre.

— C'est l'inspecteur McCall qui aurait dû s'en

charger, poursuivit Watson, mais il était... enfin, peu importe.

— McCall est un bon flic, monsieur.

Watson le fixa et sourit.

— Les qualités de l'inspecteur McCall ne sont pas en cause. Ce n'est pas pour ça que je vous ai fait venir. J'ai eu une idée. Vous savez certainement que le niveau de la toxicomanie dans cette ville me préoccupe. Franchement, les chiffres sont consternants. Je n'ai pas connu ça à Aberdeen, mis à part quelques personnes travaillant dans le pétrole. Et encore, ça concernait surtout les cadres, ceux qu'on nous envoyait d'Amérique. Ils venaient avec leurs propres vices. Ici, par contre... dit-il en ouvrant le dossier et en se mettant à le feuilleter. Ici, inspecteur, c'est les Enfers. Ni plus ni moins.

— Oui, monsieur.

— Êtes-vous pratiquant, inspecteur ?

— Pardon ?

Décontenancé, Rebus changea de position dans son fauteuil.

— La question est claire, non ? Vous êtes pratiquant ?

— Pas très, monsieur. Mais ça m'arrive d'aller à l'église.

Hier par exemple, songea Rebus, qui avait envie de filer comme la veille.

Le visage de Watson était de plus en plus rouge.

— Oui, quelqu'un me l'avait dit. Vous devez donc comprendre de quoi je veux parler quand je dis que cette ville est livrée aux Enfers. Au Royal Infirmary, on traite des toxicomanes de douze ans à peine. Votre propre frère est en prison pour trafic de stupéfiants.

Il le dévisagea de nouveau, s'attendant peut-être que son subordonné manifeste sa honte. Mais Rebus soutint rageusement son regard, et ce n'était pas l'embarras qui lui rougissait les joues.

— Sauf votre respect, monsieur, dit-il d'une voix égale mais ferme, en quoi cela me concerne-t-il ?

— C'est simple, déclara Watson qui referma le dossier et se cala dans son fauteuil. Je lance une nouvelle campagne de lutte contre la toxicomanie. Sensibilisation du public, ce genre de chose, assortie de moyens financiers pour du renseignement discret. J'ai le soutien de la hiérarchie, et mieux que ça, *j'ai le financement*. Un groupe de patrons est prêt à mettre cinquante mille livres dans la campagne.

— Belle preuve d'esprit civique !

Le visage assombri, Watson se pencha en avant, obstruant le champ visuel de Rebus.

— Ça, vous pouvez le dire !

— Mais je ne vois pas en quoi...

— John, l'interrompit Watson d'une voix apaisante. Vous avez... une expérience personnelle. Je veux que vous me secondiez pour mener cette campagne.

— Mais non, monsieur, je n'ai vraiment...

— Parfait. C'est donc d'accord.

Watson était déjà debout. Rebus voulut se lever à son tour, mais ses jambes étaient toutes molles. Il parvint malgré tout à se dresser en s'appuyant de ses mains sur les accoudoirs. C'était donc ça le prix à payer ? On lui imposait cette expiation publique parce qu'il avait un frangin pourri ?

Watson lui ouvrit la porte.

— On se reverra pour régler les détails. Pour l'instant, essayez de boucler vos enquêtes en cours, de mettre à jour vos rapports. Prévenez-moi si vous n'arrivez pas à tout finir, on vous déchargera.

— Bien, monsieur, acquiesça Rebus en serrant la main qu'on lui tendait.

Watson avait une poigne d'acier — froide, sèche, à vous broyer les os.

— Au revoir, monsieur, murmura Rebus à la porte qui s'était déjà refermée.

Ce soir-là, toujours sous le choc, il en eut assez de regarder la télé et décida de prendre sa voiture pour aller faire un tour en ville, sans but précis. Marchmont était aussi paisible qu'à son habitude. Sa voiture était toujours là où il l'avait garée, sur la chaussée pavée devant son immeuble. Il démarra, traversa le centre-ville et prit la direction de New Town. À Canonmills, il s'arrêta dans une station-service pour faire le plein. Il en profita pour acheter une lampe de poche, des piles et des barres chocolatées, réglant le tout par carte de crédit.

Il grignota le chocolat en conduisant, s'efforçant de ne pas penser à la ration de cigarettes du lendemain, et mit la radio. L'émission de Calum McCallum, l'amant de Gill Templar, débuta à huit heures et demie. Il l'écouta un peu, mais très vite il en eut assez. La voix faussement joviale, les blagues qui tombaient à plat, le mélange habituel de vieux tubes et de bavardage insipide avec des auditeurs... Il tourna le bouton et finit par tomber sur Radio 3. Reconnaissant un air de Mozart, il monta le volume.

Il se doutait bien qu'il aboutirait ici. Il s'enfonçait de plus en plus dans le labyrinthe, empruntant une série de rues tortueuses et mal éclairées.

La porte de la maison était munie d'un cadenas tout neuf, mais Rebus avait la clé dans sa poche. Il alluma sa torche et pénétra silencieusement dans le salon. Plus rien par terre. Impossible de se douter qu'un cadavre reposait là dix heures auparavant. Le bocal de seringues avait disparu lui aussi, ainsi que les bougies. Ne s'intéressant pas au mur du fond, Rebus monta au premier. Il poussa la porte et entra dans la chambre de Ronnie. Il s'approcha de la fenêtre, devant laquelle Tracy prétendait avoir découvert le cadavre. Il s'accroupit, en équilibre sur les orteils, et balaya méthodiquement le sol avec le faisceau de sa torche. Aucun appareil photo. Rien du tout. Cette enquête promettait d'être délicate. À supposer qu'il y ait lieu d'enquêter.

Après tout, cela ne tenait qu'aux allégations de Tracy.

Revenant sur ses pas, il sortit de la pièce et s'arrêta devant l'escalier. Quelque chose brillait sur la dernière marche. Il ramassa l'objet et l'examina. Un bout de métal, comme le fermoir d'une broche de pacotille. Il l'empocha néanmoins et jeta un nouveau coup d'œil dans l'escalier, essayant d'imaginer Ronnie qui revenait à lui, se traînait au rez-de-chaussée... Possible. Limite mais possible. Par contre, se retrouver dans cette posture ? Ça semblait nettement plus douteux. Et pourquoi emporter le bocal de seringues avec lui ? Rebus hocha la tête, certain d'arpenter le labyrinthe dans une direction proche de la bonne. Il redescendit et retourna dans le salon. Il y régnait l'odeur de moisi sur un vieux pot de confiture, terre et sucre mêlés. Stérile et douceâtre.

Il se figea net, son pouls battant à tout rompre. L'étoile était toujours là, ainsi que les deux cercles concentriques. Mais on y avait ajouté de nouveaux motifs à la peinture rouge : des signes astrologiques et d'autres symboles, entre les deux cercles. Il effleura la peinture de l'extrémité des doigts : elle était encore collante. Ramenant la main, il éclaira le haut du mur et put lire un message dégoulinant :

« SALUT, RONNIE. »

Superstitieux jusqu'au bout des ongles, Rebus tourna les talons et détala, sans se donner la peine de remettre le cadenas. Regagnant sa voiture d'un pas pressé, le regard encore tourné vers la maison, il heurta quelqu'un et trébucha. L'individu se cassa la figure et mit du temps à se relever. Rebus alluma sa torche et découvrit un adolescent au regard embué, le visage égratigné et tuméfié.

— Eh ben, qu'est-ce qui t'est arrivé, mon garçon ?

— Je me suis fait tabasser, répondit le gamin.

Il s'éloigna en boitant.

Rebus parvint à regagner sa voiture, les nerfs près de lâcher. Une fois installé au volant, il verrouilla sa portière, ferma les yeux et respira profondément. Détends-toi, John. Détends-toi.

Bientôt, il fut en mesure de sourire en repensant à son moment de lâcheté. Il repasserait le lendemain. En plein jour.

Pour l'instant, il avait son compte.

MARDI

Je suis maintenant porté à croire que la cause réside au plus profond de la nature humaine, et s'articule sur une charnière plus noble que le principe de la haine.

Le sommeil n'était pas venu facilement, mais Rebus avait fini par s'assoupir, vautré dans son fauteuil préféré, un livre ouvert sur les genoux. Il fallut un coup de fil à neuf heures pour qu'il émerge.

Ankylosé de partout, aussi bien les jambes, les bras que le dos, il se mit à quatre pattes pour chercher son nouveau téléphone sans fil.

— Allô ?

— Inspecteur Rebus ? C'est le labo. Vous avez demandé qu'on vous tienne au courant.

— Qu'est-ce que vous avez trouvé ? demanda Rebus en se rasseyant dans le fauteuil encore tiède.

De sa main libre il se frotta les yeux, essayant d'obtenir leur coopération pour cette journée naissante. Il jeta un coup d'œil à sa montre et se rendit compte qu'il avait vraiment dormi tard.

— Eh bien, ce n'est pas l'héroïne la plus pure du marché.

Il hocha la tête et posa la question, même si cela ne faisait aucun doute.

— De quoi tuer celui qui s'en est injecté ?

La réponse le prit au dépourvu.

— Pas du tout. C'est en fait de la came très pure. Un peu coupée, mais c'est normal. Et même préférable.

— Et on pourrait la consommer sans risques ?

— J'imagine qu'elle serait très bonne à consommer.

— Je vois. Bon, merci, dit Rebus en coupant la communication.

Pourtant, il en était tellement persuadé... Il fouilla dans sa poche, y trouva le numéro qu'il cherchait et composa rapidement les sept chiffres, avant de se laisser distraire par l'envie du premier café.

— Ici l'inspecteur Rebus. Passez-moi le Dr Enfield. (Il patienta.) Docteur ? Bien, merci. Et vous ? Parfait, parfait. Écoutez, le cadavre d'hier matin, le toxico à Pilmuir. Vous avez du nouveau ?... Oui, je patiente.

Pilmuir. Qu'avait dit Tony McCall, déjà ? L'endroit avait été charmant, plein d'innocence... quelque chose dans ce goût. Mais c'était toujours ainsi, avec le passé, non ? La mémoire arrondissait les angles, Rebus était bien placé pour le savoir.

— Allô ?... Tout à fait.

Un bruit de papiers. La voix neutre d'Enfield.

— Le corps comporte des hématomes. Assez nombreux. Provoqués par une grosse chute, ou une bagarre. L'estomac était quasiment vide. VIH négatif, ce qui mérite d'être signalé. Quant à la cause du décès, eh bien...

— L'héroïne ? suggéra Rebus.

— Hum... impure à quatre-vingt-quinze pour cent.

— Vraiment ? fit Rebus, soudain intéressé. Elle a été coupée avec quoi ?

— Les analyses sont en cours, inspecteur. Mais à vue de nez, je dirais de l'aspirine en poudre ou de la mort-aux-rats, en privilégiant la chasse aux rongeurs.

— Vous êtes en train de me dire que cette héroïne était mortelle ?

— Tout à fait. La personne qui vend cette camelote est favorable à l'euthanasie. S'il en circule encore... je préfère ne pas y penser.

S'il en circule encore... Cette idée donna des frissons à Rebus. Et si quelqu'un s'était mis en tête d'éliminer des junkies ? Mais comment expliquer le sachet inoffensif ? Un sachet de came irréprochable, un autre avec la pire saloperie. Ça n'avait pas de sens.

— Merci, docteur Enfield.

Il posa le téléphone sur l'accoudoir.

Tracy avait raison sur un point. Ronnie avait bel et bien été assassiné. Restait à savoir par qui. Et Ronnie l'avait su, à peine s'était-il piqué... Mais non, un instant... Il avait su *avant* de consommer la came ? Était-ce possible ? Rebus devait mettre la main sur le dealer. Découvrir pourquoi on avait choisi de tuer Ronnie. De le sacrifier, à vrai dire.

Tony McCall se sentait chez lui à Pilmuir. Certes, il avait quitté le quartier, s'était fichu un crédit monstrueux sur le dos, tout ça pour une maison. D'accord, une jolie baraque. Comme son épouse s'employait à le lui répéter. À longueur de journée. Elle n'arrivait pas à comprendre qu'il y passe si peu de temps. Quand on avait la chance d'avoir un chez-soi...

Cette maison, la femme de McCall en avait fait un musée. « Chez-soi », l'expression était trompeuse. Leurs deux enfants, un garçon et une fille, avaient appris à se déplacer sur la pointe des pieds, à ne laisser traîner ni miettes ni traces de doigts, à ne rien déranger ni casser. McCall, qui avait eu une enfance chahuteuse avec son frère Tommy, ne trouvait pas ça naturel du tout. Ses enfants avaient été élevés dans la crainte et un amour étouffant — un mauvais cocktail. Craig avait maintenant quatorze ans et Isabel onze. Ils étaient tous les deux timides, introvertis, presque bizarres. Les illusions de McCall s'étaient envolées, lui qui rêvait d'un fils footballeur et d'une fille actrice. Craig jouait aux échecs, mais ne pratiquait aucun sport. Il avait gagné un prix lors d'un tournoi organisé par l'école. McCall avait essayé d'apprendre à jouer, en vain. Quant à Isabel, elle aimait tricoter. Ils passaient le plus clair de leur temps dans le salon trop parfait conçu par leur mère, dans un silence presque absolu. Le cliquetis des aiguilles, le bruit étouffé des pièces déplacées sur l'échiquier.

Comment s'étonner qu'il se tienne à l'écart ?

Le voilà donc qui se trouvait à Pilmuir, sans raison précise, juste pour la balade. Histoire de prendre l'air. Quittant sa résidence ultramoderne, avec ses pavillons alignés comme des boîtes à chaussures et ses BMW, il traversait un terrain vague, puis une artère passante en faisant attention à la circulation, longeait le terrain de sport d'une école, se faufilait entre des bâtiments industriels et se retrouvait à Pilmuir. L'effort en valait la peine. Il connaissait si bien l'endroit, la mentalité de la faune qui y grouillait.

Après tout, il en était.

— Salut, Tony.

Il fit volte-face, ne reconnaissant pas la voix et s'attendant à trouver un importun. John Rebus se tenait là, tout sourires, les mains dans les poches.

— John ! Tu m'as fichu une sacrée frousse !

— Désolé. Mais c'est un coup de bol de tomber sur toi, dit-il en jetant un coup d'œil à la ronde, comme s'il cherchait quelqu'un. Je t'ai appelé au poste, mais on m'a dit que c'était ton jour de congé.

— Ouais, c'est ça.

— Alors qu'est-ce que tu fiches ici ?

— Je fais un tour. On habite par là-bas, fit-il en pointant le menton vers le sud-ouest. Pas très loin.

En plus, n'oublie pas que c'est mon secteur. Faut tenir à l'œil tous ces jeunes.

— C'est justement pour ça que je voulais te voir.

— Ah bon ?

Rebus se mit à marcher sur le trottoir. Toujours sous le choc de cette soudaine apparition, McCall le suivit.

— Oui, dit Rebus. Je voudrais savoir si tu connais quelqu'un, un copain du défunt. Un certain Charlie.

— C'est tout ? Charlie ?

Rebus haussa les épaules.

— Il ressemble à quoi ? demanda McCall.

— J'en ai aucune idée, Tony, répondit Rebus en faisant la moue. C'est Tracy, la copine de Ronnie, qui m'a parlé de lui.

McCall fronça les sourcils.

— Ronnie ? Tracy ? Qui c'est tout ça ?

— Ronnie, c'est le défunt. Ce toxico qu'on a retrouvé dans le squat.

Tout s'éclaircit soudain dans l'esprit de McCall qui opina lentement du chef.

— Tu bosses rapidement, fit-il remarquer.

— Plus on est rapide, mieux c'est. La copine de Ronnie m'a sorti quelque chose d'étonnant.

— Ah bon ?

— D'après elle, Ronnie s'est fait assassiner.

McCall s'arrêta net, mais Rebus continua de marcher.

— Attends une minute ! s'écria McCall en le rattrapant. Assassiné ? Allons, John : t'as vu le mec.

— C'est vrai. Avec une seringue de mort-aux-rats dans les veines.

McCall émit un léger sifflement.

— Tu déconnes ?

— Pas du tout. Maintenant, faut que je parle à ce

Charlie. Un type jeune, passionné d'occultisme, qui pourrait bien avoir pris peur.

McCall feuilleta mentalement quelques fiches signalétiques.

— Je vois bien un ou deux endroits par où commencer, finit-il par dire, mais ça va être coton. L'îlotage, ça n'a pas encore vraiment pris dans le coin.

— Tu veux dire qu'on va pas nous accueillir à bras ouverts ?

— Y a de ça.

— Eh bien, tu n'as qu'à me filer les adresses et m'indiquer la bonne direction. Après tout, c'est ton jour de congé.

McCall prit la mouche.

— T'oublies quelque chose, John : c'est mon secteur. Cette enquête, elle me revenait de droit. Si enquête il y a.

— Tu t'en serais chargé si tu n'avais pas eu la gueule de bois.

Ils échangèrent un sourire. Malgré tout, Rebus n'était pas convaincu que McCall aurait choisi d'ouvrir une enquête. Ne se serait-il pas contenté de laisser filer ? D'ailleurs, lui-même ne devrait-il pas en faire autant ?

— De toute manière, dit McCall comme si on lui avait soufflé la chose à l'oreille, tu dois bien avoir d'autres chats à fouetter.

Rebus fit non de la tête.

— Pas du tout. On m'a déchargé de tout le reste. Mettons que j'aie été mis en jachère.

— Tu veux dire que c'est un coup du Paysan ?

— Il veut que je participe à sa campagne contre la toxicomanie. Moi ? Non mais, tu t'imagines !

— Ouais, ça pourrait être embarrassant.

— Je sais. Mais cet imbécile se figure que j'ai une expérience personnelle de la question.

— Il n'a pas entièrement tort.

Rebus était sur le point de le contredire, mais McCall ne lui en laissa pas l'occasion.

— Alors, comme ça tu n'as rien à faire ?

— Non, jusqu'à ce que le Paysan me convoque.

— Sale veinard ! Ça change un peu les données, mais pas tant que ça. Désolé de te le dire. Ici t'es mon invité, alors tu vas être obligé de me supporter. Enfin, le temps que je me lasse.

— Je te revaudrai ça, Tony, dit Rebus, qui sourit et jeta un coup d'œil à la ronde. On commence par où ?

McCall inclina la tête en arrière. Ils firent demi-tour et revinrent sur leurs pas.

— Eh bien, lança Rebus, raconte-moi : c'est si épouvantable chez toi, pour que tu passes ton jour de repos ici ?

McCall rigola.

— Ça se voit tant que ça ?

— Seulement pour quelqu'un qu'a vécu la même chose.

— Pfft, j'en sais rien, John. J'ai l'impression d'avoir tout ce dont je ne rêvais pas.

— Et ça ne suffit pas.

Simple constat.

— J'veux dire, Sheila est une mère géniale, les gosses ne font pas de conneries, mais...

— Ailleurs, l'herbe est plus verte... déclara Rebus.

Lui-même pensait à son mariage raté, à l'appartement glacial qui l'attendait chaque soir quand la porte se refermait derrière lui avec un son creux.

— Mon frère Tommy, par exemple, poursuivit McCall, je me suis toujours imaginé qu'il avait réussi.

L'argent, la belle baraque avec le Jacuzzi, le garage à porte télécommandée...

Voyant la mine amusée de Rebus, McCall sourit à son tour.

— Les volets électriques, enchaîna Rebus. La plaque minéralogique personnalisée, le téléphone de voiture...

— L'appart' en multipropriété à Málaga, s'y mit McCall qui trouvait ça follement drôle. La cuisine en marbre.

Tout ça était d'un parfait ridicule ! Ils poursuivirent l'inventaire en marchant, pris d'un fou rire de temps à autre. Se rendant soudain compte dans quelle direction ils allaient, Rebus redevint sérieux et s'arrêta. C'était exactement là qu'il prévoyait de venir. Il tâta la poche de son blouson pour s'assurer qu'il avait bien sa torche électrique.

— Viens, Tony, dit-il d'un ton grave. Je veux te montrer quelque chose.

— C'est ici qu'on l'a découvert, expliqua Rebus en braquant sa torche sur le plancher nu. Sur le dos, les bras en croix. J'ai du mal à croire qu'il se soit retrouvé accidentellement dans cette position, non ?

McCall examina les lieux. Ils agissaient maintenant en professionnels ; toute familiarité avait disparu.

— Et la copine prétend qu'elle l'a retrouvé à l'étage ?

— Exact.

— Tu la crois ?

— Pourquoi mentirait-elle ?

— Elle pourrait avoir cent raisons de le faire, John. Je la connais, cette fille ?

— Ça ne fait pas très longtemps qu'elle est à Pilmuir. Elle est un peu plus âgée que je ne pensais, elle doit avoir dans les vingt-cinq ans, peut-être plus.

— Ce Ronnie est donc déjà mort quand on trimballe son corps en bas pour l'installer avec les bougies et tout le bastringue.

— C'est ça.

— Je commence à comprendre pourquoi tu tiens à mettre la main sur le copain passionné d'occultisme.

— Ouais. Maintenant, viens voir ça...

Rebus entraîna McCall vers le mur du fond et éclaira l'étoile, puis l'inscription.

— « Salut, Ronnie », lut McCall.

— Et ça n'y était pas hier matin.

— Ah bon ? fit McCall, d'un air étonné. C'est juste des gamins, John.

— Ce ne sont pas des gamins qui ont dessiné ce pentacle.

— Non. T'as raison.

— C'est Charlie.

— Ça se pourrait, reconnut McCall, qui glissa les mains dans ses poches et se redressa. Je me rends à votre avis, inspecteur. On va aller à la chasse dans les squats.

Mais les rares personnes qu'ils trouvèrent ne savaient rien et se moquaient bien de leur filer un coup de main. Comme le fit remarquer McCall, c'était le mauvais moment de la journée. La faune des squats s'était rabattue sur le centre-ville pour commettre des vols à l'étalage ou à la tire, mendier, dénicher de la came. Rebus dut se rendre à l'évidence : ils perdaient leur temps.

Ils décidèrent de rentrer au poste de Great London Road pour écouter l'enregistrement de la déposition de Tracy. McCall espérait y déceler un indice pour retrouver le fameux Charlie, un détail qui lui permettrait de remettre le gars, quelque chose qui aurait échappé à Rebus.

Rebus gravit nerveusement les marches du perron, avec quelques pas d'avance sur McCall, et poussa la lourde porte en bois. L'officier de permanence venait d'être relevé ; le nouveau était en train de boutonner son col de chemise et de fixer sa cravate à pince. Simple mais ingénieux, songea Rebus. Simple mais ingénieux. Tous les agents en tenue portaient une cravate à pince : en cas de bagarre, l'agresseur qui tirait dessus se retrouvait avec un bout de tissu dans la main. Le sergent de faction avait également des lunettes spéciales dont les verres incassables se détachaient sans dommage au moindre choc. Oui, simple mais ingénieux.

Pourvu que l'enquête sur le junkie crucifié soit simple. D'autant que Rebus ne se sentait pas particulièrement ingénieux.

— Salut, Arthur, lança-t-il en passant devant la réception pour se diriger vers le grand escalier. Des messages pour moi ?

— Du calme, John. Ça fait pas deux minutes que j'ai pris mon poste.

— C'est bon.

Rebus plongea les mains dans ses poches et sentit un objet métallique dans celle de droite. Il sortit le fermoir, l'examina et se figea. McCall le dévisagea, interloqué.

— T'as qu'à monter, lui dit Rebus. J'en ai pour une seconde.

— Comme tu veux, John.

Rebus retourna à la réception et tendit sa main gauche au sergent.

— Rends-moi service, Arthur. Prête-moi ta cravate.

— Quoi ?

— T'as bien entendu.

Ravi d'avoir une histoire à raconter le soir à la cantine, le sergent tira sur sa cravate. La pince se détacha du col de la chemise avec un claquement.

Simple mais ingénieux, songea Rebus en tenant la cravate entre le pouce et l'index.

— Merci, Arthur.

— C'est quand tu veux, John, lui lança le sergent en le fixant alors qu'il se dirigeait vers l'escalier. Quand tu veux.

— Tu sais ce que c'est, Tony ?

Installé au bureau de Rebus, McCall fouillait dans un tiroir. Il leva les yeux, surpris. Rebus lui montra la cravate. McCall opina du chef et sortit la main du tiroir en brandissant une bouteille de scotch.

— C'est une cravate, répondit-il. T'as des tasses ?

Rebus posa la cravate et s'approcha d'une armoire métallique sur laquelle croupissaient toute une série de tasses sales. Il les inspecta tour à tour et finit par en choisir une qui trouvait grâce à ses yeux. McCall s'intéressait à une chemise cartonnée qui traînait sur le bureau.

— « Ronnie... Tracy... premier coup de fil », lut-il à voix haute. Toujours aussi précis dans tes notes, je vois. Et toi ? fit-il en pointant la tasse que Rebus venait de lui donner.

— Je n'ai pas envie de boire. Pour être franc, je ne touche quasiment plus au scotch. C'est pour les visiteurs, dit-il en pointant la bouteille du menton.

McCall le fixait d'un air éberlué.

— De toute manière, ajouta Rebus, j'ai une migraine carabinée.

Il remarqua une grande enveloppe posée sur le bureau : PHOTOS — NE PAS PLIER.

— Tu sais, Tony, quand j'étais sergent on m'aurait fait lanterner des jours avant de me les envoyer. Être inspecteur, c'est un peu comme appartenir à la famille royale.

Il décacheta l'enveloppe et en sortit une série de clichés 18 x 24 en noir et blanc.

— Regarde, dit-il en tendant une photo à McCall. Aucune inscription sur le mur. Et le pentacle n'est pas achevé. Alors que ce matin il l'était.

McCall hocha la tête. Rebus lui reprit la photo et lui en montra une autre.

— Voici le défunt.

— Pauvre bougre. Ça pourrait être un de nos gosses, John.

— Pas du tout.

Il roula l'enveloppe et la fourra dans la poche de son blouson. McCall s'empara de la cravate et l'agita, exigeant une explication.

— T'en as déjà porté une ? lui demanda Rebus.

— Bien sûr. Pour mon mariage, sans doute à des enterrements, ou à des baptêmes...

— Non, je veux dire une cravate de ce genre. À pince. Je me souviens quand j'étais gosse, mon père s'était mis en tête que j'aurais l'air chouette en kilt. Il m'a acheté la tenue complète, y compris un nœud pap à rayures. Avec pince.

— J'en ai déjà porté une, dit McCall. Comme nous tous. On est tous sortis du rang, non ?

— Archifaux. Maintenant, tu vas me faire le plaisir de me rendre mon fauteuil.

McCall prit une chaise contre le mur et la traîna jusqu'au bureau. Rebus s'assit et attrapa la cravate.

— Ça fait partie de la tenue, dit-il.

— Quoi ?

— La cravate à pince. Pour les flics en tenue. Tu vois quelqu'un d'autre qui en porte ?

— Qu'est-ce que tu veux que j'en sache, John ?

Rebus balança la pince cassée à McCall, qui manqua de réflexe et dut se pencher pour la ramasser par terre.

— C'est une pince, lui expliqua Rebus. Je l'ai trouvée chez Ronnie. En haut de l'escalier.

— Et alors ?

— Alors, quelqu'un a abîmé sa cravate. Peut-être en trimbalant le corps au rez-de-chaussée. Peut-être que ce quelqu'un est flic.

— T'es en train de me dire qu'un gars de chez nous...

— C'est juste une hypothèse. Cela dit, elle appartient peut-être à un des agents qui ont découvert le cadavre. Je vais leur en toucher un mot.

Il tendit la main à McCall, qui lui rendit la pince.

— John, qu'est-ce que...

McCall émit un borborygme, incapable de formuler la question qu'il voulait poser.

— Bois un coup, lui conseilla Rebus d'un ton prévenant. Puis tu n'as qu'à écouter la cassette et on verra si tu penses que Tracy dit la vérité.

— Et toi, tu comptes faire quoi ?

Rebus fourra la cravate dans sa poche.

— Je ne sais pas trop. J'ai quelques détails à régler.

Il quitta la pièce alors que McCall se servait un whisky et lui lança de l'escalier, juste assez fort pour être sûr qu'il l'entende :

— Qui sait, je pourrais bien aller au diable !

— En effet, un simple pentacle.

Le Dr Poole, qui avait précisé à Rebus ne pas être

psychologue mais professeur de psychologie, deux choses bien distinctes, étudia soigneusement les photos ; sa lèvre inférieure ramenée sur sa lèvre supérieure dessinait une moue qui montrait combien il se sentait sûr de son jugement.

Rebus tripotait l'enveloppe vide et regardait par la fenêtre du bureau. Quelques étudiants profitaient de cette belle journée sur les pelouses de George Square Gardens, oubliant leurs manuels pour partager une bouteille de vin.

Rebus était mal à l'aise. Dès qu'il s'aventurait dans les lieux du savoir, qu'il s'agisse d'un modeste IUT ou de la prestigieuse université d'Édimbourg comme ce jour-là, il se sentait idiot. Il avait l'impression qu'on jugeait et interprétait ses moindres gestes et paroles, qu'on voyait en lui un type intelligent mais qui aurait pu l'être davantage, avec un peu plus de chance.

— Quand je suis retourné sur place, expliqua-t-il, quelqu'un avait ajouté des symboles entre les deux cercles. Des signes du zodiaque, ce genre de truc.

L'universitaire se dirigea vers des étagères et se mit à feuilleter un livre. Rebus n'avait eu aucune peine à mettre la main sur le bonhomme. Par contre, pour en tirer quelque chose d'utile, c'était loin d'être gagné.

— Sans doute l'arcane habituel, dit le Dr Poole, qui trouva la page qu'il cherchait et rapporta l'ouvrage au bureau pour la montrer à Rebus. Ce genre-là ?

— Oui, c'est ça.

Rebus observa l'illustration. Le pentacle n'était pas exactement celui du squat, mais les différences étaient minimes.

— Dites-moi, reprit-il, il y a beaucoup de gens qui s'intéressent à l'occultisme ?

— À Édimbourg, vous voulez dire ? fit Poole, qui

se rassit et remonta ses lunettes sur son nez. Oui, beaucoup. Il n'y a qu'à voir le succès des films sur le diable.

— En effet, dit Rebus en souriant. Moi aussi, j'ai eu ma phase films d'horreur. Mais je veux parler des gens qui s'y intéressent *activement*.

— Je m'en doutais, dit Poole en souriant à son tour. Je plaisantais. Il y a tellement de gens pour qui l'occultisme se réduit à ça : redonner vie à Satan. Croyez-moi, inspecteur, cela va beaucoup plus loin. Ou beaucoup moins, selon le point de vue.

Rebus ne voyait pas où il voulait en venir.

— Vous connaissez des occultistes ? demanda-t-il.

— Pas personnellement, non. Mais je sais qu'il existe des groupes de sorcellerie où se pratique la magie, noire et blanche.

— Ici ? À Édimbourg ?

Poole sourit de nouveau.

— Mais oui, ici même. On compte six guildes de sorcellerie à Édimbourg et dans les environs...

Il s'interrompit et Rebus comprit qu'il faisait le calcul dans sa tête.

— Peut-être sept, reprit-il. Fort heureusement, la plupart ne pratiquent que la magie blanche.

— C'est-à-dire mettre les pseudo-forces occultes au service du bien, n'est-ce pas ?

— Tout à fait.

— Et la magie noire ?

Le professeur soupira et se prit soudain d'intérêt pour ce qui se passait dehors. Une belle journée d'été. Rebus se souvint d'un livre de peintures de H. R. Giger, qu'il s'était offert bien des années auparavant. Des représentations de Satan flanqué de prêtresses débauchées... Il ne savait plus trop pourquoi il s'était acheté ça, mais le bouquin devait encore traîner quelque part chez lui. À l'époque, il avait pris soin de le cacher pour que Rhona ne tombe pas dessus.

— Pour la magie noire, déclara soudain Poole, il existe une guilde à Édimbourg.

— Dites-moi, leur arrive-t-il de faire... euh... des sacrifices ?

Le professeur haussa les épaules.

— Nous faisons tous des sacrifices.

Voyant que Rebus ne goûtait pas ce trait d'esprit, il se redressa dans son fauteuil et prit l'air sérieux.

— Sans doute que oui, dit-il. Quelques sacrifices rituels. Un rat, une souris, un poulet. Peut-être qu'ils ne vont même pas jusque-là, qu'ils se contentent de quelque chose de strictement symbolique... je ne sais pas trop.

Rebus tapota une des photos étalées sur le bureau.

— Dans la maison où figurait ce pentacle, on a également retrouvé un cadavre. Humain, faut-il que je le précise ?

Il sortit alors les clichés de Ronnie. Le Dr Poole les regarda en plissant le front.

— Overdose d'héroïne, expliqua Rebus. Les bras en croix. Le corps était placé entre deux bougies entièrement consumées. Ça évoque quelque chose ?

— Non, répondit Poole, la mine horrifiée. Mais vous soupçonnez des satanistes de...

— Je ne soupçonne personne, professeur. J'essaye simplement de rassembler les morceaux, de considérer toutes les éventualités.

Poole réfléchit un instant.

— Il y a un de nos étudiants qui vous serait peut-être d'une plus grande aide que moi. Je n'avais pas idée que nous parlions d'un décès...

— Un étudiant ?

— Oui. Je ne le connais que vaguement, mais il

m'a l'air passionné d'occultisme. Il a écrit une dissertation assez longue et bien documentée sur le sujet le semestre dernier. Il envisage d'entreprendre une étude sur le démonisme. Tous nos étudiants de deuxième année doivent mener à bien un projet pendant leurs vacances d'été. Oui, sans doute qu'il pourra mieux vous éclairer que moi.

— Comment s'appelle-t-il ?

— Son nom de famille m'échappe à l'instant. D'habitude, il se fait juste appeler par son prénom. Charles.

— Charles ?

— Ou peut-être bien Charlie... Oui, c'est ça : Charlie.

Le nom du copain de Ronnie. Rebus sentit des picotements sur sa nuque.

— Oui, Charlie, répéta Poole en hochant la tête. Un peu excentrique dans son genre. Vous le trouverez sans doute à la maison des étudiants. Je crois savoir que c'est un mordu de jeux vidéo.

Non, pas de jeux vidéo. De flippers. Les flippers avec plein d'extra, les bonus et les pièges qui font tout le sel d'une vraie partie. Charlie en était complètement accro. Une passion d'autant plus dévorante qu'elle lui était venue sur le tard. Il avait déjà dix-neuf ans ; la vie s'écoulait, il comptait bien s'accrocher à tout ce qu'elle pouvait charrier. Le flipper n'avait tenu aucune place dans son adolescence, vouée aux livres et à la musique. De toute façon, il n'y en avait pas dans son pensionnat.

Maintenant, il avait trouvé sa liberté à l'université et comptait profiter de la vie. Et jouer au flipper. Et se rattraper pour le reste, tout ce dont il s'était privé pendant ses années de pension, consacrées à l'introspection et aux rédactions bourrées de sensiblerie. Charlie était décidé à courir plus vite que personne, à ne pas se contenter d'une seule vie mais de deux, trois, pourquoi pas quatre. La boule argentée entra en contact avec le flipper gauche et il la renvoya rageusement. Il profita d'une pause, pendant que la boule reposait dans un trou bonus et qu'il engrangeait mille points supplémentaires, pour s'emparer de sa bière et boire une gorgée. Puis ses doigts retrouvèrent leur place sur les boutons. Encore dix minutes et il aurait le meilleur score de la journée.

— Charlie ?

Il se retourna en entendant son nom. Très naïf. Une erreur de débutant. Il reporta son attention vers la partie, mais trop tard. Le type s'approchait. Un type sérieux. Pas franchement souriant.

— Juste un mot, Charlie.

— OK. Carbolevure, ça vous va ? Ça a toujours été un de mes mots préférés.

Le sourire de John Rebus ne dura pas une seconde.

— Très malin, dit-il. Oui, c'est ce qu'on appelle une réponse maligne.

— On ?

— La brigade criminelle des Lothians. Je suis l'inspecteur Rebus.

— Ravi de faire votre connaissance.

— Moi de même, Charlie.

— Non, vous faites erreur. Je ne suis pas Charlie. Mais il passe parfois ici. Je lui dirai que vous êtes venu.

Charlie était sur le point de réaliser le meilleur score, avec cinq minutes d'avance, quand Rebus l'empoigna par les épaules et fit pivoter sans ménagement. Vu qu'aucun autre étudiant n'était présent, il accentua sa prise et poursuivit :

— T'es aussi drôle qu'un sandwich aux asticots, Charlie, et quand je joue aux cartes, c'est jamais à la patience. Alors m'en veux pas si je réagis au quart de tour et que je m'énerve.

— Lâchez-moi.

Le visage de Charlie avait pris un nouvel éclat, qui ne devait rien à la peur.

— Ronnie, se contenta de dire Rebus.

Calmé, il desserra son étreinte. Charlie pâlit.

— Qu'est-ce que vous lui voulez, à Ronnie ?

— Il est mort.

— Oui, fit Charlie d'une voix calme, le regard dans le vide. J'ai appris ça.

Rebus hocha la tête.

— Tracy t'a cherché.

— Tracy ! cracha hargneusement Charlie. Celle-là, elle a jamais rien compris. Rien du tout. Vous l'avez rencontrée ?

Rebus fit oui de la tête.

— Quelle plaie, cette gonzesse ! Elle a jamais compris Ronnie. Elle a même pas essayé.

Tout en écoutant Charlie, Rebus en apprenait davantage sur son compte. Son accent trahissait une scolarité dans un collège privé, ce qui était une première surprise. Rebus n'aurait su dire à quoi il s'attendait. En tout cas, pas à ça. Il avait aussi une belle carrure, comme tous les garçons issus d'un milieu où il est de bon ton de jouer au rugby. Ses cheveux noirs bouclés n'étaient pas trop longs. Il portait la tenue estivale de tout étudiant qui se respecte : baskets, jean, tee-shirt. Un tee-shirt noir déchiré aux manches.

— Comme ça, Ronnie a fait le grand saut, hein ? C'est l'âge idéal pour mourir. Vivre vite et mourir jeune.

— T'as envie de mourir jeune, Charlie ?

Il éclata de rire — un cri aigu de petit animal.

— Moi ? Merde, je veux vivre jusqu'à cent ans ! Je n'ai pas envie de mourir. Et vous ?

Son regard avait quelque chose de pétillant. Rebus réfléchit à la question, mais n'avait pas du tout l'intention d'y répondre. Il était là pour le boulot, pas pour discuter du thanatos. Le Dr Poole lui avait touché un mot sur les pulsions de mort.

— Je veux savoir ce que tu peux me dire de Ronnie.

— Ça signifie que vous allez m'emmener pour un interrogatoire ?

— Si tu veux. Mais on peut faire ça ici, si tu préfères...

— Non, non. Je *tiens* à être emmené au poste. Allez, emmenez-moi.

Ce soudain enthousiasme le faisait paraître beaucoup plus jeune qu'il n'était. Comment pouvait-on se réjouir de subir un interrogatoire au poste ?

Tandis qu'ils regagnaient la voiture de Rebus, garée dans le parking, Charlie insista pour marcher seul quelques pas devant lui, la tête baissée et les mains dans le dos. Rebus comprit qu'il faisait semblant d'être menotté. Il jouait bien la comédie et attira l'attention sur eux. Quelqu'un lança même un « salaud ! » à Rebus. À force de l'entendre au fil des ans, ça ne lui faisait plus rien. Il aurait été nettement plus déconcerté de s'entendre souhaiter bonne route.

— Ce serait possible d'en acheter une ou deux ? demanda Charlie qui examinait les photos de son œuvre, son pentacle.

La salle d'interrogatoire était sinistre. À dessein. Pourtant, Charlie s'y était installé comme s'il envisageait de la louer.

— Non, répondit Rebus, qui alluma une cigarette sans lui en proposer une. Alors, qu'est-ce qui t'a pris de peindre ça ?

— Moi je trouve ça beau, dit Charlie sans détacher son regard des clichés. Pas vous ? C'est chargé de sens.

— Tu connaissais Ronnie depuis combien de temps ?

Charlie haussa les épaules et, pour la première fois, jeta un coup d'œil au magnétophone. Quand Rebus lui avait demandé la permission d'enregistrer l'interrogatoire, il avait fait la moue. Maintenant, il paraissait plus pensif.

— Peut-être un an, répondit-il. Ouais, un an. Je l'ai rencontré à l'époque où je passais mes examens de première année. C'est là que j'ai commencé à m'intéresser au vrai Édimbourg.

— Au vrai Édimbourg ?

— Oui. Pas juste le joueur de cornemuse des remparts, le Royal Mile ou le Scott Monument.

Rebus se rappela les photos que Ronnie avait prises du château.

— J'ai vu des photos au mur dans la chambre de Ronnie.

— M'en parlez pas ! s'écria Charlie en faisant la grimace. Il s'était mis en tête de devenir photographe. Mitrailler des crétineries pour touristes et en faire des cartes postales ! Mais ça n'a pas tenu, comme la plupart des projets de Ronnie.

— Il avait tout de même un bel appareil.

— Comment ? Ah oui... son appareil. Ça, il en était super-fier.

Charlie croisa les jambes. Rebus ne cessait de scruter le regard du jeune homme qui s'absorbait toujours dans la contemplation des photos.

— Qu'est-ce que tu entends au juste par le « vrai Édimbourg » ?

— Deacon Brodie[1], répondit Charlie avec un intérêt manifeste. Burke et Hare[2], les pécheurs justifiés, la totale. Mais voyez-vous, on a fait le ménage pour les touristes. Moi, je me suis dit : il existe encore des bas-fonds dans les Lowlands. Alors je me suis mis à faire le tour des quartiers difficiles : Wester Hailes, Oxgangs, Craigmillar, Pilmuir. Et bien entendu, rien n'a changé : le passé se répète dans le présent.

— Alors t'as commencé à traîner à Pilmuir ?

— Oui.

— En d'autres mots, tu t'es mis à faire le touriste.

Rebus connaissait bien le genre, mais d'habitude la version plus âgée — l'homme d'affaires qui s'encanaille pour le frisson, s'offre une rasade de plaisir dans les lieux malfamés. Une espèce qui ne lui plaisait pas.

Charlie démarra au quart de tour.

— Je ne suis pas un touriste ! J'allais là-bas parce que j'en avais envie, et les gens voulaient bien de moi. J'y suis à ma place.

Sa voix avait pris un ton boudeur.

— Pas du tout, l'ami. Ta place, c'est dans une grande bicoque avec des parents qui s'intéressent à tes études.

— Conneries !

Charlie s'écarta de la table, s'approcha du mur et y appuya la tête. Rebus craignit soudain qu'il ne s'amoche tout seul pour prétendre ensuite que la police l'avait passé à tabac. Mais non, apparemment

1. Notable d'Édimbourg qui mena longtemps une vie parallèle de criminel avant d'être exécuté en 1788. *(N.d.T.)*

2. Célèbre duo d'assassins de la première moitié du XIXe siècle, dont les crimes visaient à fournir des cadavres à l'anatomiste Robert Knox. *(N.d.T.)*

il voulait juste sentir un peu de fraîcheur sur son visage.

La chaleur était étouffante. Rebus, qui avait déjà retiré son blouson, retroussa ses manches et écrasa sa cigarette. Maintenant que le gamin s'était assoupli, était devenu plus malléable, le moment était venu de poser quelques questions.

— OK, Charlie. Le soir de l'overdose, t'étais bien avec Ronnie, hein ?

— Oui, mais je ne suis pas resté très longtemps.

— Qui d'autre était là ?

— Tracy. Elle était encore là quand je suis parti.

— Personne d'autre ?

— Un type est passé plus tôt dans la soirée. Il ne s'est pas attardé. Je l'avais déjà vu une ou deux fois avec Ronnie. Quand ils étaient ensemble, ils restaient dans leur coin.

— Tu crois que c'était son dealer ?

— Non. Ronnie n'avait jamais de mal à s'approvisionner. En tout cas, jusqu'à récemment. Depuis quinze jours, c'était plus dur. Mais ils avaient l'air très proches. Vachement proches, si vous voyez ce que je veux dire.

— Continue.

— Genre amoureux, quoi. Pédés.

— Mais, et Tracy ?

— Ouais, ouais. Mais qu'est-ce que ça prouve, hein ? Vous savez comment les junkies se procurent leur fric.

— Comment ? En volant ?

— Ouais, quelques cambriolages, des vols à la tire, ce qui se présente. Et puis, ils se font un peu d'argent sur Calton Hill.

L'imposante butte de Calton Hill, qui s'étendait à l'est de Princes Street. Oui, Rebus n'ignorait rien de

Calton Hill, ni des voitures qui stationnaient une bonne partie de la nuit à son pied, dans Regent Road. Ni du cimetière de Calton Hill et du manège nocturne qui s'y déroulait...

— Tu veux dire que Ronnie faisait le tapin ?

Prononcée à voix haute, l'expression sonnait franchement ridicule. Une formule pour tabloïds.

— Je dis qu'il y traînait souvent avec des mecs. Et qu'en fin de nuit il avait de l'argent. Du fric et peut-être quelques traces de coups en prime, précisa-t-il en ravalant sa salive.

— Super.

Rebus ajouta ce renseignement au dossier de plus en plus sordide qu'il constituait dans sa tête. Jusqu'où pouvait-on plonger pour une dose ? Réponse : jusqu'au fond. Même un peu plus bas.

Il se ralluma une clope.

— T'es sûr de ce que t'avances ?

— Non.

— Au fait, Ronnie était-il originaire d'Édimbourg ?

— Non, de Stirling.

— Et son nom de famille ?

— McGrath, je crois.

— Et le type avec qui il était très copain. T'aurais un nom ?

— Neil. Mais Ronnie l'appelait Neilly.

— Neilly ? Et tu dirais qu'ils se connaissaient depuis longtemps ?

— Ouais, pas mal de temps. Quand on s'appelle par un petit nom, c'est un signe d'affection, non ?

Rebus le dévisagea d'un air admiratif.

— Ce n'est pas pour rien que j'étudie la psycho, inspecteur !

— Ouais, fit Rebus, qui s'assura que la cassette

n'était pas encore arrivée au bout. Décris-moi ce Neil, veux-tu.

— Grand, maigre, cheveux bruns, visage un peu boutonneux mais toujours propre. Il est souvent en jean. Et il a toujours un blouson en jean et un grand sac noir.

— T'aurais pas une idée de ce qu'il contient ?

— Juste des fringues, j'ai eu l'impression.

— OK.

— Autre chose ?

— On va parler du pentacle. Depuis qu'on a pris ces photos, quelqu'un est passé pour y faire quelques retouches.

Charlie resta silencieux, mais n'afficha aucune surprise.

— C'est toi, n'est-ce pas ?

Il fit oui de la tête.

— Comment tu t'y es pris pour entrer ?

— Par une fenêtre du rez-de-chaussée. Un éléphant réussirait à se faufiler entre ces planches. Ça fait comme une porte en plus. Beaucoup de gens passaient par là.

— Pourquoi y es-tu retourné ?

— Mon œuvre n'était pas terminée. Fallait bien que j'ajoute les symboles, hein ?

— Et l'inscription.

Charlie se sourit à lui-même.

— Oui, l'inscription.

— « Salut, Ronnie », dit Rebus. Qu'est-ce que ça veut dire ?

— C'est clair, non ? Son esprit est toujours là, son âme est dans la maison. C'était juste histoire de lui dire bonjour. Il me restait un peu de peinture. Et puis, ça m'amusait de foutre la trouille à quelqu'un.

Rebus se souvint de sa propre stupeur en découvrant le message. Il se sentit rougir légèrement, mais embraya sur une nouvelle question.

— Tu te rappelles les bougies ?

Charlie hocha la tête. Il commençait à s'impatienter. Aider la police pour une enquête était beaucoup moins amusant qu'il ne l'imaginait.

— Et ton projet pour la fac ? demanda Rebus en changeant de tactique.

— Qu'est-ce qu'il a, mon projet ?

— C'est bien sur le démonisme ?

— Peut-être. Je ne suis pas encore décidé.

— Quel aspect du démonisme ?

— Je ne sais pas, peut-être sous l'angle mythologie populaire. Comment les anciennes peurs se transforment en de nouvelles, quelque chose du genre.

— Connaîtrais-tu des guildes de sorcellerie à Édimbourg ?

— Je connais des gens qui prétendent appartenir à certains groupes.

— Mais tu n'as jamais assisté à une séance ?

— Non, manque de pot. (Sa curiosité était piquée.) Écoutez, où est-ce que vous voulez en venir ? Ronnie est mort d'une overdose. Tchao. Pourquoi toutes ces questions ?

— Qu'est-ce que tu peux me dire sur les bougies ?

— *Quoi,* les bougies ? s'emporta Charlie.

Rebus demeurait d'un calme imperturbable. Il exhala de la fumée avant de répondre.

— Il y avait des bougies dans le salon.

Il était sur le point de dévoiler à Charlie quelque chose qu'il semblait ignorer. Le point autour duquel il tournait depuis le début de l'interrogatoire.

— En effet. De grosses bougies. Ronnie les avait dégotées dans une boutique spécialisée. Il adorait les bougies, ça créait une certaine ambiance dans la baraque.

— Tracy a retrouvé Ronnie dans sa chambre. Elle pense qu'il était déjà mort. Mais le temps qu'elle nous alerte et qu'un agent arrive sur place, poursuivit-il d'une voix encore plus basse, glacée comme le papier des photos, le corps de Ronnie avait été transporté en bas. On l'avait disposé entre deux bougies presque entièrement consumées.

— De toute façon, il ne restait pas grand-chose de ces bougies quand moi je suis parti.

— T'es parti à quelle heure ?

— Juste avant minuit. J'avais entendu parler d'une soirée quelque part dans le lotissement. J'espérais me faire inviter.

— Combien de temps auraient pu brûler les bougies ?

— Une heure, deux heures... Qu'est-ce que vous voulez que j'en sache ?

— Quelle quantité de drogue s'était procuré Ronnie ?

— Putain, j'en sais rien !

— En temps normal, quelle était sa consommation ?

— Je n'en sais vraiment rien. Je ne me drogue pas. Ça me débecte. J'ai deux copains de lycée qui sont dans des cliniques privées.

— Tant mieux pour eux.

— Comme je vous l'ai dit, ça faisait quelque temps que Ronnie n'arrivait pas à se procurer de came. Il était vanné, sur le point de péter les plombs. Et puis un jour, il en a ramené. Point.

— La came est si rare que ça ?

— Ça ne manque pas, autant que je sache, mais pas la peine de me demander des noms.

— Dans ce cas, pourquoi Ronnie avait-il du mal à en trouver ?

— Aucune idée. Même Ronnie n'y comprenait rien. Du jour au lendemain, tout le monde s'est mis à l'éviter. Puis il est redevenu fréquentable, et a obtenu ce sachet.

Le moment était venu. Rebus retira une poussière invisible sur sa chemise.

— Il a été assassiné, déclara-t-il. Enfin, c'est tout comme.

Charlie en resta bouche bée. Son visage se vida de son sang, comme si une vanne s'était ouverte quelque part.

— Quoi ?

— Il a été assassiné. Il était chargé à la mort-aux-rats. Même s'il se l'est injectée lui-même, c'est quelqu'un d'autre qui la lui a fournie et en sachant certainement que la dose serait mortelle. On s'est ensuite donné beaucoup de peine pour transporter son cadavre dans le salon et monter cette mise en scène rituelle. Avec notamment ton pentacle.

— Non mais, attendez...

— Combien de groupes de sorcellerie y a-t-il dans la région d'Édimbourg, Charlie ?

— Quoi ? Six, sept, j'en sais rien, moi... Écoutez...

— Tu t'y connais ! Dis-moi lequel tu fréquentes.

— Putain, si vous croyez que vous allez me foutre ça sur le dos !

— Et pourquoi pas ? rétorqua Rebus en écrasant sa cigarette.

— Parce que c'est délirant !

Ne lâche pas le morceau, se disait Rebus. Il est sur le point de craquer.

— Moi, Charlie, je trouve que ça colle plutôt bien. À moins que tu puisses me convaincre du contraire.

Charlie se dirigea d'un air résolu vers la porte, puis s'arrêta.

— Vas-y, lui lança Rebus. C'est ouvert. Tire-toi, si t'as envie. Comme ça, je saurai une fois pour toutes que t'as trempé là-dedans.

Le jeune homme se retourna. Dans la lumière tamisée, son regard avait un je-ne-sais-quoi d'humide. Des particules de poussière, prises dans un rayon de soleil qui s'infiltrait par le carreau dépoli d'une fenêtre nue, semblaient danser au ralenti. Charlie passa à travers en revenant vers le bureau.

— Je n'y suis pour rien. Sérieux.

— Assieds-toi, dit Rebus, qui jouait désormais les tontons bienveillants. On va discuter.

Sauf que Charlie n'aimait pas les tontons. N'avait jamais pu les souffrir. Il se pencha vers lui et planta ses mains sur le bureau. Quelque chose s'était durci en lui. Quand il parla, ce fut pour cracher son venin.

— Allez vous faire foutre, Rebus ! Je vois très bien votre petit jeu et vous pouvez jouer sans moi. Coffrez-moi si vous voulez, mais ne vous foutez pas de moi avec vos manœuvres de minable. On voit ça en première année de psycho.

Cette fois il ouvrit la porte et ne la referma pas derrière lui. Rebus se leva, éteignit le magnétophone, glissa la cassette dans sa poche et le suivit. Le temps qu'il arrive dans le hall d'entrée, Charlie avait disparu. Il s'approcha de la réception. Le sergent de permanence délaissa un instant sa paperasse.

— Tu l'as raté de peu, dit-il.

Rebus hocha la tête.

— N'importe.

— Il n'avait pas l'air ravi.

— Tu crois que je ferais du bon boulot s'ils repartaient tous en se tenant les côtes ?

— J'imagine que non, répondit le sergent avec un sourire. Qu'est-ce que je peux faire pour toi ?

— L'overdose de Pilmuir. J'ai une identité pour le cadavre. Ronnie McGrath, originaire de Stirling. Tu peux essayer de mettre la main sur les parents ?

Le sergent griffonna le nom sur un bloc-notes.

— Ils vont être enchantés d'apprendre comment le fiston se débrouillait à la ville.

— Oui, fit Rebus en fixant la porte d'entrée du poste. C'est sûr.

John Rebus considérait son appartement comme une forteresse. Une fois la porte franchie, il relevait le pont-levis et se vidait l'esprit, tenant le monde extérieur à l'écart le plus longtemps possible. Il se servait un verre, mettait une cassette de saxo ténor et bouquinait. Quelques mois plus tôt, saisi par la fièvre du rangement, il avait installé des étagères dans le salon avec l'intention d'y cantonner sa bibliothèque envahissante. Mais les livres s'étaient débrouillés pour revenir par terre. Ils étaient tellement éparpillés qu'il se déplaçait de l'un à l'autre comme sur des dalles pour gagner sa chambre ou l'entrée.

À travers ce fatras, il alla baisser le store vénitien du bow-window. Mais il laissa ouvertes les lamelles poussiéreuses. Les faisceaux de lumière rouge fraise qui surgirent dans la pièce lui rappelèrent la salle d'interrogatoire...

Non, non, non. Pas question de retomber là-dedans, de se laisser bouffer par le boulot. Il fallait à tout prix se changer les idées, se plonger dans un bouquin qui vous entraîne dans son univers, loin des lieux et des odeurs d'Édimbourg. Marchant résolument sur Tchekhov, Heller, Rimbaud, Kerouac et d'autres, il alla chercher une bouteille de vin à la cuisine.

Deux cartons étaient rangés sous le plan de travail, à l'emplacement qu'avait occupé la machine à laver. Avant que Rhona ne l'emporte, ce qui était bien son droit. Il appelait ce coin sa cave à vin et commandait de temps en temps une caisse composée d'un assortiment de vins chez un petit caviste à deux pas de là. Il glissa la main dans un des cartons et en sortit une bouteille. Château-Potensac. Oui, il se souvenait d'y avoir déjà goûté. Ça ferait tout à fait l'affaire.

Il versa le tiers de la bouteille dans un gros verre à bière et retourna dans le salon, ramassant un livre au passage. Il ne lut le titre qu'une fois assis : *Le Festin nu*. Mauvais choix. Il le balança et en prit un autre. *Docteur Jekyll et Mister Hyde*. Après tout... Il avait envie de le relire depuis longtemps, et ça avait le mérite d'être très court.

Il but une gorgée, la fit tourner dans sa bouche avant d'avaler et ouvrit le livre.

À cet instant précis, comme dans une pièce de théâtre, on frappa à la porte. Rebus émit un son qui tenait à la fois du soupir et du rugissement. Il posa le livre ouvert en équilibre sur l'accoudoir et se leva. Sans doute Mme Cochrane, la voisine du dessous, qui venait le prévenir que c'était à lui de laver l'escalier. Elle aurait à la main l'affichette sentencieuse : C'EST VOTRE TOUR DE NETTOYER L'ESCALIER. Pourquoi ne pouvait-elle se contenter de l'accrocher à sa poignée, comme tout le monde ?

Il essaya d'afficher un sourire convivial avant d'ouvrir, mais l'acteur en lui s'était retiré pour la soirée. D'où le rictus un rien exaspéré avec lequel il dévisagea l'intruse qui se tenait sur son paillasson.

C'était Tracy.

Ses yeux étaient gonflés de larmes. Les cheveux

collés par la sueur, elle était toute rouge et avait l'air épuisée.

— Je peux entrer ?

Une voix où l'on décelait beaucoup d'effort pour ne pas craquer. Rebus n'eut pas le cœur de lui dire non. Il ouvrit la porte en grand et elle passa devant lui, filant droit vers le salon comme si elle était déjà venue des dizaines de fois. Rebus s'assura qu'aucun voisin curieux ne traînait dans l'escalier, puis referma le battant. Il était tout hérissé. Pas franchement agréable comme sensation. Il ne supportait pas que les gens s'invitent chez lui. Encore moins le boulot.

Quand il arriva dans le salon, Tracy finissait de s'enfiler son verre de vin. Elle poussa un soupir de contentement, sa soif étanchée. Rebus se sentait de plus en plus mal à l'aise, et ça devenait insupportable.

Il resta sur le seuil, comme pour lui faire comprendre qu'elle devait partir.

— Comment tu t'es démerdée pour trouver mon adresse ? lui demanda-t-il.

— Pas facile, répondit-elle d'une voix plus calme. Vous m'aviez dit que vous habitiez à Marchmont, alors j'ai traîné dans le coin en cherchant votre bagnole. Ensuite j'ai trouvé votre nom sur l'interphone en bas.

Force était de reconnaître qu'elle aurait fait un bon flic. User ses semelles, c'était là tout le secret.

— J'ai peur, ajouta-t-elle. Quelqu'un m'a suivie.

— Ah bon ?

Il entra dans la pièce, intrigué, le sentiment d'être envahi s'estompait peu à peu.

— Oui, deux types. Je crois bien qu'ils étaient deux. Ils m'ont filée tout l'après-midi. J'étais sur Princes Street, juste en train de marcher, et ils étaient toujours là, un peu en arrière. Ils ont bien dû se douter que je les avais repérés.

— Que s'est-il passé ?

— Je les ai semés. Je suis entrée chez Marks & Spencer, j'ai foncé vers la sortie qui donne dans Rose Street, et puis je me suis précipitée dans le premier pub pour me cacher dans les toilettes pour dames. J'y ai passé une heure. Apparemment, ça a marché. Ensuite, je suis venue ici.

— Pourquoi tu ne m'as pas appelé ?

— Pas de fric. C'est pour ça que j'étais sur Princes Street.

Elle s'était installée dans son fauteuil, les bras pendant de chaque côté. Rebus pointa le verre vide du menton.

— T'en reveux ?

— Non, merci. J'aime pas trop le jaja. Mais j'avais vachement soif. Par contre, une tasse de thé ça me dirait bien.

— Va pour du thé.

Du jaja ? Elle ne manquait pas d'air ! Il se retourna pour aller dans la cuisine, en pensant à la fois au thé et à ce qu'elle venait de lui raconter. Dans un de ses placards peu achalandés, il trouva une boîte non entamée de sachets de thé. Il n'avait pas de lait frais, mais dénicha une boîte de lait en poudre où on pourrait racler une ou deux cuillerées. Maintenant, pour le sucre... Un éclat de musique lui parvint du salon — *L'Album blanc* à pleins tubes. Une vieille cassette dont il avait complètement oublié l'existence. Il ouvrit le tiroir à couverts, dans le seul espoir d'y trouver une petite cuillère, et tomba sur quelques sachets de sucre chipés à la cantine. Quand on avait la main heureuse... La bouilloire se mit à siffler.

— C'est super-grand comme appart' !

Elle le fit sursauter. Il n'avait pas l'habitude d'entendre d'autres voix chez lui. Il se retourna et la vit appuyée au chambranle, la tête inclinée sur le côté.

— Vraiment ? fit-il en lavant un mug.

— Mais oui ! C'est vachement haut ! Chez Ronnie, j'arrivais presque à toucher le plafond.

Elle se dressa sur la pointe des pieds et tendit le bras en agitant la main. Rebus se demanda si elle n'avait pas profité de ce qu'il était parti à la chasse au thé pour prendre quelque chose, de la coke ou des amphétamines. Elle sourit, comme si elle lisait dans ses pensées.

— C'est juste que je suis soulagée. Je suis encore un peu étourdie, tellement j'ai couru. Aussi à cause de la peur, j'imagine. Mais ici je me sens en sécurité.

— À quoi ressemblaient ces types ?

— Je ne sais pas. Un peu à vous, dit-elle avec un nouveau sourire. Il y avait un moustachu. Légèrement gros et dégarni, mais pas vieux. L'autre, j'ai aucun souvenir. Sans doute qu'il n'était pas très marquant.

Rebus versa de l'eau dans le mug et y plaça le sachet.

— Du lait ?

— Non, merci. Juste du sucre, si vous en avez.

Il brandit un des sachets.

— Génial, dit-elle.

De retour dans le salon, il se dirigea vers la chaîne pour baisser le volume.

— Désolée.

Elle sirotait son thé dans le fauteuil, ses jambes repliées sous elle.

— Je me dis toujours qu'il faudrait que je demande aux voisins s'ils entendent la musique, expliqua Rebus comme pour se justifier. Les murs sont assez épais, mais pas le plafond.

Elle hocha la tête et souffla sur son thé ; un voile de vapeur s'éleva devant son visage. Il prit un siège pliant en toile rangé sous une table.

— Alors, dit-il en s'asseyant. Qu'est-ce que tu veux qu'on fasse pour ces types ?

— Je n'en sais rien. C'est vous, le policier.

— Franchement, on se croirait au cinéma. J'veux dire, pourquoi quelqu'un te suivrait-il ?

— Pour me faire peur ? suggéra-t-elle.

— Et *pourquoi* voudrait-on te faire peur ?

Après un temps de réflexion, elle haussa les épaules.

— Au fait, reprit Rebus, j'ai vu Charlie aujourd'hui.

— Ah ?

— Tu le trouves sympa ?

— Charlie ? s'écria-t-elle en lâchant un rire éraillé. Quel mec craignos ! Il s'impose toujours, même quand on lui fait sentir qu'on veut pas le voir. Tout le monde le déteste.

— Tout le monde ?

— Oui.

— Ronnie aussi ?

— Non, finit-elle par dire après un silence. Mais Ronnie manquait de jugement pour ces choses-là.

— Ronnie avait un autre copain. Neil ou Neilly. Parle-moi de lui.

— Le type qui était là hier soir ?

— C'est ça.

Elle haussa de nouveau les épaules.

— C'était la première fois que je le rencontrais.

Elle s'intéressa soudain au livre posé sur le bras

du fauteuil, le prit et se mit à le feuilleter, faisant mine de lire.

— Et Ronnie ne t'a jamais parlé d'un Neil ou d'un Neilly ?

— Non, dit-elle en agitant le livre dans sa direction. Mais il parlait d'un certain Edward. Pour une raison ou une autre, il lui en voulait. Il criait son nom quand il était seul dans sa chambre après s'être shooté.

— Edward, répéta Rebus en hochant la tête pensivement. Son dealer, peut-être ?

— Je ne sais pas. Peut-être. Ronnie pouvait devenir assez dingue quand il se droguait. C'était plus la même personne. Mais à d'autres moments il était si gentil, si doux...

Sa voix n'était plus qu'un murmure et ses yeux brillaient. Rebus jeta un coup d'œil à sa montre.

— OK. Si je te ramenais au squat, maintenant ? On pourrait s'assurer que personne ne t'espionne.

— Je ne sais pas trop...

La crainte était revenue sur son visage, la rajeunissant de plusieurs années. Elle était redevenue la petite fille qui a peur des ombres et des fantômes.

— Je serai là, insista Rebus.

— Oui... Est-ce que je peux faire quelque chose d'abord ?

— Quoi donc ?

Elle tira sur ses vêtements trempés.

— Prendre un bain, dit-elle en souriant. Je sais bien que c'est un peu gonflé, mais ça me ferait vraiment du bien et l'eau est coupée au squat.

Rebus sourit à son tour et fit lentement oui de la tête.

— La baignoire est à ta disposition.

Pendant qu'elle prenait son bain, il étendit ses habits sur le radiateur de l'entrée. Avec le chauffage, l'appartement se métamorphosa en un vrai sauna, mais Rebus ne parvint à ouvrir aucune des fenêtres à guillotine. Il refit du thé, cette fois une théière pleine, et venait de la poser dans le salon quand Tracy l'appela. Il revint dans le vestibule et la vit qui passait la tête par la porte entrebâillée de la salle de bains, d'où s'échappait un nuage de vapeur. Elle avait le visage, les cheveux et le cou mouillés.

— Il n'y a pas de serviette, expliqua-t-elle.

— Désolé, s'excusa-t-il.

Il en trouva dans le placard de sa chambre et les lui tendit par l'embrasure, se sentant gêné malgré lui.

— Merci !

Quand elle le rejoignit dans le salon, il avait mis du jazz en sourdine à la place des Beatles et s'était servi du thé. Elle s'était noué habilement une grande serviette rouge autour du corps et une autre sur la tête. Rebus se faisait souvent la réflexion que les femmes avaient un don pour se vêtir d'une simple serviette... Malgré ses bras maigres et blancs, elle avait des formes plutôt attrayantes, et le bain avait donné un certain éclat à sa peau. Il se souvint des photos dans la chambre de Ronnie. Ce qui lui fit penser à l'appareil photo disparu.

— Ronnie était toujours passionné de photo ? Ces derniers temps, je veux dire.

Pas très subtil comme façon d'amener le sujet sur le tapis, mais Tracy ne s'en étonna pas.

— Il était très doué, vous savez. Il avait un bon coup d'œil, mais on ne lui a jamais donné sa chance.

— Il a vraiment essayé ?

— Mais oui, bon sang ! répondit-elle d'un ton agressif.

Peut-être avait-il laissé transparaître trop de scepticisme. Déformation professionnelle...

— Oui, bien sûr. J'imagine que c'est difficile de se faire accepter dans ce milieu.

— C'est très vrai. Il y avait même des gens dans le métier qui connaissaient les talents de Ronnie. Mais ils ne voulaient pas qu'on leur fasse concurrence, alors ils ne se sont pas privés de lui mettre des bâtons dans les roues.

— D'autres photographes, tu veux dire ?

— C'est ça. Quand Ronnie était vraiment mordu de photo, avant de perdre ses illusions, il ne savait pas trop comment percer. Alors il s'est rendu dans quelques studios, pour montrer son travail à des professionnels. Il avait des photos très originales. Des lieux connus pris sous un angle inhabituel. Le château, Waverley Monument, Calton Hill.

— Calton Hill ?

— Oui. La je sais plus quoi...

— La Folie ?

— C'est ça.

La serviette avait tendance à glisser sur ses épaules et laissait plus qu'entrevoir ses cuisses, qu'elle avait de nouveau ramenées sous elle. Rebus essayait de garder les yeux fixés sur son visage, ce qui n'était pas si facile.

— Eh bien, dit-elle, on lui a piqué quelques-unes de ses idées. Une ou deux fois, il est tombé sur des photos publiées dans la presse locale et c'était exactement le même angle que le sien, le même moment de la journée, les mêmes filtres. Ces salauds l'avaient copié. Leur nom figurait en dessous, ceux à qui il avait montré son book.

— Ils s'appellent comment ?

— Je ne me souviens plus.

Elle rajusta la serviette. Un geste sans arrière-pensée. Se rappeler quelques noms, ce n'était pourtant pas le bout du monde...

— Il m'a demandé de poser pour lui, dit-elle en pouffant.

— Oui, j'ai vu le résultat.

— Non, pas celles-là. Des nus. Il disait que les magazines achèteraient ça une fortune. Mais je n'étais pas d'accord. L'argent aurait été bienvenu, mais ce genre de magazines, ça circule. Je veux dire, on ne les jette jamais. J'aurais toujours eu peur qu'on me reconnaisse dans la rue.

Elle attendit la réaction de Rebus. Devant sa mine décontenancée, elle rigola.

— Je vois que la rumeur est fausse ! C'est donc *possible* de mettre un flic dans l'embarras !

— Des fois.

Gêné, il porta la main à sa figure ; il sentit qu'il s'empourprait. Il lui fallait réagir.

— Bon, dit-il. Et il avait un appareil photo de grande valeur ?

Elle ne parut pas du tout s'étonner du tour que prenait la conversation et resserra un peu plus la serviette autour d'elle.

— Ça dépend. Je veux dire, la valeur et le prix, c'est pas la même chose, non ?

— Ah bon ?

— Même s'il avait payé son appareil dix livres, ça ne veut pas dire que pour lui il *valait* seulement ça. Vous comprenez ?

— Il l'avait donc payé dix livres ?

Elle secoua vivement la tête ; la serviette glissa.

— Mais non, bien sûr que non ! Moi qui pensais qu'on devait en avoir un peu dans le crâne pour entrer à la brigade criminelle ! Ce que je veux dire...

Elle leva les yeux au ciel et la serviette se dénoua complètement, libérant des mèches humides qui lui tombèrent sur le front.

— Peu importe, soupira-t-elle. L'appareil lui a coûté dans les cent cinquante livres. OK ?

— D'accord.

— Comme ça, vous vous intéressez à la photo ?

— Depuis peu. Je te ressers du thé ?

Il lui remplit son mug, puis y versa un sachet entier de sucre. Elle l'aimait très sucré.

Elle prit le mug dans le creux de ses mains. La vapeur lui caressait le visage.

— Merci, dit-elle. Écoutez... je peux vous demander un service ?

Nous y voilà, songea Rebus. Du fric. Il avait déjà prévu de vérifier qu'elle ne lui avait rien chouré avant de la laisser partir.

— Quoi ?

Elle le regarda droit dans les yeux. Quand elle parla, les mots jaillirent comme un torrent.

— Je peux passer la nuit ici ? Je dormirai sur le canapé ou par terre. Je m'en fiche. Je ne veux surtout pas rentrer au squat, pas ce soir. Avec tout ce qui s'est passé, et maintenant ces types qui me suivent...

Elle tremblait de tous ses membres. À supposer qu'elle soit en train de jouer la comédie, Rebus se dit qu'elle mériterait un prix. Il haussa les épaules, faillit dire quelque chose, mais se leva et s'approcha de la fenêtre, retardant le moment de prendre une décision.

Plongée dans la lumière orangée des lampadaires, la rue avait des airs de plateau de cinéma. Une voiture était garée juste en face de l'appartement. Du deuxième, on ne distinguait pas très bien l'intérieur, mais la vitre du côté du conducteur était baissée et de la fumée s'en échappait.

— Alors ?... demanda la voix dans son dos, dépouillée de toute confiance.

— Comment ? dit-il d'un ton distrait.

— Je peux ?

Il se retourna vers elle.

— Je peux rester ?

— Bien sûr, répondit-il en se dirigeant vers la porte d'entrée. Tu peux rester aussi longtemps que tu veux.

Il était déjà sur le palier du premier quand il s'aperçut qu'il n'avait pas de chaussures. Il s'arrêta et réfléchit. Et puis merde ! Sa mère l'avait toujours mis en garde contre les engelures et il n'en avait jamais eu. C'était le moment ou jamais de vérifier si, question santé, sa chance persistait.

Soudain, une porte s'ouvrit bruyamment sur le palier et Mme Cochrane surgit pour lui barrer le passage.

— Oui, madame Cochrane ? s'enquit-il, une fois remis du choc initial.

— Tenez, dit-elle en lui tendant brusquement quelque chose.

Il ne put faire autrement que de s'en saisir. Un morceau de carton, mesurant environ vingt centimètres sur dix. Rebus y lut : C'EST VOTRE TOUR DE NETTOYER L'ESCALIER. Quand il releva les yeux, Mme Cochrane avait déjà refermé sa porte. Il entendit un traînement de pantoufles. Elle allait retrouver sa télé et son chat. Vieille teigne puante.

Il descendit, le carton à la main, percevant la froideur des marches à travers ses chaussettes. Le matou ne sent pas non plus très bon, songea-t-il malicieusement.

La porte d'entrée n'était pas fermée à clé. Il l'ouvrit précautionneusement, en s'efforçant de ne pas faire grincer ses gonds usés. La voiture était toujours là. Pile en face de lui quand il sortit. Mais le conducteur l'avait déjà repéré. Le mégot atterrit sur la chaussée, le moteur démarra. Rebus s'approcha sur la pointe des pieds. Les phares s'allumèrent, leur faisceau jaillissant comme le projecteur d'un stalag. Rebus se figea, plissa les yeux ; la voiture avança, puis braqua à gauche et fila vers le bout de la rue en bas de la côte. Il essaya de déchiffrer la plaque, mais il voyait tout flou et blanc. C'était une Ford Escort. Là-dessus, aucun doute.

Il s'aperçut qu'elle était arrêtée à un croisement et attendait un trou dans la circulation pour s'engager dans l'artère plus importante qui passait en contrebas. Même pas cent mètres à faire. Sa décision fut vite prise. Gamin, il se débrouillait plutôt bien au sprint ; il était même remplaçant dans l'équipe d'athlétisme de l'école. Il se mit à courir avec une sorte d'ivresse, et pensa à la bouteille de vin qu'il avait débouchée. Cette seule idée suffit à lui retourner l'estomac, et il ralentit aussitôt. Au même moment, son pied glissa sur quelque chose et il manqua de déraper. Il aperçut la voiture qui arrivait enfin à déboîter et partait en trombe.

Tant pis ! Le premier coup d'œil, en ouvrant la porte de l'immeuble, lui avait suffi. Il avait reconnu l'uniforme de policier. Pas le visage du conducteur, mais sa tenue. Aucun doute possible : un uniforme d'agent de police. Un flic au volant d'une Ford Escort. Deux gamines venaient dans sa direction sur le trottoir. Elles pouffèrent en le croisant. Il s'aperçut alors qu'il était là en chaussettes, tout essoufflé, tenant à la main ce carton comme quoi c'était à son tour de nettoyer l'escalier. Jetant un coup d'œil par terre, il vit sur quoi il avait glissé.

Il jura en silence, retira ses chaussettes, les balança dans le caniveau et rentra pieds nus.

Le constable Brian Holmes but une gorgée de thé. C'était devenu une sorte de rituel : approcher la tasse de son visage, souffler dessus, siroter le breuvage, exhaler une bouffée de vapeur. Il était frigorifié. Autant que tous les clochards qui passaient la nuit sur les bancs des jardins publics. Et lui n'avait même pas un journal pour se tenir chaud, et ce thé était infect. De la lavasse qu'on versait toute fumante du Thermos et qui empestait le plastique. Sans parler du lait, pas de la première fraîcheur. Mais bon, ça vous réchauffait tout de même. Pas jusqu'aux orteils. De toute manière, il ne les sentait plus...

— Toujours rien ? demanda-t-il sans desserrer les dents.

Le représentant de la SSPCA[1] ne quittait pas sa paire de jumelles, comme pour masquer son embarras.

— Rien, chuchota-t-il.

Ils se trouvaient là à la suite d'un appel anonyme. Le troisième en un mois et, pour être honnête, la première fausse alerte. C'était à nouveau la vogue des combats de chiens. Depuis trois mois, on avait démantelé un certain nombre d'« arènes » : des fosses peu profondes, clôturées de tôle. Principalement dans des décharges à ferraille. Mais ce soir-là, ils surveillaient un terrain vague. Mis à part le fracas des trains de marchandises en direction du centre-ville et le bruit

1. Scottish Society for the Prevention of Cruelty to Animals, l'équivalent de la Société protectrice des animaux. *(N.d.T.)*

sourd de la circulation au loin, c'était d'un calme sinistre. Certes, ils avaient trouvé une espèce de fosse. Ils y avaient jeté un coup d'œil de jour, faisant semblant de promener leurs bergers allemands, en fait des chiens policiers. Pour les combats, on faisait appel à des pitbulls. Brian Holmes avait eu l'occasion de voir quelques rescapés, au regard affolé de peur et de douleur. Il s'était passé d'assister à l'injection fatale du véto.

— Tiens...

Les mains dans les poches, deux hommes traversaient le terrain abandonné au sol irrégulier, très attentifs à ne pas mettre le pied dans un trou. Ils avaient l'air de savoir où ils allaient : droit vers la fosse. Une fois arrivés, ils balayèrent les alentours du regard. Brian Holmes les observait sans se cacher, sachant qu'il ne serait pas repéré. Comme l'agent de la SSPCA, il était accroupi derrière d'épaisses fougères. Dans leur dos se dressait un mur en ruine, unique vestige d'un bâtiment quelconque. Il y avait un peu de lumière du côté de la fosse, mais pas du tout par ici. De quoi espionner sans être vu, comme derrière une glace sans tain.

— On vous tient, murmura l'agent de la SSPCA en voyant les deux hommes sauter dans la fosse.

— Attendez... lui dit Holmes, pris d'un doute soudain.

Le duo s'enlaça et s'embrassa longuement sur la bouche, en se laissant tomber à genoux.

— Nom d'un chien ! s'exclama l'agent de la SSPCA.

Holmes soupira en fixant la terre humide et dure comme de la caillasse.

— J'ai l'impression que les pitbulls n'entrent pas dans l'équation, dit-il. Quoique... Mais dans ce cas, c'est une affaire de zoophilie et non plus de brutalité.

L'autre continuait de regarder dans ses jumelles, dégoûté mais incapable de s'arracher à ce spectacle.

— On entend toujours des histoires, fit-il, mais on n'a jamais l'occasion de... Enfin, vous me comprenez...

— De se rincer l'œil ? suggéra Holmes en se relevant lentement et douloureusement.

Il était en pleine conversation avec l'officier de permanence quand on lui transmit le message. L'inspecteur Rebus souhaitait lui toucher un mot.

— Rebus ? Qu'est-ce qu'il me veut ?

Holmes consulta sa montre. Deux heures et quart du matin. Rebus demandait qu'il le rappelle chez lui. Il se servit du téléphone du permanencier.

— Allô ? Inspecteur Rebus ?

Il connaissait John Rebus, bien entendu, pour avoir travaillé avec lui sur plusieurs enquêtes. Mais il n'avait jamais eu droit à un coup de fil en pleine nuit.

— C'est toi, Holmes ?

— Oui, monsieur.

— Tu as de quoi écrire ? Vaut mieux que tu prennes des notes.

Holmes s'empara d'un bloc-notes et d'un stylo. Il distinguait vaguement de la musique chez Rebus, quelque chose qu'il connaissait. *L'Album blanc* des Beatles.

— C'est bon ?

— Oui, monsieur.

— Bien. Hier, on a retrouvé un junkie mort à Pilmuir. Avant-hier, à proprement parler, vu qu'il est minuit passé. Une overdose. Trouve le nom des agents qui se sont rendus sur place. Je les veux dans mon bureau à dix heures ce matin. Compris ?

— Tout à fait, monsieur.

— Maintenant, une fois que tu auras l'adresse où a été retrouvé le cadavre, je te demande de récupérer les clés et de te rendre sur place. À l'étage, tu trouveras une chambre avec un mur rempli de photos. Il y en a quelques-unes du château d'Édimbourg. Prends-les et fais le tour de la presse locale. Ils ont des tas de photos archivées. Avec un peu de chance, tu tomberas sur un petit vieux avec une mémoire d'ordinateur. Vérifie si quelqu'un a publié récemment une photo qui semblerait avoir été prise sous le même angle que celles de la chambre. Compris ?

— Oui, monsieur, répondit Holmes, qui griffonnait furieusement.

— Je veux savoir qui a pris les photos publiées. Elles doivent toutes avoir un autocollant au dos, avec un nom et des coordonnées.

— C'est tout, monsieur ?

Le ton de la question était sarcastique, que ce soit voulu ou non.

— Non, dit Rebus en baissant la voix. Dans la chambre, tu trouveras aussi des photos d'une jeune fille. Je veux des renseignements sur elle. Elle se fait appeler Tracy. Soi-disant que c'est son deuxième prénom. Renseigne-toi, vois à qui tu pourrais montrer la photo.

— Bien, monsieur. Une question.

— Vas-y.

— Pourquoi moi ? Pourquoi maintenant ? Dans quel but ?

— Ça fait trois questions. J'essayerai d'y répondre, dans la mesure du possible, quand je te verrai cet après-midi. Sois dans mon bureau à quinze heures.

Sur ce, il raccrocha. Brian Holmes contempla les lignes de sténo gribouillées dans tous les sens. Une bonne semaine de boulot qui venait de lui tomber dessus en l'espace de quelques minutes. Le permanencier y jeta un coup d'œil par-dessus son épaule.

— Je préfère que ce soit toi plutôt que moi, déclara-t-il en toute sincérité.

John Rebus avait choisi Brian Holmes pour plusieurs raisons, mais surtout parce que Holmes ne le connaissait pas très bien. Il avait besoin de quelqu'un qui travaillerait efficacement, méthodiquement, et sans faire d'histoires. Quelqu'un le connaissant trop peu pour se plaindre de ne pas être mis au parfum, d'être réduit à jouer les locomotives de manœuvre. Les garçons de course, les limiers et les hommes de peine. Rebus connaissait la réputation croissante de Holmes : un type qui abattait de la besogne et se plaignait rarement. Que demander de plus ?

Il rapporta le téléphone dans le salon, le posa sur une étagère, puis éteignit le lecteur de cassettes et l'ampli. Il s'approcha de la fenêtre. La rue était déserte, la lumière orangée du lampadaire lui rappela le fromage de Leicester. D'ailleurs, il s'était promis un petit en-cas en fin de soirée, et il décida d'aller se préparer quelque chose dans la cuisine. Pas la peine de demander à Tracy si elle avait faim. Il la regarda, allongée sur le canapé, la tête penchée vers le sol, une main posée sur le ventre et l'autre effleurant la moquette en laine. Ses yeux réduits à des fentes endormies, sa bouche entrouverte, dévoilant un léger espace entre les dents de devant. Elle ne s'était pas réveillée quand il lui avait mis une couverture et dormait toujours profondément, la respiration régulière. Quelque chose l'agaçait, mais il ne savait pas quoi. Peut-être simplement la faim. Pourvu que le congélateur lui réserve une bonne surprise. Mais d'abord il s'approcha de nouveau de la fenêtre et jeta un coup d'œil dehors. La rue était toujours aussi vide. Lui-même se sentait vidé, actif mais vidé. Il ramassa *Docteur Jekyll et Mister Hyde* et l'emporta dans la cuisine.

MERCREDI

Plus ça ressemble à la rue Bizarre
et moins je pose de questions.

Les constables Harry Todd et Francis O'Rourke patientaient devant le bureau de Rebus quand celui-ci arriva le lendemain matin. Adossés au mur, ils bavardaient tranquillement et n'avaient pas du tout l'air embêtés qu'il ait vingt minutes de retard. De toute façon, ils pouvaient toujours attendre pour qu'il s'excuse. Quand il déboucha en haut de l'escalier, il eut la satisfaction de les voir se redresser et se taire subitement.

C'était un bon début.

Il entra dans son bureau et referma la porte derrière lui. Ils pouvaient mijoter une minute de plus. Et maintenant, ils auraient un vrai sujet de conversation. Rebus s'était renseigné auprès du sergent de permanence, mais Brian Holmes n'était pas dans les locaux. Il prit un bout de papier dans sa poche et l'appela chez lui. Ça sonna dans le vide. Il devait être en train de bosser pour lui.

Et ça continuait bien.

Il jeta un coup d'œil au courrier sur son bureau et se contenta d'ouvrir un mot du superintendant Watson. C'était une invitation à déjeuner. Le jour même à midi et demi. Merde. Il avait rendez-vous avec Holmes à trois heures. Un déjeuner avec quelques-uns des hommes d'affaires qui finançaient la campagne anti-drogue. Merde. En plus, le déjeuner se déroulait à l'Eyrie. Autrement dit, chemise propre et cravate. Rebus contempla sa chemise : ça ferait l'affaire. Pas la cravate. Merde !

Son humeur s'assombrit.

C'était trop beau pour que ça dure. Tracy l'avait réveillé en lui apportant son petit déjeuner au lit sur un plateau. Jus d'orange, toasts au miel, café serré. Elle s'était réveillée plus tôt que lui et avait pris de l'argent qui traînait sur une étagère dans le salon. Elle espérait qu'il ne lui en voudrait pas. Elle avait trouvé une épicerie ouverte, fait quelques courses, puis était revenue lui préparer son petit déjeuner.

— Je suis surprise que l'odeur des toasts cramés ne vous ait pas réveillé !

— Tu as en face de toi un type qui a réussi à dormir pendant *La Tour infernale* !

Ça l'avait fait rire. Assise sur le coin de son lit, elle grignotait ses tartines délicatement, du bout des dents, tandis que Rebus mâchait les siennes lentement, pensivement. Avec volupté. C'était quand la dernière fois qu'on lui avait apporté son petit déjeuner au lit ? Rien que d'y penser...

— Entrez ! rugit-il alors que personne n'avait frappé à la porte de son bureau.

Tracy était repartie sans se plaindre. Elle prétendait que ça allait mieux. De toute façon, elle n'allait pas rester cachée toute sa vie, hein ? Il l'avait raccompagnée en voiture à Pilmuir, où il avait fait une connerie. Il lui avait donné dix livres. C'était plus que de l'argent, mais il ne s'en était rendu compte qu'une seconde après lui avoir filé le billet. Ça créait un lien entre eux, et jamais il n'aurait dû faire une chose pareille. L'argent était là, dans sa main, et il avait été tenté de le reprendre, mais elle était descendue de la voiture et s'était éloignée, un petit corps fragile comme de la porcelaine, à la démarche résolue et vigoureuse. Parfois elle lui rappelait sa fille Sammy, et par certains côtés... Gill Templar, son ex.

— Entrez ! rugit-il de nouveau.

Cette fois, la porte s'entrouvrit de deux à trois centimètres, puis davantage. Une tête apparut.

— Personne n'a frappé, monsieur, déclara nerveusement la tête.

— Vraiment ? tonna Rebus d'une voix théâtrale. Dans ce cas, autant que je vous parle à tous les deux. Donc, *entrez !*

Ils n'en menaient pas large. Rebus leur indiqua les deux chaises devant son bureau. L'un d'eux s'assit immédiatement, mais l'autre se planta au garde-à-vous.

— Je préfère rester debout, monsieur, expliqua-t-il.

Son collègue prit peur, terrifié à l'idée d'avoir enfreint quelque règle de protocole. Il fit mine de se relever.

— On n'est pas à l'armée, nom de Dieu ! fulmina Rebus. Asseyez-vous !

Tous deux s'exécutèrent. Rebus se malaxa le front, feignant un mal de crâne. Pour être franc, il avait quasiment oublié qui étaient ces constables et ce qu'ils fichaient là.

— Bien, dit-il. À votre avis, pourquoi est-ce que je vous ai convoqués ce matin ?

Couillon mais efficace.

— Ça concerne les sorcières, monsieur ?

— Les sorcières ? répéta Rebus.

Dévisageant l'agent qui venait de parler, il se souvint soudain du jeune homme empressé qui lui avait montré le pentacle.

— C'est ça, reprit-il. Les sorcières et une mort par overdose.

Les deux agents le fixaient en clignant des yeux. Il cherchait désespérément un moyen de commencer l'interrogatoire, à supposer qu'il s'agisse bien d'un interrogatoire. Il aurait dû prendre le temps d'y réfléchir avant d'arriver.

Tout de même, il aurait pu se souvenir du rendez-vous. Un billet de dix livres lui traversa l'esprit, puis un sourire, l'odeur de pain grillé...

Il observa la cravate de l'agent qui lui avait montré le pentacle.

— Comment tu t'appelles ?

— Todd, monsieur.

— Todd ? Ça veut dire « mort » en allemand. Tu savais ça ?

— Oui, monsieur. J'ai fait allemand jusqu'au bac.

Rebus hocha la tête, la mine épatée. Impressionné, il l'était pour de bon. On leur collait des agents en tenue de plus en plus jeunes et de plus en plus diplômés. Certains avaient même fait des études universitaires. Il n'aurait pas été surpris d'apprendre que c'était le cas de Holmes. Pourvu qu'il n'ait pas recruté un petit malin...

— Elle me paraît de travers, dit-il en pointant du doigt la cravate de l'agent.

Todd la regarda aussitôt, pliant tellement le cou que Rebus eut peur pour lui.

— Oui, monsieur ?

— Cette cravate. C'est celle que tu portes d'habitude ?

— Oui, monsieur.

— Tu n'as donc pas cassé de cravate récemment ?

— Cassé, monsieur ?

— La pince, expliqua Rebus.

— Non, monsieur.

Rebus interrogea brusquement l'autre agent, qui était de plus en plus déconcerté par le tour que prenait la conversation.

— Et toi, comment t'appelles-tu ?

— O'Rourke, monsieur.

— Un nom irlandais, fit remarquer Rebus.

— Tout à fait, monsieur.

— Et toi, O'Rourke ? Tu portes une cravate neuve ?

— Pas vraiment, monsieur. J'veux dire, j'en ai une demi-douzaine que je fais tourner.

Rebus opina du chef, s'empara d'un crayon, l'examina puis le reposa. Il perdait son temps.

— J'aimerais voir votre rapport sur la découverte du cadavre.

— Bien, monsieur, répondirent-ils de concert.

— Vous n'avez rien noté d'anormal dans la maison ? En arrivant, j'entends. Rien de surprenant ?

— Juste le cadavre, monsieur, répondit O'Rourke.

— Et le dessin au mur, ajouta Todd.

— Aucun de vous deux ne s'est donné la peine d'aller jeter un coup d'œil à l'étage ?

— Non, monsieur.

— Et le cadavre se trouvait où, quand vous êtes arrivés ?

— Dans la pièce du bas, monsieur.

— Et vous n'êtes pas montés ?

Todd regarda O'Rourke.

— Je crois bien qu'on a appelé, au cas où il y aurait eu quelqu'un. Mais non, on n'est pas montés.

Dans ce cas, comment la pince s'était-elle retrouvée là-haut ?

Rebus expira, puis s'éclaircit la gorge.

— Tu conduis quoi comme voiture, Todd ?

— Vous voulez dire comme voiture de service, monsieur ?

— Bon sang, bien sûr que non ! s'emporta Rebus en frappant le bureau. Ta voiture personnelle.

Todd avait vraiment l'air perdu.

— Une Metro, monsieur.

— Quelle couleur ?

— Blanche.

Rebus tourna son regard vers O'Rourke.

— Je n'ai pas de voiture, monsieur, avoua celui-ci. Je préfère la moto. En ce moment, j'ai une Honda 750.

Rebus hocha la tête. Pas de Ford Escort blanche. Comme celle au volant de laquelle un agent avait pris la fuite dans sa rue à minuit.

— Dans ce cas, tout est réglé, n'est-ce pas ? dit-il avec un sourire.

Il les congédia d'un geste, reprit le crayon, en examina la pointe et le cassa rageusement sur le bord du bureau.

Rebus pensait à Charlie en se garant dans George Street, devant la boutique vieillotte de mode masculine. Il y pensait toujours quand il choisit la cravate et la paya. Et quand il revint dans la voiture, la noua, mit le contact et repartit. Il s'apprêtait à déjeuner en compagnie de quelques-uns des hommes d'affaires les plus riches de la ville ; pourtant il n'arrivait pas à chasser Charlie de son esprit. Charlie qui pouvait encore choisir de ressembler à ces puissants. Il terminerait la fac, décrocherait un bon boulot grâce aux relations de ses parents, et gravirait sans encombre les échelons pour se retrouver cadre supérieur en l'espace d'un à deux ans. Il aurait vite fait d'oublier ses lubies décadentes et plongerait dans la vraie décadence, comme seuls les gens riches et puissants peuvent se le permettre... Pas ces succédanés de sorcellerie et de démonisme, de drogue et de violence. Ces traces de coups sur le cadavre de Ronnie : s'agissait-il vraiment de prostitution masculine ? Des jeux sadomasochistes qui auraient dérapé ? Avec pour partenaire le mystérieux Edward, dont Ronnie criait parfois le nom ?

Ou bien un rituel poussé trop loin ?

Aurait-il écarté la piste du satanisme un peu trop vite ? Un enquêteur se devait de garder l'esprit ouvert. Sans doute, mais pour ce qui était du satanisme, il n'était pas du tout réceptif. Après tout, en tant que chrétien... Même s'il mettait rarement les pieds à l'église, n'appréciant guère les chants et les sermons, il avait son petit Dieu sombre et personnel auquel il croyait. Tout le monde se trimbalait un dieu ou un autre. Et dans le genre redoutable, le Dieu des Écossais se défendait bien.

Édimbourg semblait plus lugubre que jamais en ce milieu de journée. Peut-être le reflet de ses pensées. L'ombre du château planait sur New Town, mais cette ombre n'atteindrait jamais l'Eyrie. L'Eyrie était le restaurant le plus cher de la ville, et n'y mangeait pas qui voulait. On racontait que c'était complet à déjeuner un an à l'avance, alors que pour dîner il suffisait de patienter la bagatelle de huit à dix semaines. Le restaurant occupait le dernier étage d'un hôtel de style georgien au cœur de New Town, loin de la cohue du centre-ville.

Les rues du quartier n'étaient pas pour autant désertes, avec un flot constant de circulation qui compliquait le stationnement. Pas pour un flic. Rebus se gara pile en face de l'hôtel malgré la double ligne jaune, ignora la mise en garde du concierge contre les contractuels et pénétra dans l'édifice. Dans l'ascenseur qui l'emmenait au quatrième, il se pinça le ventre en se réjouissant d'avoir l'estomac dans les talons. Ces hommes d'affaires promettaient d'être ennuyeux à mourir, et l'idée de passer deux heures en compagnie du Paysan lui était presque insupportable, mais il était sûr de faire un bon gueuleton. Un très, très bon gueuleton.

Et si jamais on lui confiait la carte des vins, il plumerait ces messieurs par-dessus le marché.

Brian Holmes sortit du snack-bar, un gobelet en polystyrène à la main. Il fixa le breuvage grisâtre et songea que ça faisait belle lurette qu'il n'avait bu une tasse de thé digne de ce nom. Du vrai thé, infusé par ses soins. Sa vie n'était plus qu'une succession de Thermos, de gobelets en polystyrène, de sandwichs insipides et de biscuits au chocolat. Souffler, boire une gorgée. Souffler, boire une gorgée. Avaler.

Dire qu'il avait abandonné une carrière universitaire pour ça !

En fait de carrière universitaire, il avait passé huit mois en fac d'histoire à Londres. Le premier mois, il était encore sous le charme de cette ville immense où il avait pris ses marques, appris à se déplacer dans ce dédale et à y survivre dignement. Les deux mois suivants, il s'était accoutumé à la vie universitaire avec son lot de nouveaux amis, ses multiples occasions de discuter et débattre, ses innombrables associations. Il testait toujours la température avant de plonger quelque part ; lui et les autres étaient angoissés comme des gamins qui apprennent à nager. Au bout de quatre mois environ, il était devenu un vrai Londonien, rompu au trajet quotidien entre sa chambre de Battersea et la fac. Les chiffres gouvernaient soudain sa vie : horaires de train, du dernier bus ou du dernier métro pour s'arracher aux discussions politiques des cafés et retrouver sa piaule bruyante. C'était une souffrance sans nom de rater sa correspondance, et une saison en enfer de prendre le métro aux heures de pointe. Il avait passé les sixième et septième mois cloîtré à Battersea. Il étudiait dans sa chambre, ne mettait quasiment plus les pieds en cours. Et au huitième mois, alors que le soleil lui chauffait le dos, il avait quitté Londres pour rentrer dans le Nord, où l'attendaient ses vieux copains et une existence creuse qu'il avait fallu combler par le travail.

Mais pourquoi diable avait-il choisi la flicaille ?

Il écrasa son gobelet vide et le lança vers une poubelle voisine. Raté. Tant pis ! Puis il se ravisa, fit quelques pas jusqu'au gobelet, se baissa pour le ramasser et le mettre dans la poubelle. Tu n'es plus à Londres, Brian. Une vieille femme lui adressa un sourire.

Ainsi luit une bonne action dans un monde vilain.

Un monde très vilain. Rebus l'avait plongé dans un univers où l'humanité s'était désagrégée. Pilmuir, l'Hiroshima des âmes. Holmes ne se fit pas prier au moment de repartir. La peur d'être irradié. Il sortit de sa poche la liste qu'il avait recopiée au propre à partir des notes griffonnées au téléphone la veille. Il avait retrouvé sans peine les deux constables. À l'heure qu'il était, Rebus avait déjà dû leur parler. Ensuite, il s'était rendu dans le pavillon de Pilmuir. Les photos se trouvaient dans la poche intérieure de son veston. Le château d'Édimbourg. Joliment photographié, sous des angles étonnants. Et aussi les photos de la fille. Plutôt mignonne, somme toute. Difficile de lui donner un âge, avec son visage marqué par une vie chaotique, mais plaisante sous ses airs canailles. Comment s'y prendre pour se renseigner sur elle ? Il n'avait que ce nom : Tracy. Bien entendu, il connaissait du monde à interroger. Édimbourg était son bercail, un gros avantage dans ce métier. Ça, il n'y manquait pas de contacts, avec les copains, les amis d'amis. Il avait renoué les liens après le fiasco londonien. Tout le monde lui avait déconseillé de partir. Les copains s'étaient félicités de le voir rentrer aussi vite, surtout parce qu'ils pouvaient se vanter de leur clairvoyance. Seulement cinq ans s'étaient écoulés... ça lui paraissait beaucoup plus long.

Pourquoi la police ? Sa première vocation avait été le journalisme. Il y avait très, très longtemps, quand il était écolier. Eh bien, les rêves d'enfant se réalisent parfois, même si ce n'est que l'espace d'un instant. Son prochain arrêt serait les bureaux du quotidien local. Pour voir s'il pouvait dénicher d'autres clichés étonnants du château. Avec un peu de chance, on lui offrirait même une tasse de thé correct.

Il était sur le point de filer quand la vitrine d'une agence immobilière attira son regard, de l'autre côté de la rue. À cause du nom, il s'était toujours figuré que c'était une agence hors de prix. Mais quand on est aux abois... Il slaloma entre les voitures et s'arrêta devant la vitrine de Bowyer Carew. Au bout d'une minute, les épaules un peu plus voûtées, il se retourna et fonça en direction des ponts.

— Et voici James Carew, de l'agence Bowyer Carew.

James Carew souleva d'un millimètre à peine son arrière-train bien rembourré, serra la main de Rebus et se rassit. Tout ça sans détacher son regard de la cravate de Rebus.

— Et Finlay Andrews, poursuivit le superintendant Watson.

Encore une poigne ferme de franc-maçon. Rebus n'avait pas besoin de connaître les codes de ces subtiles pressions pour les repérer. La poignée de main elle-même y suffisait parce qu'elle durait un peu plus que de coutume : le temps pour l'autre de déterminer si vous faisiez ou non partie de la confrérie.

— Vous connaissez peut-être M. Andrews, qui a un établissement de jeu sur Duke Terrasse. Le nom m'échappe...

Watson en faisait trop, pour jouer les hôtes, se montrer convivial envers ces messieurs, ce qui mettait tout le monde mal à l'aise.

— Juste Finlay's, répondit Finlay Andrews en lâchant la main de Rebus.

— Tommy McCall, se présenta lui-même le dernier convive.

Il serra rapidement et froidement la main de Rebus, qui sourit, soulagé de pouvoir enfin s'asseoir.

— Vous ne seriez pas le frère de Tony McCall ? lui demanda-t-il pour la forme.

— Si, répondit McCall en souriant. Vous connaissez Tony ?

— Assez bien.

Watson n'en revenait pas.

— L'inspecteur McCall, expliqua Rebus.

Le superintendant opina vigoureusement du chef.

— Bon, dit Carew qui s'impatientait, on vous sert quoi, inspecteur ?

— Jamais pendant le service, monsieur, répondit Rebus en dépliant la serviette élégamment présentée.

Voyant la mine étonnée de Carew, il sourit.

— Je plaisante ! Un gin-tonic, s'il vous plaît.

L'atmosphère se détendit. Un policier avec le sens

de l'humour, ça surprenait toujours son monde. Et ces messieurs ne pouvaient pas se douter que Rebus plaisantait rarement. Mais pour une fois il avait décidé de jouer le jeu, de « se mettre en frais », sans mauvais jeu de mots.

Un serveur s'approcha de lui.

— Un autre gin-tonic, Ronald, lui dit Carew.

L'homme fit une courbette, puis s'éclipsa. Un de ses collègues lui succéda et distribua d'énormes menus reliés en cuir. La serviette en tissu épais pesait lourd sur les genoux de Rebus.

— Vous habitez où, inspecteur ?

Une question posée par Carew. Avec un sourire qui semblait cacher quelque chose. Rebus se méfia.

— À Marchmont, répondit-il.

— Vraiment ? s'enthousiasma Carew. Ça a toujours été un très bon quartier. Vous savez, il y a très longtemps c'était une exploitation agricole.

— Tiens donc ?

— Hum. Un quartier charmant.

— Ce que James veut dire, intervint Tommy McCall, c'est que les baraques y valent une somme plutôt coquette.

— C'est justifié ! rétorqua Carew d'un ton indigné. On accède facilement au centre-ville, les Meadows et l'université sont juste à côté...

— Tu parles boutique, James, le sermonna Finlay Andrews.

— Ah bon ? fit Carew, sincèrement étonné. Désolé, dit-il en adressant à Rebus un sourire toujours aussi peu rassurant.

Le serveur vint noter les commandes.

— Je vous conseille le filet d'aloyau, dit Andrews.

Rebus mit un point d'honneur à prendre de la sole. Il s'efforçait d'afficher un air décontracté, de ne pas observer les autres tables avec insistance, de ne pas admirer les broderies de la nappe, tout ce qu'il n'avait pas l'habitude de voir, les rince-doigts, l'argenterie poinçonnée... Tout compte fait, c'était le genre d'occasion qui ne se reproduirait pas de sitôt... Après tout, pourquoi ne pas profiter du spectacle ? Ce qu'il fit. Il aperçut une cinquantaine de visages rayonnants et bien nourris. Surtout des hommes, mis à part quelques femmes purement décoratives, qui étaient là pour la respectabilité ou l'élégance. Du filet premier choix. Apparemment, c'était ce que tout le monde avait dans son assiette. Et on buvait du vin.

— Qui veut choisir le vin ? demanda McCall en tendant la carte.

Carew semblait très partant et Rebus se retint. Ça ne se faisait pas. S'emparer de la carte... Moi ! Moi ! Moi ! Parcourir les prix d'un regard avide, avec l'envie de...

— Si je peux me permettre, dit Finlay Andrews en prenant la carte des mains de McCall.

Rebus examina le poinçon sur sa fourchette.

— Alors, dit McCall en s'adressant à lui. Comme ça, le superintendant Watson vous a recruté de force pour notre petit projet ?

— Oh, il n'a pas dû me forcer ! Je suis ravi de pouvoir vous aider.

— Je suis sûr que votre expérience nous sera précieuse, lui lança le Paysan avec un large sourire.

Rebus le fixa impassiblement, mais resta muet.

Par chance, Andrews semblait s'y connaître un peu en vin, lui aussi ; il commanda un bordeaux correct de 1982 et un chablis bien gouleyant. Voilà qui mettait un peu de baume au cœur. Comment s'appelait ce casino, déjà ? Andrew's ? Finlay's ? Oui, c'était ça : Finlay's. Rebus en avait entendu parler. Un petit casino tranquille. Il n'avait jamais eu l'occasion d'y mettre les pieds, ni pour le boulot ni pour le plaisir. Quel plaisir y avait-il à claquer du fric ?

Deux serveurs versaient une fine couche de potage dans de très larges assiettes à soupe victoriennes.

— Ton Chinois traîne toujours chez toi, Finlay ? demanda McCall.

— Il n'est pas près d'être admis. La direction se réserve le droit de refuser l'accès, et cætera.

McCall pouffa et se tourna vers Rebus.

— Finlay n'a pas eu de bol. Vous savez que les Chinois sont mordus de jeu. Eh bien, Finlay s'est fait rouler par ce type-là.

— J'avais un croupier qui manquait d'expérience, expliqua Andrews. Un œil averti... je dis bien, *averti*... arrivait à deviner où la bille s'arrêterait juste en observant soigneusement comment le jeune homme la lançait.

— Remarquable, dit Watson avant de souffler sur sa cuillerée de soupe.

— Pas tant que ça, rétorqua Andrews. J'en ai vu d'autres. Le tout, c'est de les repérer avant qu'ils placent une grosse mise. De toute manière, on ne peut pas faire la fine bouche. L'année s'annonce bonne. Beaucoup d'argent afflue dans le Nord, et comme il n'y a pas grand-chose à faire avec, pourquoi ne pas le flamber au casino ?

— De l'argent ? répéta Rebus avec curiosité.

— Des gens, des emplois. Des cadres supérieurs londoniens, avec les salaires et les habitudes qui vont avec. Vous n'avez pas remarqué ?

— Non, je dois dire que non, avoua Rebus. En tout cas, pas à Pilmuir.

Le commentaire suscita quelques sourires.

— Par contre, à l'agence on le sent, intervint

Carew. Les biens haut de gamme sont très demandés. Parfois ce sont des sociétés qui achètent. Des entreprises qui déménagent, viennent s'installer dans le Nord. Ces gens-là savent ce qui marche, et Édimbourg ça marche. Les prix de l'immobilier flambent. Je ne vois aucune raison pour que ça s'arrête. Même à Pilmuir, dit-il en croisant le regard de Rebus, on construit du neuf.

— Finlay, l'interrompit McCall, tu devrais raconter à l'inspecteur Rebus où les investisseurs chinois placent leur pognon.

— Je vous en prie, pas pendant que nous sommes à table, protesta Watson.

McCall fixa son assiette à soupe en riant dans sa barbe, et Rebus nota qu'Andrews lui décochait un regard mauvais.

On avait apporté le vin blanc, bien frais et couleur de miel. Rebus le sirota avec délectation. Carew demanda à Andrews où en était le permis de construire pour l'agrandissement du casino.

— Ça m'a l'air en bonne voie, répondit Andrews d'un ton faussement prudent.

— Je veux bien le croire ! lâcha McCall en se marrant. Tu crois que ce serait aussi facile pour tes voisins s'ils voulaient construire derrière chez eux ?

Andrews eut un sourire encore plus froid que le chablis.

— Pour autant que je le sache, Tommy, toute demande de permis de construire fait l'objet d'un examen scrupuleux. Tu prétends le contraire ?

— Non, non, se récria McCall, qui vida son verre et le tendit pour qu'on le remplisse. Je suis sûr que tout est dans les règles, Finlay. (Il adressa un clin d'œil à Rebus.) Dites-moi, John, vous n'allez pas rapporter ?

Rebus regarda Andrews qui finissait sa soupe.

— Je ferme toujours les oreilles en déjeunant.

Watson approuva d'un hochement de tête.

— Salut, Finlay.

Un type costaud, vraiment très musclé, s'était approché de leur table. Rebus n'avait jamais vu costume plus raffiné. Une étoffe d'un bleu soyeux, agrémentée de fils argentés. L'homme avait aussi les cheveux argentés, alors que ses traits étaient ceux d'un homme de quarante ans tout au plus. Il était flanqué d'une délicate petite femme asiatique. Plus une enfant qu'une femme. Ravissante. Tous les convives se levèrent, sous le charme. L'homme leur fit signe de se rasseoir d'un geste de sa main élégante. La dame baissa modestement les yeux pour dissimuler sa satisfaction.

— Bonjour, Malcolm, dit Finlay Andrews en esquissant un geste vers le nouveau venu. Je vous présente Malcolm Lanyon, l'avocat.

Précision inutile. Tout le monde connaissait Malcolm Lanyon, habitué de la presse à scandale. Sa vie très médiatique suscitait l'envie autant que la haine. Il était tout à la fois l'archétype de l'avocat méprisable et un personnage digne d'une série télévisée. Sa conduite avait beau choquer par moments les âmes sensibles, elle n'en assouvissait pas moins les fantasmes des lecteurs des tabloïds dominicaux. C'était aussi, comme Rebus le savait pertinemment, un avocat hors pair. Forcément, sans quoi le reste du personnage n'aurait été que du papier peint. Rien de plus. Alors que c'était plutôt de la brique et du mortier.

— Ces messieurs, dit Andrews en indiquant la table, sont les membres actifs du projet dont je t'ai touché un mot.

— Ah, fit Lanyon en hochant la tête. La lutte

contre la toxicomanie. Excellente initiative, superintendant.

Watson manqua rougir d'un tel compliment : Lanyon l'avait reconnu.

— Finlay, reprit l'avocat, tu n'as pas oublié pour demain soir ?

— C'est gravé en grosses lettres dans mon agenda, Malcolm.

— Génial, se félicita Lanyon en jetant un coup d'œil aux autres. D'ailleurs, tout le monde est invité. Une petite fête à la maison. Sans raison précise, juste pour le plaisir. Vingt heures. Très décontracté.

Il s'éloignait déjà, un bras passé autour de la taille de sa compagne en porcelaine. Rebus ne laissa pas échapper ses derniers mots : son adresse. Heriot Row. Une des rues les plus chics de New Town. Tout cela était parfaitement nouveau pour Rebus. Difficile de dire s'il s'agissait d'une invitation en l'air, mais il était très tenté d'accepter. Le genre d'occasion qui ne se reproduirait pas de sitôt...

Un peu plus tard, la conversation en vint enfin à la campagne anti-drogue et un serveur leur rapporta une corbeille de pain et du beurre.

— Se faire du beurre, maugréa le jeune homme impatient en déposant une nouvelle série d'archives sur le comptoir devant Holmes. Ça m'inquiète. Les gens pensent plus qu'à se faire du beurre. À part gagner plus de fric que le voisin, il n'y a rien d'autre qui compte. Des types que j'ai connus à l'école, à quatorze ans ils savaient déjà qu'ils voulaient devenir banquier, comptable ou économiste. La vie terminée avant d'avoir commencé. Voici mai.

— Pardon ? fit Holmes.

Il se dandinait d'un pied sur l'autre. Ils auraient pu

mettre des chaises... Ça faisait plus d'une heure qu'il feuilletait les archives des deux éditions quotidiennes du journal, et il avait les doigts tout noircis d'encre. Il s'arrêtait de temps en temps sur un gros titre ou un article sur le foot qui lui avait échappé à l'époque. Mais c'était vite devenu lassant, la routine. En plus, il avait mal au poignet à force de tourner les pages.

— Le mois de mai, expliqua le jeune. Voici les numéros de mai.

— OK. Merci.

— C'est bon, pour juin ?

— Oui, merci.

Le grouillot hocha la tête, resserra les sangles de la boîte d'archives, prit péniblement le tout dans les bras et sortit de la pièce en traînant les pieds.

On y retourne, songea Holmes en ouvrant une nouvelle boîte remplie de nouvelles défraîchies et de papiers bouche-trou.

Rebus s'était trompé. Il n'y avait pas de vieux briscard avec une mémoire d'ordinateur, pas même le moindre ordinateur. Pas d'autre choix que de retrousser ses manches et de tourner les pages, à la recherche de photos de lieux familiers vus sous un angle neuf. Dans quel but ? Il n'en savait toujours rien, ce qui était frustrant. Avec un peu de chance, il en apprendrait davantage quand il verrait Rebus dans l'après-midi. Un bruit de pas et le jeune type réapparut, les bras ballants et la bouche à moitié entrouverte.

— Pourquoi tu n'as pas suivi la même voie que tes copains ? lui demanda négligemment Holmes.

— Vous voulez dire bosser dans la banque ? fit le jeune en plissant le nez. J'avais envie d'autre chose. J'apprends le journalisme. Faut bien commencer quelque part, hein ?

Ça, en effet, songea Holmes en tournant une nouvelle page. En effet.

— C'est un début, déclara McCall en se levant.

Chacun laissa tomber sa serviette en boule sur la nappe froissée. La blancheur immaculée du début de repas avait disparu sous les miettes, les taches de vin, une grosse marque de gras et une goutte de café. Rebus se leva de sa chaise. Il avait la tête qui tournait et se sentait ballonné. Sa langue était toute pâteuse — il avait bu trop de vin et de café, sans compter le cognac... Bordel ! Et les autres qui annonçaient l'air de rien qu'il était temps de retourner au boulot. Mon œil ! Lui-même avait rendez-vous avec Holmes à trois heures. Il était déjà en retard. Tant pis, Holmes ne dirait rien. Il n'avait pas le choix.

— Bon gueuleton, dit Carew en se tapotant la panse.

— Et on a bien déblayé le terrain, ajouta Watson. Ne l'oublions pas.

— En effet, acquiesça McCall. Une réunion très utile.

Andrews avait insisté pour payer l'addition. Qui devait s'élever à quelque deux cents livres, d'après les rapides calculs de Rebus. Andrews la parcourait lentement, vérifiant chaque détail. Pas seulement homme d'affaires, songea sournoisement Rebus, mais Écossais jusqu'au bout des ongles. Andrews appela le maître d'hôtel et lui indiqua discrètement une erreur. Le maître d'hôtel lui fit confiance, corrigea l'addition au stylo et se confondit en excuses.

Le restaurant commençait juste à se vider. Pas désagréable comme pause déjeuner. Rebus se sentit soudain submergé par la culpabilité. Il venait de boire et de manger sa part dans une addition à plus de deux cents livres. Autrement dit, quarante et quelques livres. D'autres en avaient claqué encore plus et quittaient la salle en rigolant. Les bonnes histoires, les cigares, les visages rubiconds.

McCall prit Rebus par la taille et pointa du menton les clients qui sortaient.

— Le jour où il n'y aura plus que cinquante électeurs tories en Écosse, John, ils seront tous ici !

— Je veux bien le croire, dit Rebus, que cette familiarité mettait mal à l'aise.

Andrews, qui en finissait avec le maître d'hôtel, les avait entendus.

— Parce qu'il y a plus de cinquante électeurs conservateurs en Écosse ? leur lança-t-il.

Une fois de plus, Rebus nota leurs sourires sereins et confiants.

J'ai mangé la cendre en guise de pain[1], pensa-t-il.

Les cigares rougeoyaient partout autour de lui, et il crut un instant qu'il allait être malade. Mais McCall vacilla et Rebus le soutint en attendant qu'il retrouve l'équilibre.

— On a trop bu, Tommy ? plaisanta Carew.

— J'ai juste besoin d'un peu d'air. Johnny va me filer un coup de main. D'accord, John ?

— Bien sûr, répliqua Rebus, ravi de ce prétexte pour sortir.

McCall se tourna vers Carew.

— T'as pris ta nouvelle voiture ?

Carew fit non de la tête.

— Je l'ai laissée au garage.

McCall secoua la tête.

— Cette enflure vient de s'offrir une Jaguar V12,

1. Allusion au psaume 102. *(N.d.T.)*

expliqua-t-il à Rebus. Presque quarante mille, et je ne parle pas du kilométrage !

Un des serveurs était posté devant l'ascenseur.

— C'est toujours un plaisir de vous voir, messieurs.

Son ton était tout aussi automatique que la porte de l'ascenseur qui se referma derrière Rebus et McCall.

— Faut croire que j'ai dû l'arrêter un jour ou l'autre, fit remarquer Rebus. Ce n'est pas ici qu'il a aperçu ma trombine, vu que je n'y ai jamais mis les pieds !

— Ici ça ne vaut pas grand-chose, dit McCall en faisant la grimace. Vraiment pas grand-chose. Si vous voulez vous amuser, il faut passer au club un soir. Dites que vous êtes un ami de Finlay et on vous laissera entrer sans problème. C'est super.

— Je pourrais bien y passer... dit Rebus alors que la porte de l'ascenseur s'ouvrait. Dès que j'aurai récupéré mon kilt au pressing.

McCall en rigolait encore quand ils franchirent la porte d'entrée.

Holmes était fourbu quand il quitta l'immeuble par la porte de service. Le grouillot qui l'avait escorté à travers le dédale de couloirs était déjà reparti à l'intérieur en sifflotant, les mains dans les poches. Holmes se demandait s'il parviendrait vraiment à faire carrière dans le journalisme. Après tout, on en avait vu d'autres...

Il avait fini par trouver ce qu'il cherchait. Trois photos, publiées trois mercredis de suite dans l'édition du matin. Aux archives, on lui avait retrouvé les originaux. Chacun portait au dos le même autocollant doré, précisant que le Studio Jimmy Hutton conservait la propriété exclusive du cliché. Par chance, il y avait même une adresse et un numéro de téléphone. Holmes s'autorisa donc un peu d'exercice, pour se remettre la colonne vertébrale en place. Il envisagea de s'offrir une pinte, mais il venait déjà de passer presque deux heures penché sur des journaux et n'avait pas envie de répéter l'exercice devant un comptoir. De toute façon, il était déjà trois heures et quart. Par la faute d'une archiviste photo à l'esprit vif, mais à l'allure un peu lente, il était en retard pour son premier rendez-vous avec l'inspecteur Rebus. Il ne savait pas si l'inspecteur était très à cheval sur la ponctualité. Le pire était à craindre. Avec tout le boulot que Holmes venait d'abattre en une journée, Rebus ne lui en voudrait pas trop. Ou bien ce type était une vraie brute.

Ce que laissait entendre la rumeur.

Mais Holmes n'était pas du genre à croire les rumeurs. Pas toujours.

En fait, Rebus était encore plus en retard que lui, mais il avait appelé pour prévenir, ce qui était déjà ça. Holmes l'attendait dans son bureau quand il arriva. Rebus dénoua sa cravate plutôt tape-à-l'œil, la fourra dans un tiroir et se tourna enfin vers son subalterne en lui souriant. Holmes serra la main qu'il lui tendit.

Tant mieux, songea Rebus. Lui non plus n'est pas franc-maçon.

— Ton prénom, c'est bien Brian ?

— C'est ça, monsieur.

— Bon. Moi, je t'appelle par ton prénom et toi, tu continues à m'appeler monsieur. Ça te va ?

Holmes sourit.

— Tout à fait, monsieur.

— Parfait. Ça progresse ?

Holmes commença par le début. Tout en parlant, il

remarqua que Rebus, malgré tous ses efforts pour rester attentif, piquait du nez. Et son haleine empestait. Un déjeuner bien arrosé. Une fois son rapport terminé, il attendit que Rebus s'exprime.

L'inspecteur hochait vaguement la tête, sans rien dire. En train de rassembler ses idées ? Holmes sentit le besoin de combler le silence.

— Si je peux me permettre, monsieur, quel est le problème ?

— Tu as tout à fait le droit de me poser la question, finit par lâcher Rebus.

Mais il s'arrêta là.

— Et alors, monsieur ?

— Je ne sais pas vraiment, Brian. C'est la stricte vérité. Bon, je vais te livrer les faits. J'insiste bien sur le mot *faits*. J'ai aussi pas mal d'*idées* sur l'enquête, mais ce n'est pas tout à fait la même chose.

— Il y a donc bien une enquête ?

— Tu vas me donner ton avis, après m'avoir écouté.

Ce fut donc au tour de Rebus de faire son rapport, en quelque sorte. Raconter les faits lui permit de faire le point. Mais tout ça était trop fragmenté, de pures conjectures. Il voyait que Holmes avait du mal à se faire une idée d'ensemble à partir de ces éléments épars. À supposer qu'il y ait une idée d'ensemble...

— Pour récapituler, conclut Rebus, on a un junkie shooté au poison. Quelqu'un qui lui a procuré ce poison. Des traces de coups, et la piste de la sorcellerie. Plus un appareil photo manquant, une pince de cravate, quelques photos et une copine qui se fait suivre. Tu comprends mon problème ?

— Trop d'éléments.

— Exactement.

— Alors, on fait quoi ?

Ce *on* retint l'attention de Rebus. Pour la première fois, il se rendit compte qu'il n'était plus embarqué tout seul dans cette histoire. Même s'il ne savait pas davantage où il allait. Cette pensée le réconforta un peu, malgré un martèlement lancinant dans les tempes : les premiers symptômes d'une gueule de bois.

Il était maintenant fixé sur les prochaines étapes.

— Je vais voir quelqu'un au sujet des guildes, et tu vas te rendre au studio de ce Hutton.

— Ça paraît judicieux, dit Holmes.

— Rien d'étonnant à ça, Brian. La tête pensante, c'est moi. Toi, t'as tes pompes. Tu m'appelleras pour me dire comment ça s'est passé. Maintenant, dégage !

Rebus n'avait pas particulièrement envie d'être méchant. Mais le ton du jeune homme était devenu sur la fin un rien trop complice et familier, alors autant bien marquer les limites. Observant la porte qui se refermait derrière Holmes, il comprit que c'était lui le fautif. Parce qu'il lui avait parlé de façon trop décontractée, s'était trop livré, l'avait appelé par son prénom. Tout ça à cause de ce fichu déjeuner ! Appelez-moi Finlay, appelez-moi James, appelez-moi Tommy... Peu importe, tout s'arrangerait. Après un début prometteur, la relation s'était un peu gâtée. Les choses finissaient toujours par se dégrader, et Rebus en prenait son parti. Il aimait une dose de rivalité, de compétition. Des atouts, dans un métier comme le leur.

Tout compte fait, ce Rebus était bien un pauvre type.

Brian Holmes quitta le poste d'un pas furieux, les poings serrés dans les poches. Très fort. « Toi, t'as tes pompes. » Lui qui pensait que ça fonctionnait bien entre eux, la chute avait été violente ! Il avait eu l'impression de rapports humains, tout le contraire des relations habituelles entre flics. Fallait pas t'emballer, Brian. Quant à ce qui justifiait tout ce boulot... Mieux valait ne pas y penser. C'était tellement mince, une lubie de Rebus. Rien à voir avec du travail de flic. Un inspecteur désœuvré qui meublait son temps libre en jouant les Philip Marlowe. Putain ! Ils avaient tous les deux mieux à faire. Brian, en tout cas. Lui n'avait pas un boulot de planqué, genre mener une campagne anti-drogue. Quelle idée d'avoir choisi Rebus ! Avec son frangin en tôle à Peterhead, pour trafic de came. Ce type avait été le plus gros dealer du Fife, rien que ça ! Voilà qui aurait dû bousiller la carrière de Rebus. Mais non, monsieur avait droit à une promotion ! Vraiment très vilain, le monde.

Quitte à se rendre chez un photographe, pourquoi ne pas en profiter pour se faire faire quelques photos d'identité pour son passeport... Boucler ses valises, s'envoler pour le Canada, l'Australie ou les États-Unis... Aux chiottes les recherches d'appart' ! Aux chiottes la police ! Aux chiottes l'inspecteur Rebus et sa chasse aux sorcières !

Voilà. Ça faisait du bien.

Rebus dénicha de l'aspirine dans un de ses tiroirs bordéliques et croqua deux cachets en descendant au rez-de-chaussée. Pas malin du tout. Il se retrouva avec une poudre infecte dans la bouche, privé de salive, incapable d'avaler ou de dire quoi que ce soit. Le sergent de permanence était en train de boire du thé dans un gobelet en polystyrène. Rebus le lui prit des mains et avala goulûment le breuvage tiédasse.

— Ça t'arrive de mettre du thé dans ton sucre, Jack ? dit-il en faisant la grimace.

— Si j'avais su que tu passais prendre le thé, John, je l'aurais préparé à ton goût.

Le sergent avait le sens de la repartie et Rebus n'arrivait jamais à avoir le dernier mot avec lui. Il lui rendit le gobelet et s'éloigna, sentant l'odeur écœurante du sucre.

Je ne touche plus à une goutte d'alcool, se promit-il en démarrant. Juré craché. Juste un petit verre de vin de temps en temps. J'ai bien droit à ça. Mais plus d'excès, et plus de mélanges. D'accord ? Dieu, tu voudrais pas me lâcher un peu ? La gueule de bois, ça va cinq minutes. En plus, je n'ai bu qu'un cognac, deux verres de rouge à tout casser et un de chablis. Plus le gin-tonic, c'est vrai. Pas franchement la grande beuverie, ça ne mérite pas la cure de désintoxication.

Il y avait très peu de circulation, peut-être un signe du destin. Un tout petit signe, mais quand même. Il arriva à Pilmuir en un rien de temps, puis se souvint qu'il ne connaissait pas l'adresse de Charlie. Le jeune homme saurait lui dire où trouver une guilde. Une guilde pratiquant la magie blanche. Rebus avait décidé de s'intéresser de plus près à la piste de la sorcellerie. Et à Charlie, par la même occasion, mais sans que celui-ci s'en doute.

Ces histoires de sorcellerie l'intriguaient. Il croyait au bien et au mal, et savait que certains imbéciles étaient attirés par le mal. Il s'y connaissait assez bien en religions païennes, pour avoir lu des bouquins trop longs et trop sérieux. Ça ne le dérangeait pas que les gens vénèrent la Terre ou Dieu sait quoi. Au bout du compte, tout ça revenait au même. Par contre, il ne pouvait pas supporter ceux qui vénéraient les forces du mal ou, *pis encore*, le Mal en tant que tel. Surtout les gens qui faisaient ça pour le frisson, en se moquant bien de savoir à quoi ça rimait.

Des types comme Charlie. Il repensa aux peintures de Giger. Satan, portant un masque de bouc, flanqué de deux femmes sur les plateaux d'une balance, pénétrées par d'énormes perceuses.

Où Charlie se trouvait-il ? Il finirait par l'apprendre. En frappant aux portes, en interrogeant les gens. Sous la menace de représailles en cas de rétention d'informations. Au besoin, ça ne le gênait pas de jouer les flics salauds.

En fait, ces efforts lui furent épargnés. Il se contenta de tomber sur deux agents en tenue qui traînaient devant un pavillon à l'abandon, pas très loin de celui où on avait retrouvé Ronnie. L'un d'eux parlait par radio. L'autre prenait des notes dans un calepin. Rebus se gara et descendit. Se ravisant, il décida de ne pas laisser ses clés sur le contact. Vu le quartier, on n'était jamais trop méfiant. Tant qu'il y était, il verrouilla la voiture.

Il reconnut Harry Todd, un des constables qui avaient découvert Ronnie. Le jeune homme se cambra en l'apercevant, mais Rebus lui fit signe de poursuivre sa conversation et s'adressa à son collègue.

— Alors, que se passe-t-il ?

Le constable s'arrêta d'écrire et lui lança un de ces regards suspicieux, quasiment hostiles, dont les agents en tenue ont le secret. Où était passé O'Rourke, le comparse irlandais de Todd ?

— Je suis l'inspecteur Rebus.

— Ah ! fit-il en rangeant son stylo. Eh bien... on nous a appelés pour une scène de ménage. Ça criait dans tous les sens. Mais le temps qu'on arrive, le mari avait filé. La femme est toujours là. Elle a un œil au beurre noir, rien de plus. Ce n'est pas franchement votre domaine, monsieur.

— Ah oui ? Merci de me prévenir, mon garçon.

C'est trop aimable de me dire ce qui est de mon domaine. Merci, vraiment. Puis-je entrer, avec votre permission ?

L'agent ne savait plus où se mettre. Ses joues cramoisies tranchaient avec son teint et son cou blêmes. Pas pour longtemps : même le cou commençait à s'empourprer. Rebus s'amusait beaucoup. Ça ne le dérangeait même pas de voir Todd se foutre de son collègue dans son dos.

— Alors ? insista Rebus.

— Bien sûr, monsieur. Désolé.

— Parfait.

Rebus se dirigea vers la porte d'entrée, mais avant qu'il l'atteigne, quelqu'un ouvrit de l'intérieur. Tracy apparut sur le seuil, les yeux rougis à force d'avoir pleuré, l'un d'eux marqué d'un coquard bleu foncé. Elle ne parut pas surprise de le trouver là. Plutôt soulagée. Elle se jeta dans ses bras, le serra très fort et enfouit son visage contre sa poitrine ; les larmes jaillirent de nouveau.

Stupéfait et gêné, Rebus se contenta de lui tapoter affectueusement le dos — un père rassurant son enfant avec des « voyons, voyons... ». Il tourna la tête vers les agents qui faisaient mine de n'avoir rien remarqué. Puis il vit une voiture se garer à côté de la sienne. Tony McCall mit son frein à main, descendit et l'aperçut en compagnie de Tracy.

Rebus s'écarta légèrement de la jeune femme, sans la lâcher complètement. Il la tenait par les bras. Elle le regarda et s'efforça enfin de contenir ses larmes. Elle finit par dégager un bras pour s'essuyer les yeux. Dès qu'il sentit la main se détendre, Rebus la lâcha. Ils ne se touchaient plus.

— John ?

McCall s'était approché derrière lui.

— Oui, Tony ?

— Tu peux m'expliquer pourquoi mon secteur est devenu le tien ?

— Je suis juste de passage, répondit Rebus.

À l'intérieur, c'était étonnamment propre et ordonné. Il y avait tout un mobilier disparate : deux canapés usés, deux chaises de salle à manger, une table en treillage, une douzaine de poufs éventrés qui perdaient leur rembourrage. Plus surprenant encore, l'électricité n'était pas coupée.

— Je me demande si la compagnie d'électricité le sait, fit observer McCall quand Rebus alluma la lumière au rez-de-chaussée.

Malgré les apparences, ça sentait le provisoire. Des sacs de couchage traînaient par terre dans le salon, comme pour accueillir à l'improviste inconnus et miséreux. Tracy s'installa sur un des canapés et croisa les mains autour de ses genoux.

— Tu habites ici, Tracy ? lui demanda Rebus, qui connaissait déjà la réponse.

— Non, c'est Charlie.

— Ça fait longtemps que t'es au courant ?

— Seulement depuis aujourd'hui. Il n'arrête pas de bouger, c'est pas facile de lui mettre la main dessus.

— T'as fait assez vite. Qu'est-ce qui s'est passé ?

Elle haussa les épaules.

— Je voulais juste lui parler.

— De Ronnie ?

McCall écoutait Rebus attentivement. Il avait compris que son collègue essayait de le mettre au parfum tout en interrogeant la jeune femme.

Tracy fit oui de la tête.

— C'est peut-être bête, dit-elle, mais j'avais besoin de parler à quelqu'un.

— Et ?

— Et on s'est disputés. C'est lui qui a commencé. Il m'a sorti que Ronnie était mort à cause de moi.

Elle les fixa. Son regard n'avait rien d'implorant ; il voulait juste montrer qu'elle était sincère.

— C'est faux, reprit-elle. Charlie m'a dit que j'aurais dû m'occuper de Ronnie, l'empêcher de se droguer, l'emmener loin de Pilmuir. J'étais censée m'y prendre comment ? Ronnie ne m'aurait jamais écoutée. Je me disais qu'il était assez grand pour savoir ce qu'il faisait. Et puis, il n'en faisait qu'à sa tête.

— C'est ce que tu as répondu à Charlie ?

— Non, dit-elle en souriant. Je viens juste d'y penser. C'est toujours comme ça, hein ? On trouve les bons arguments après coup.

— Je vois très bien ce que tu veux dire, intervint McCall.

— Alors tu t'es mise à l'insulter ? demanda Rebus.

— C'est pas moi qui ai commencé ! s'énerva-t-elle.

— OK, dit doucement Rebus. Charlie s'est mis à te crier dessus, tu as crié à ton tour, et ensuite il t'a frappée. C'est ça ?

— Oui, répondit-elle d'une voix plus calme.

— Peut-être même que tu t'es défendue ? suggéra Rebus.

— J'ai rendu coup pour coup.

— T'as raison, ma cocotte ! lança McCall.

Il faisait le tour de la pièce, retournait les coussins des canapés, feuilletait de vieux magazines, s'accroupissait pour tâter chaque sac de couchage.

— Je t'interdis de me traiter de haut, pauvre con ! lui renvoya Tracy.

McCall s'interrompit pour la dévisager, surpris, puis sourit et passa au sac de couchage suivant.

— Tiens, tiens... dit-il en le soulevant pour le secouer.

Un petit sachet en plastique tomba par terre. Il le ramassa d'un air satisfait.

— Rien de tel qu'un peu de came, dit-il, pour se sentir vraiment chez soi.

— Je ne suis pas au courant, dit Tracy en fixant le sachet.

— On te croit, dit Rebus pour la rassurer. Charlie s'est taillé ?

— Oui. Les voisins ont dû prévenir les pou... la police, je veux dire.

Elle détourna le regard.

— On est habitués à pire, dit McCall. Pas vrai, John ?

— C'est sûr. Les agents se sont présentés à une porte et Charlie a donc filé par une autre. C'est bien ça ?

— Oui. Par la porte de derrière.

— Tant qu'on est ici, dit Rebus, autant jeter un coup d'œil à sa chambre. Si elle existe.

— Bonne idée, acquiesça McCall en empochant le sachet. Il n'y a jamais de fumée sans feu.

Charlie avait bel et bien une chambre, dans laquelle se trouvaient un sac de couchage, un bureau avec une lampe d'architecte, et une quantité de bouquins comme Rebus n'en avait jamais vu dans un espace aussi réduit. Ils étaient empilés contre les murs, formant des colonnes instables qui atteignaient le plafond. Une bonne partie aurait dû être retournée à la bibliothèque depuis longtemps.

— Sûr qu'il doit une petite fortune à la municipalité, fit remarquer McCall.

Il y avait des livres sur l'économie, l'histoire et la

politique, ainsi que des ouvrages plus ou moins savants sur le démonisme, le satanisme et la sorcellerie. Très peu de fiction. Charlie était un lecteur attentif, qui soulignait et annotait copieusement. Sur le bureau traînait une dissertation en cours de rédaction, sans doute un devoir pour la fac. Apparemment, le propos était d'établir un lien entre « la Magie au sens noble » et la société contemporaine, mais Rebus n'y vit qu'un tissu de sottises.

— Salut !

C'étaient les deux agents qui venaient d'entrer et montaient.

— Salut à vous ! leur cria McCall.

Puis il vida par terre le contenu d'un grand sac de supermarché. Des stylos, des petites voitures, des emballages de paquet de cigarettes, un œuf en bois, une pelote de laine, un magnétophone, un couteau suisse... et un appareil photo. McCall se pencha pour le ramasser entre le pouce et le majeur. Un 35 mm SLR, du beau matériel. Il le passa à Rebus, qui s'en empara, mais seulement après avoir pris un mouchoir dans sa poche. Il se tourna vers Tracy qui était appuyée au chambranle, les bras croisés.

— Oui, dit-elle en hochant la tête. C'est celui de Ronnie.

Les agents étaient arrivés sur le palier.

Rebus prit le sac que lui tendait McCall et y déposa l'appareil photo, délicatement pour ne pas effacer d'éventuelles empreintes. Puis il s'adressa à l'agent qu'il connaissait.

— Todd, tu vas conduire cette jeune femme au poste de Great London Road. C'est pour te protéger, ajouta-t-il, voyant que Tracy était sur le point de protester. Vas-y. Je t'y rejoins dès que possible.

Elle hésita mais finit par acquiescer, puis se

retourna et sortit de la pièce. Rebus l'entendit descendre, escortée par les agents. McCall poursuivait la fouille sans véritable entrain. Avec leurs deux découvertes, ils avaient largement de quoi être satisfaits.

— Pas de fumée sans feu, répéta-t-il.

— Aujourd'hui j'ai déjeuné avec Tommy, lui confia Rebus.

McCall releva la tête.

— Tu veux parler de mon frangin ? Alors là, tu m'épates ! Moi, ça fait bien quinze ans qu'il ne m'a pas invité à déjeuner.

— On est allés à l'Eyrie. Pour discuter de la campagne anti-drogue du Paysan.

McCall siffla admirativement.

— Oui, c'est vrai que Tommy va mettre la main à la poche, c'est ça ? Bah, faut pas que je sois trop dur envers lui. Il m'a rendu quelques services.

— Ce midi, il avait un petit coup dans le nez.

— Alors, il n'a pas changé, dit McCall en se marrant. Il peut se le permettre. Sa boîte de transports marche toute seule. Avant, il était sur le pont vingt-quatre heures sur vingt-quatre et cinquante-deux semaines par an. Maintenant, il s'absente quand ça lui chante. Une fois, son comptable lui a même conseillé de prendre *un an* de vacances. Tu t'imagines ? Pour des raisons fiscales. Moi aussi, j'aimerais avoir ce genre de problème.

— Je ne te le fais pas dire, Tony.

McCall pointa le menton vers le sac que Rebus tenait toujours à la main.

— Ça règle l'affaire ?

— En tout cas, ça clarifie certaines choses, répondit Rebus. Je vais peut-être faire relever les empreintes.

— Je peux te dire ce que tu vas trouver. Celles du défunt, et celles de ce Charlie.

— Tu oublies quelqu'un.

— Qui ça ? s'étonna McCall.

— Toi, Tony. Souviens-toi : tu as pris l'appareil à main nue.

— Oui, désolé. Je n'ai pas réfléchi.

— Peu importe.

— C'est déjà pas mal. Ça se fête, non ? Je ne sais pas pour toi, mais moi je crève la dalle.

Au moment où ils sortaient de la chambre, une des piles s'effondra ; les livres se répandirent sur le sol comme des dominos qu'on mélange en début de partie. Rebus rouvrit la porte pour jeter un coup d'œil.

— Des fantômes, lui dit McCall. C'est juste des fantômes.

L'endroit ne payait pas trop de mine. Il s'attendait à mieux. Malgré la plante verte, les stores noirs à enrouleur et l'ordinateur qui prenait la poussière sur un bureau en plastique vaguement neuf, on était au deuxième étage d'un immeuble d'habitation, un lieu conçu pour y vivre, pas pour y installer son bureau ou son atelier. Holmes fit le tour de la pièce — pompeusement baptisée « réception » — pendant qu'une mignonne petite sans diplômes allait chercher « Sa Grandeur ». Son expression à elle. Quand on n'obtenait pas le respect de ses propres employés, ou du moins leur admiration terrorisée, c'est que quelque chose ne tournait pas rond. Et quand la porte s'ouvrit pour laisser entrer « Sa Grandeur », Holmes se rendit à l'évidence : quelque chose clochait chez Jimmy Hutton. Pour commencer, il avait dépassé la cinquantaine et pourtant les cheveux qui lui restaient étaient longs, des mèches éparses qui pendouillaient sur son front, presque jusqu'aux yeux. Il portait aussi un jean : une erreur fréquente quand on cherche à faire jeune. Et il était petit. Un mètre cinquante-cinq, un mètre soixante à tout casser. Holmes comprenait mieux l'humour de la secrétaire : Sa Grandeur, en effet.

Il avait l'air stressé et avait laissé son appareil photo dans la chambre ou le débarras qui faisait office de studio dans le petit appart'.

— Constable Brian Holmes, annonça Holmes en serrant la main qu'on lui tendait.

Hutton hocha la tête et prit une cigarette dans le paquet qui traînait sur le bureau de sa secrétaire. Elle plissa ostensiblement le front et se rassit en défroissant sa jupe étroite. Hutton n'avait toujours pas croisé le regard de Holmes. Ses yeux semblaient refléter les préoccupations qui occupaient son esprit. Il s'approcha de la fenêtre, jeta un coup d'œil dehors, pencha la tête en arrière et souffla de la fumée vers le plafond sombre. Puis il s'adossa au mur et appuya le menton contre son torse.

— Va me faire un café, Christine.

Son regard croisa enfin celui de Holmes.

— Vous en voulez un ? lui proposa-t-il.

— Non, merci.

— Vous êtes sûr ? lui demanda gentiment Christine en se relevant.

— Bon, d'accord.

Elle sortit de la pièce avec le sourire, pour aller remplir la bouilloire dans la cuisine ou la chambre noire.

— Alors, dit Hutton, qu'est-ce que je peux faire pour vous ?

Autre détail déconcertant : la voix haut perchée du bonhomme. Ni perçante ni gamine, juste aiguë. En plus, elle avait quelque chose d'éraillé, comme s'il s'était abîmé les cordes vocales dans l'enfance et que celles-ci ne s'étaient jamais réparées.

— Monsieur Hutton ? demanda Holmes, qui tenait à en être sûr.

Sa Grandeur opina du chef.

— Jimmy Hutton, photographe professionnel à votre service. Vous vous mariez et vous voulez une remise ?

— Non, rien de la sorte.

— Un portrait, dans ce cas ? Pour la copine ? Papa-maman ?

— Non, je suis ici pour raison professionnelle. En tout cas, pour ce qui me concerne.

— Mais pas un client pour moi, c'est ça ? dit Hutton, qui jeta un nouveau coup d'œil vers Holmes en tirant sur sa cigarette. Vous savez, ça vaudrait le coup que je vous tire le portrait. Menton puissant, pommettes sympas. Avec le bon éclairage...

— Non, merci. Je déteste qu'on me prenne en photo.

Hutton se mit à bouger, fit le tour du bureau.

— Je ne vous parle pas d'être pris en photo. Je vous parle d'art.

— En fait, dit Holmes, c'est ce qui m'amène ici.

— Quoi ?

— L'art. J'ai été impressionné par quelques photos de vous que j'ai vues dans la presse. Je me suis dit que vous pourriez peut-être me filer un coup de main.

— Ah bon ?

— Au sujet d'une disparition.

Holmes n'avait rien d'un menteur émérite. Dès qu'il sortait quelque chose de vraiment très gros, il avait les oreilles qui frissonnaient. Mais c'était tout de même un menteur honorable.

— Celle d'un jeune homme qui s'appelle Ronnie McGrath.

— Le nom ne me dit rien.

— Il voulait devenir photographe, c'est ça qui m'y a fait penser.

— Penser à quoi ?

— Je me suis dit qu'il aurait pu vous contacter. Pour des conseils, ce genre de chose. Après tout, votre nom est connu.

Là, c'était presque trop gros. Holmes sentit que Hutton allait lire dans son jeu. Mais la vanité l'emporta.

Le photographe s'appuya contre le bureau, croisa les jambes et les bras, l'air sûr de lui.

— À quoi ressemblait ce Ronnie ? demanda-t-il.

— Plutôt grand, cheveux châtains, coupés court. Il faisait surtout du paysage. Le château, Calton Hill, ce genre-là...

— Et vous, inspecteur, vous êtes photographe ?

— Je ne suis que constable, le reprit Holmes avec un sourire, ravi de cette méprise.

Mais il se ressaisit aussitôt : et si Hutton lui faisait le coup de la vanité ?

— Non, je n'ai jamais fait beaucoup de photo. Des photos de vacances, c'est tout.

Christine glissa la tête par la porte entrebâillée.

— Vous prenez du sucre ? demanda-t-elle à Brian avec un sourire.

— Non, merci. Juste un peu de lait.

— Mets une goutte de whisky dans le mien, lui dit Hutton. T'es un chou.

Il fit un clin d'œil en direction de la porte qui se referma.

— Je dois reconnaître que ça me dit quelque chose. Ronnie... Des sujets sur le château... Oui, oui. Ça me revient. Un jeune type qui est passé, un vrai emmerdeur. Je bossais sur un book, un boulot à long terme. J'avais besoin de me concentrer dessus à cent pour cent. Il n'arrêtait pas de passer, demandait à me voir pour me montrer son travail. On a tous été jeunes, dit-il en levant les mains d'un air navré. J'aurais bien voulu l'aider, mais ça tombait plutôt mal.

— Vous n'avez pas regardé ses photos ?

— Non. Pas le temps, comme je vous dis. Au bout de quelques semaines, il a cessé de venir.

— Et ça remonte à quand ?

— Quelques mois. Trois ou quatre.

La secrétaire revint avec leurs cafés. Holmes sentit les effluves de whisky qui montaient de la tasse de Hutton ; il était dégoûté, mais aussi légèrement jaloux. Malgré tout, l'entretien se déroulait bien. Le moment était venu d'avancer.

— Merci, Christine, dit-il.

Celle-ci parut ravie de cette familiarité. Elle s'assit et prit une cigarette. Holmes hésita à sortir son briquet, mais jugea préférable de ne pas le faire.

— Écoutez, dit Hutton, j'aimerais vous aider, mais...

— Vous êtes très occupé, acquiesça Holmes en hochant la tête. Je vous suis vraiment très reconnaissant de m'avoir accordé un peu de temps. De toute façon, j'avais quasiment terminé.

Il but une gorgée de café. Le breuvage était bouillant, mais il préféra ne pas le recracher dans la tasse et avala d'un coup.

— Bien, dit Hutton, abandonnant le bureau.

— Juste une chose, fit Holmes. Simplement par

curiosité, ça serait possible de jeter un petit coup d'œil à votre studio ? Je n'ai jamais vu un vrai studio.

Hutton lança un regard à Christine ; elle dissimula un sourire en faisant mine de tirer sur sa cigarette.

— Bien sûr, dit-il en souriant à son tour. Pourquoi pas ? Venez.

C'était une grande pièce, qui correspondait *grosso modo* à l'idée que s'en faisait Holmes, à un détail près. Une demi-douzaine d'appareils photo différents, tous sur pied. Trois murs couverts de photos et devant le quatrième une toile tendue qui avait tout l'air d'un drap. Rien que de très normal. En revanche, devant la toile était disposé le sujet sur lequel Hutton travaillait : deux paravents roses et une chaise derrière laquelle se tenait, les bras croisés appuyés sur le dossier, un jeune homme blond à la mine désabusée. Et nu comme un ver.

— Voici Arnold, inspecteur Holmes, dit Hutton en guise de présentations. Arnold est ce qu'on appelle un modèle masculin. J'espère que vous n'y voyez rien de répréhensible.

Holmes arrêta de fixer bêtement la scène. Rougissant, il se tourna vers Hutton.

— Non, non, bien entendu.

Le photographe s'approcha d'un appareil, se pencha pour regarder dans le viseur et l'orienta en direction d'Arnold. Ce n'était pas la tête qu'il visait.

— Le nu masculin donne parfois des résultats sublimes, dit-il. Le corps humain est vraiment ce qui rend le mieux en photo.

Il appuya sur le déclencheur, fit avancer la pellicule, prit une deuxième photo, puis regarda le policier et sourit de son expression gênée.

— Et vous ferez quoi des... demanda Holmes, cherchant un terme convenable. Je veux dire, à quoi sont-elles destinées ?

— Je vous l'ai dit, c'est pour mon book. Pour montrer aux clients potentiels.

— Oui, fit Holmes en hochant la tête d'un air entendu.

— Voyez-vous, je suis un artiste. Je ne me contente pas de faire du portrait.

— Tout à fait, dit Holmes, toujours en opinant du chef.

— Dites-moi, ce n'est pas défendu ?

— Je ne crois pas, dit Holmes en s'approchant de la fenêtre pour jeter un coup d'œil par une fente entre les épais rideaux. Tant que ça ne perturbe pas le voisinage.

Hutton s'esclaffa. Même le visage boudeur du modèle se dérida un instant.

— Ça se bouscule au portillon, expliqua Hutton en s'approchant de la fenêtre à son tour. C'est pour ça que j'ai dû mettre des rideaux. Quelle bande de cochons ! Les femmes aussi bien que les hommes. Tous agglutinés devant la même fenêtre. (Il indiqua une fenêtre au dernier étage de l'immeuble d'en face.) Là-haut. Je les ai surpris un jour et j'ai eu le temps de prendre quelques clichés au moteur. Ça ne leur a pas plu !

Il s'écarta de la fenêtre. Holmes faisait le tour de la pièce, signalant telle ou telle photo et félicitant Hutton. Celui-ci buvait du petit-lait et se mit à lui expliquer quelques trucs, comment on jouait avec les angles de prises de vue.

— Superbe, fit Holmes en indiquant une photo du château enveloppé de brume.

Un cliché presque identique à un de ceux qu'il avait

retrouvés au journal, et donc très voisin d'une des photos de Ronnie. Hutton haussa les épaules.

— C'est pas grand-chose, dit-il en posant la main sur l'épaule de Holmes. Tenez, là vous avez quelques nus.

Une douzaine de photos 18 x 24 en noir et blanc, punaisées au mur dans un angle. Des hommes et des femmes, pas forcément jeunes et beaux. Mais joliment photographiés, avec quelque chose d'artistique.

— C'est vraiment les meilleures, se vanta Hutton.

— Les meilleures ou celles de bon goût ?

Holmes s'était efforcé de ne pas porter un jugement de valeur, mais Hutton perdit aussitôt sa bonne humeur. Il s'approcha d'une grosse commode, ouvrit le tiroir du bas et y prit une brassée de photos qu'il balança aux pieds de Holmes.

— Tenez ! C'est pas du porno. Rien de dégoûtant là-dedans. Rien d'obscène, rien d'immoral. Juste des corps. Des corps qui posent.

— Je suis désolé, s'excusa Holmes sans prêter attention aux photos, si j'ai eu l'air de...

— OK, dit Hutton en lui tournant le dos pour faire face au modèle. Je suis crevé, ajouta-t-il en se frottant les yeux, les épaules voûtées. Je n'aurais pas dû m'emporter. C'est la fatigue.

Fixant Arnold droit dans les yeux, Holmes se baissa, ramassa une des photos par terre et la fourra dans son blouson en se relevant. Le modèle le regarda faire, et Holmes eut juste le temps de lui adresser un clin d'œil complice avant que Hutton ne se retourne.

— Les gens s'imaginent que c'est simple comme bonjour, qu'il suffit de mitrailler toute la journée, soupira le photographe.

Derrière lui, Holmes aperçut Arnold qui agitait un

index faussement menaçant. Mais vu son air amusé, il ne comptait pas le dénoncer.

— On n'arrête pas d'y réfléchir, poursuivit Hutton. Tous les jours, à chaque instant, dès qu'on pose les yeux sur quoi que ce soit. Tout peut devenir un sujet, vous comprenez ?

Holmes se dirigea vers la porte, peu désireux de s'attarder.

— Oui, eh bien, je vais vous laisser vous y remettre.

— Ah ? fit Hutton, comme sortant d'un rêve. D'accord.

— Merci de votre aide.

— Il n'y a pas de quoi.

— Salut, Arnold, lança Holmes.

Il ferma la porte et fila.

— Au boulot, dit Hutton en contemplant les photos étalées par terre. Donne-moi un coup de main, Arnold.

— C'est toi le patron...

Ils commencèrent à ranger les clichés dans le tiroir.

— Plutôt sympa, pour un flic, fit remarquer Hutton.

— Oui, dit Arnold, les bras chargés de photos. On n'aurait pas dit un type de la brigade des impers pervers.

Hutton lui demanda ce qu'il entendait par là, mais il se contenta d'un haussement d'épaules. Après tout, ça ne le regardait pas. Dommage, tout de même, que ce flic aime les femmes. Un mec mignon en moins.

Dehors, Holmes resta planté devant l'immeuble quelques instants. Il tremblait de partout, comme s'il avait un moteur coincé dans le corps. Il porta la main à son torse — quelques palpitations, rien de plus. Ça arrivait à tout le monde d'en avoir. Il avait l'impression d'avoir commis un larcin. Ce qui était un peu la vérité, non ? Il venait de prendre quelque chose qui appartenait à quelqu'un d'autre, sans son consentement. Du vol, quoi. Quand il était gamin, il fauchait dans les magasins et jetait son butin. Tous les gosses font ça, non ?

Il sortit sa prise. La photo était un peu pliée, mais il la défroissa. Une jeune mère qui passait avec une poussette y jeta un coup d'œil, puis pressa le pas en lui lançant un regard dégoûté. Ne vous en faites pas, madame, je suis policier. Cette pensée le fit sourire. Il examina le cliché. Une photo un brin cochonne, sans plus. Vue plongeante d'une jeune femme allongée sur une étoffe soyeuse, jambes écartées. Les lèvres entrouvertes pour prendre la pose, les yeux feignant l'extase. Rien que de très banal. Sauf l'identité du modèle.

Holmes était persuadé de reconnaître Tracy, dont il avait déjà récupéré une photo au squat. Cette jeune fille sur qui il était censé enquêter. La copine du défunt. En train de poser nue, pas du tout farouche et l'air d'aimer ça.

Pourquoi fallait-il qu'il revienne toujours dans ce fichu pavillon ? Rebus n'en savait rien. Pour la énième fois, il braqua le faisceau de sa torche sur le dessin de Charlie, en essayant de comprendre l'esprit qui l'avait conçu. D'ailleurs, pourquoi s'intéresser à un type aussi minable ? Sans doute parce qu'il avait l'intuition tenace que ce Charlie tenait une place primordiale dans l'enquête.

Quelle enquête ?

Voilà, le mot était lâché. Quelle enquête ? Le dossier, au sens où l'entendrait n'importe quel tribunal, était vide. Il y avait des personnages, quelques méfaits, des questions sans réponses. Et même quelques faits délictueux. Mais le dossier restait vide. C'était décourageant. Il lui aurait fallu quelque chose de tangible et de structuré pour bâtir l'enquête, quelque chose à quoi se raccrocher, des notes qu'il aurait pu brandir en clamant : « Tenez, tout est là. » Mais il n'y avait rien de tel. Tout ça n'avait pas plus de substance qu'une bougie fondue. Pourtant, la cire laissait des traces, non ? Rien ne disparaissait jamais, pas complètement en tout cas. Les choses prenaient une autre forme, une autre substance, un autre sens. Une étoile à cinq branches au centre de deux cercles concentriques : ça ne représentait rien en soi. Aux yeux de Rebus, cela évoquait surtout l'étoile de shérif avec laquelle il jouait gamin. Le justicier étoilé du Texas, portant un six-coups à pétards dans son holster en plastique.

Pour d'autres, c'était le symbole du mal.

Il lui tourna le dos, se rappelant combien il était fier de porter cette étoile, et monta au premier.

Il s'arrêta une seconde à l'endroit où il avait retrouvé la pince à cravate, puis entra dans la chambre de Ronnie. Il s'approcha de la fenêtre et jeta un coup d'œil par une fente entre les planches qui recouvraient le carreau.

La voiture s'était garée, pas très loin de la sienne. Il avait repéré la filature en quittant le poste et avait tout de suite reconnu la Ford Escort qui avait démarré en trombe devant chez lui. Elle était garée là, à quelques mètres de sa Cortina déglinguée. Pas de conducteur. L'individu était déjà dans la maison.

Rebus entendit une latte craquer et comprit qu'il se trouvait derrière lui.

— Vous semblez bien connaître la maison. Vous avez évité quasiment toutes celles qui font du bruit.

Il se retourna et braqua sa torche sur le visage d'un jeune homme aux cheveux foncés. Celui-ci se protégea les yeux de la main.

En baissant le faisceau, Rebus vit qu'il portait un uniforme de policier.

— Tu dois être Neil, dit-il calmement. À moins que tu préfères qu'on t'appelle Neilly ?

Même orientée vers le parquet, la lampe éclairait assez pour que tous deux se voient.

— Va pour Neil, dit le jeune homme en secouant la tête. Neilly, c'est pour les amis.

— Et je ne suis pas ton ami, acquiesça Rebus avec un hochement du menton. Par contre, Ronnie l'était, n'est-ce pas ?

— Ronnie était plus que ça, inspecteur Rebus... C'était mon frère.

Il n'y avait aucun endroit où s'asseoir dans la chambre de Ronnie. De toute manière, ils étaient l'un comme l'autre incapables de tenir en place. Chacun bouillonnait d'énergie : Neil parce qu'il avait besoin de se livrer, Rebus parce qu'il voulait savoir. Rebus s'adjugea un territoire devant la fenêtre. Il faisait les cent pas, l'air de rien, la tête baissée, s'arrêtant par moments pour mieux se concentrer sur les paroles du jeune homme. Neil resta dans l'embrasure. La main sur la poignée, il faisait aller et venir la porte, ralentissant à l'endroit où celle-ci grinçait pour faire durer le bruit. L'éclairage à la torche était parfaitement adapté à la scène : les ombres dansaient sur les murs, une silhouette écoutant ce que l'autre racontait.

— Bien sûr que j'étais au courant, déclara Neil. Ronnie avait beau être l'aîné, je le connaissais mieux que lui ne me connaissait. Je veux dire, je savais comment ça fonctionnait dans sa tête.

— Alors tu savais qu'il était junkie ?

— Je savais qu'il se droguait. Il a commencé quand on était à l'école. Une fois, il s'est fait prendre et a failli se faire virer. Ils l'ont laissé revenir au bout de trois mois, pour qu'il puisse passer ses examens. Il les a tous réussis. Je ne peux pas en dire autant pour moi.

Oui, songea Rebus, l'admiration peut rendre aveugle...

— Après les examens, il a fugué. On n'a plus eu de nouvelles pendant des mois. Mon père et ma mère, ça les a presque rendus fous. Puis ils ont fait comme s'il n'existait plus. Le blanc total. Je n'avais plus le droit de prononcer son nom dans la maison.

— Mais il a repris contact avec toi ?

— Oui. Il m'a fait parvenir une lettre par l'entremise d'un copain. Futé. Comme ça, j'ai eu la lettre sans que papa et maman soient au courant. Il me racontait qu'il s'était installé à Édimbourg, qu'il s'y plaisait mieux qu'à Stirling. Qu'il avait un boulot et une copine. C'est tout. Pas d'adresse et pas de numéro de téléphone.

— Il t'écrivait souvent ?

— Par-ci, par-là. Il racontait pas mal de salades, pour me faire croire que sa situation était plus rose qu'elle n'était. Pas question de rentrer à Stirling tant qu'il n'avait pas sa Porsche et son appart', pour clouer le bec aux parents. Puis il a arrêté de m'écrire. J'ai quitté l'école et je suis entré dans la police.

— Et t'es venu à Édimbourg ?

— Pas tout de suite, mais au bout de quelque temps.

— Exprès pour le retrouver ?

Neil sourit.

— Pas du tout. Je l'avais plus ou moins oublié. Chacun a sa propre vie.

— Alors comment ça s'est passé ?

— Je suis tombé sur lui un soir, pendant que je faisais une ronde dans mon secteur.

— C'est où ça, ton secteur ?

— Je suis basé à Musselburgh.

— À Musselburgh ? s'étonna Rebus. C'est pas vraiment la porte à côté.

— Je sais bien. En tout cas, il était complètement shooté. Et un peu amoché.

— Il t'a expliqué ce qu'il faisait par là-bas ?

— Non, mais j'ai ma petite idée.

— C'est-à-dire ?

— Il jouait les punching-balls pour la clientèle spéciale qui traîne vers Calton Hill.

— C'est drôle, quelqu'un d'autre m'a suggéré la même hypothèse.

— C'est des choses qui arrivent. De l'argent facile pour les gens qui n'en ont plus rien à foutre.

— Ronnie n'en avait plus rien à foutre ?

— Par moments. D'autres fois... Je ne sais pas, peut-être que je ne le connaissais pas si bien que ça.

— Alors, t'as commencé à lui rendre visite ?

— Le premier soir, je l'ai raccompagné chez lui. Et je suis revenu le lendemain. Il a été tout surpris de me voir, il ne se souvenait même plus que je l'avais ramené la veille.

— T'as essayé de lui faire arrêter la drogue ?

Neil resta silencieux. La porte grinçait.

— Au début, finit-il par répondre. Mais il avait l'air de contrôler. Je sais bien que ça paraît idiot de dire ça, vu dans quel état je l'avais retrouvé le premier soir, mais après tout, c'était *son* choix, comme il répétait tout le temps.

— Et ça lui faisait quoi d'avoir un frère dans la flicaille ?

— Il trouvait ça drôle. Remarquez, je ne suis jamais venu en uniforme.

— Avant ce soir.

— C'est ça. Mais bon, oui, je suis passé plusieurs fois. On se mettait ici dans sa chambre. Il préférait que les autres ne me voient pas. Il avait peur qu'ils ne reniflent le poulet.

Ce fut au tour de Rebus de sourire.

— Tu n'aurais pas filé Tracy ?

— Tracy ?

— La copine de Ronnie. Elle s'est pointée chez moi hier soir. Des types l'ont suivie.

Neil fit non de la tête.

— Ce n'était pas moi.

— Par contre, c'était bien toi devant chez moi hier soir ?

— Oui.

— Et t'es venu ici le soir où Ronnie est mort ?

Une question sans détour. À dessein. Neil arrêta de jouer avec la porte, resta silencieux cette fois une bonne vingtaine de secondes, puis inspira longuement.

— Oui, je suis passé un moment.

— Tu as oublié ça, dit Rebus en brandissant la pince.

Il faisait trop sombre pour que Neil la voie clairement. Mais il savait pertinemment de quoi il s'agissait.

— Ma pince de cravate ? Je me demandais où elle était passée. Je l'ai cassée ce jour-là, dans l'après-midi, et je l'avais mise dans ma poche.

N'ayant aucunement l'intention de la lui rendre,

Rebus remit la pince dans sa poche. Neil ne broncha pas.

— Pourquoi tu t'es mis à me suivre ? lui demanda Rebus.

— Je voulais vous parler. Je n'ai pas eu le cran de vous aborder.

— Parce que tu ne voulais pas que vos parents apprennent la mort de Ronnie ?

— Ouais. J'espérais que vous n'arriveriez pas à l'identifier, mais vous y êtes parvenu. Je ne sais pas comment ils vont prendre ça. Au pire, ils seront heureux. Parce que ça veut dire qu'ils avaient raison de l'avoir rayé de leur vie.

— Et au mieux ?

— Au mieux ? répéta Neil qui cherchait le regard de Rebus dans la pénombre. Rien.

— Sans doute, dit Rebus. Mais il faut bien qu'ils soient prévenus.

— Je sais. Je l'ai toujours su.

— Dans ce cas, ça servait à quoi de me suivre ?

— Parce que maintenant, vous êtes plus proche de Ronnie que je ne l'ai jamais été. Vous vous intéressez à lui, même si je ne comprends pas pourquoi. Je me sens concerné. Je veux que vous retrouviez celui qui lui a vendu ce poison.

— C'est bien mon intention. Ne t'en fais pas.

— Et je veux vous aider.

— C'est la première connerie que tu me sors, ce qui n'est pas trop mal de la part d'un flic de base. Pour être franc, Neil, je me passe très bien de t'avoir sur le dos. J'ai toute l'aide qu'il me faut.

— Trop de cuisiniers gâtent la sauce ?

— Oui, il y a de ça.

Rebus sentait que la confession touchait à sa fin, qu'il ne restait plus grand-chose à tirer du constable.

Quittant la fenêtre, il s'arrêta sur le seuil de la chambre et se retourna pour faire face à Neil.

— Tu m'as déjà assez embêté comme ça. Moi, je ne trouve pas que tu sens le poulet. Plutôt les abats. Tu sais lesquels ?

— Je ne comprends...

— Les vessies, mon garçon. Les vessies qu'on prend pour des lanternes.

Il y eut un bruit au rez-de-chaussée. Un craquement de latte. Ça valait vraiment un système à infrarouge.

— Ne bouge pas, chuchota Rebus en éteignant sa torche et en s'approchant de l'escalier. Qui est là ?

Il ralluma la lampe et la braqua sur le visage de Tony McCall qui plissait les yeux.

— Putain, Tony ! s'écria-t-il en descendant quelques marches. Tu m'as foutu une de ces trouilles !

— Je savais bien que je te trouverais ici, lui dit McCall. J'en étais sûr !

Il avait la voix nasillarde. Ça faisait environ trois heures qu'ils s'étaient quittés, et Rebus subodorait qu'il avait dû passer tout ce temps à boire. Il fit demi-tour et remonta sur le palier.

— Où tu vas ? lui lança McCall.

— Je ferme juste la porte, dit Rebus qui enferma Neil dans la chambre. On voudrait pas que les fantômes prennent froid, hein ?

Il entendit McCall qui gloussait en bas.

— J'me disais qu'on pourrait s'en taper une petite, John. Et va pas me sortir tes conneries d'abstinence comme l'autre fois !

— Bonne idée, acquiesça Rebus en poussant McCall adroitement dehors. On va boire un coup.

Et il ferma la porte à clé — le frère de Ronnie devait bien savoir comment sortir de là. Comme tout le monde.

— On va où ? demanda Rebus. J'espère que tu n'as pas pris ta voiture pour venir ici, Tony...
— Non, je me suis fait déposer par des collègues.
— Tant mieux. On va prendre la mienne.
— On pourrait aller à Leith.
— Non. Je préfère quelque chose de plus central. Il y a des pubs sympas dans Regent Road.
— Vers Calton Hill ? fit McCall d'un air incrédule. Merde ! John, je connais des tas d'endroits plus sympas pour boire un verre.
— Pas moi. Allez.

Holmes avait toujours aimé les femmes grandes, une fixation qu'il faisait remonter à sa mère qui mesurait un mètre soixante-quinze. Nell Stapleton, sa copine du moment, faisait même deux centimètres de plus et il était vraiment très amoureux d'elle.

Nell était plus intelligente que lui. En tout cas, Holmes aimait se dire que chacun avait ses domaines où il était plus doué que l'autre. Les jours où elle était en forme, Nell arrivait à résoudre les mots croisés cryptés du *Guardian* en moins d'un quart d'heure. En revanche, elle n'était pas très bonne en calcul et n'avait aucune mémoire des noms : deux des points forts de Holmes. Les gens disaient qu'ils allaient bien ensemble, qu'on les sentait à l'aise, ce qui était sans doute la vérité. Ils s'entendaient bien, grâce à quelques règles simples : ne jamais parler de mariage, ne pas envisager d'avoir d'enfants, ne pas songer à s'installer ensemble, et surtout ne pas commettre d'infidélités.

Nell était bibliothécaire à l'université d'Édimbourg, une fonction qui rendait bien service à Holmes. Ce jour-là, par exemple, il lui avait demandé de chercher des livres sur l'occultisme. Elle avait fait mieux que ça et lui avait déniché une ou deux thèses qu'il pourrait consulter sur place. Quand ils se retrouvèrent au pub, elle lui remit même une bibliographie qu'elle avait imprimée sur le sujet.

Comme dans la plupart des bars du centre-ville en milieu de semaine, le début de soirée était une période creuse au Bridge of Sighs[1]. La vague des juste-un-verre-après-le-boulot était repartie, la veste au bras, alors que la clientèle animée du soir n'avait pas encore pris le bus pour déferler des cités. Nell et Holmes s'étaient mis à une table dans un coin, loin des jeux vidéo mais un peu trop près d'un des haut-parleurs. Holmes, qui était venu au comptoir se commander une autre demi-pinte et un Perrier-orange pour Nell, demanda s'il était possible de baisser le volume.

— Non, désolé. Ça plaît aux clients.

— Parce qu'on n'est pas des clients, nous ? protesta-t-il.

— Faut en parler au patron.

— D'accord.

— Il n'est pas encore arrivé.

Holmes jeta un regard mauvais à la jeune serveuse avant de regagner sa table. Il s'arrêta net en voyant ce que Nell était en train de faire. Elle avait ouvert sa mallette et regardait la photo de Tracy nue.

— C'est qui ? lui demanda-t-elle tout en rabattant le couvercle, comme il posait les verres sur la table.

— Ça fait partie d'une enquête sur laquelle je bosse, répondit-il d'un ton glacial en s'asseyant. Depuis quand t'as le droit de fouiller dans ma mallette ?

— Règle n° 7, Brian. Pas de cachotteries.

— Peu importe...

1. Ce qui signifie « Pont des Soupirs ». *(N.d.T.)*

— Elle est mignonne, hein ?
— Quoi ? Je n'ai pas vraiment...
— Je l'ai déjà aperçue à la fac.
De quoi piquer la curiosité de Brian.
— Ah bon ?
— Hum. À la cafèt'. Je l'ai remarquée parce qu'elle paraissait un peu plus âgée que les autres étudiants qui l'accompagnaient.
— Alors elle est étudiante ?
— Pas forcément. À la cafèt', l'entrée est libre. Par contre, la bibliothèque est réservée aux étudiants, mais je ne me souviens pas de l'y avoir vue. Seulement à la cafétéria. Qu'est-ce qu'elle a fait ?
— Rien, autant que je sache.
— Dans ce cas, que fait cette photo dans ta mallette ?
— C'est un boulot que m'a confié l'inspecteur Rebus.
— Il t'a chargé de lui trouver des photos cochonnes ? dit-elle, l'air amusé.
Il sourit à son tour, mais se rembrunit lorsqu'il vit Rebus et Tony McCall pénétrer dans le pub en plaisantant. Holmes n'avait pas du tout envie de présenter Nell à Rebus. Quand il passait la soirée avec elle, il faisait tout son possible pour faire la coupure avec son boulot — mis à part les petits services comme la bibliographie sur l'occultisme. En plus, il comptait garder Nell comme un atout dans sa manche, et ne sortir la bibliographie que si Rebus la demandait.
L'arrivée inopinée de l'inspecteur menaçait de tout foutre en l'air. En plus, Holmes avait une autre raison de redouter qu'il ne s'approche de leur table : la crainte d'être traité de « paire de pompes ». Il garda les yeux rivés sur la table, tandis que Rebus embrassait la salle du regard, et fut soulagé de voir les deux

gradés, verre en main, se diriger vers la table de billard de l'autre côté du pub, devant laquelle ils se chamaillèrent pour savoir qui devait avancer les deux pièces de vingt pence pour la partie.

Nell appuya sa tête contre la table pour se mettre à son niveau et le regarder dans les yeux.

— Qu'est-ce qu'il y a, Brian ?

Il se tourna vers elle, présentant au reste de la salle un profil sévère.

— Rien, dit-il. Tu n'as pas faim ?

— Si, plutôt.

— Parfait. Moi aussi.

— Tu ne m'as pas dit que tu avais déjà mangé ?

— Pas assez. Allez, je t'invite au restau indien.

— Laisse-moi finir mon verre.

Ce fut l'affaire de trois gorgées et ils sortirent du pub ; la porte se referma silencieusement derrière eux.

— Pile ou face ? demanda Rebus à McCall en lançant une pièce.

— Pile.

— C'est pile, dit Rebus en examinant la pièce. À toi de casser.

Tandis que McCall pointait sa queue vers la boule blanche, fermant un œil pour viser les boules disposées en triangle, Rebus coula un regard vers la porte du pub. C'est son droit, songea-t-il. Holmes n'était pas en service, et se trouvait en charmante compagnie. De quoi justifier qu'il fasse mine d'ignorer son supérieur. Et peut-être n'avait-il rien à lui signaler, aucun progrès dans ses recherches. Sans doute. Pourtant, Rebus avait l'impression de s'être fait moucher. Après tout ce qu'il lui avait balancé à la figure, Holmes boudait.

— À toi de jouer, John, lui dit McCall qui n'avait blousé aucune boule.

— À qui le dis-tu ! murmura Rebus en appliquant de la craie à l'extrémité de sa queue. À qui le dis-tu !

McCall s'approcha de lui alors qu'il se préparait à jouer.

— Ça doit être le seul pub hétéro du quartier, John.

— T'as déjà entendu parler d'homophobie, Tony ?

— Ne me fais pas dire ce que je n'ai pas dit, protesta McCall, qui se redressa alors que la boule choisie par Rebus ratait le trou. J'veux dire, chacun fait ce qui lui plaît... Et patati ! Et patata ! Mais certains de ces bars et de ces clubs...

— T'as l'air de vachement t'y connaître.

— Non, pas vraiment. C'est ce qu'on raconte.

— Qui ça, on ?

McCall blousa deux boules à bande d'affilée.

— Allons, John. Tu connais Édimbourg aussi bien que moi. Tout le monde sait comment ça se passe dans le milieu gay.

— Comme tu le dis si bien, Tony : chacun fait ce qui lui plaît.

Une petite voix se fit entendre dans la tête de Rebus. *Tu es le frère que je n'ai jamais eu.* Non, non, il ne fallait pas l'écouter. Ce terrain lui était trop familier.

C'était à son tour : Rebus s'approcha de la table et rata complètement son coup.

— Dis-moi, Tony, comment tu fais pour tirer aussi bien quand t'es bourré ?

McCall gloussa.

— L'alcool empêche de trembler ! Alors dépêche-toi de finir ta pinte pour que je t'en offre une autre.

James Carew estimait qu'il avait bien mérité une petite récompense. Il venait de vendre une grosse propriété des faubourgs d'Édimbourg au directeur financier d'une société récemment installée en Écosse, et un couple d'architectes (des Écossais d'origine qui avaient vendu leur cabinet de Seven Oaks, dans le Kent) avait fait une offre plus généreuse que prévu pour une propriété de trois et quelques hectares dans la région des Borders. Une bonne journée. Pas exceptionnelle, mais ça se fêtait tout de même.

Pour sa part, Carew possédait un pied-à-terre dans une des rues les plus ravissantes de la partie georgienne de New Town, et une ferme de quelques hectares sur l'île de Skye. Pour lui, c'était une époque bénie. On aurait dit que tout Londres voulait s'installer en Écosse. Les nouveaux venus, qui ne manquaient pas d'argent après la vente de leur maison dans le Sud-Est, voulaient tous quelque chose de mieux et de plus grand, et ils étaient prêts à y mettre le prix.

Il quitta ses bureaux de George Street à six heures et demie et regagna son duplex. C'était insultant d'appeler ça un pied-à-terre : cinq chambres, salon, salle à manger, deux salles de bains, une cuisine correcte, des placards plus spacieux que certains meublés de Hammersmith. Carew se trouvait exactement là où il fallait, au moment où il le fallait. Des années comme celle-ci, ça ne se renouvellerait pas de sitôt. Il fallait en profiter, saisir l'occasion.

Il retira son costume dans la chambre, se doucha et passa une tenue plus décontractée mais tout aussi raffinée. Il était rentré à pied mais prendrait la voiture pour la soirée. Celle-ci était garée dans une impasse derrière sa rue. Les clés étaient accrochées à leur clou dans la cuisine. Aux yeux de certains, une Jaguar n'était qu'un caprice. Carew se sourit à lui-même. Peut-être bien. Mais il avait tant d'autres caprices, et la liste ne demandait qu'à s'allonger.

Rebus attendit avec McCall que son taxi arrive. Il indiqua au chauffeur l'adresse de Tony, puis regarda le taxi s'éloigner. Lui-même se sentait vaseux. Il rentra dans le pub et fila droit vers les toilettes. Le bar s'était rempli, on avait monté le niveau de la sono. Deux collègues étaient venus épauler la jeune serveuse, et même à trois ils étaient sur la brèche. Les toilettes étaient un sanctuaire — carrelage frais, presque pas de fumée de cigarette. Une bouffée de détergent senteur pin emplit les narines de Rebus quand il se pencha au-dessus d'un lavabo. Il s'enfonça deux doigts jusqu'aux amygdales et finit par vomir. Une demi-pinte de bière, puis une autre. Il respira profondément, se sentant déjà mieux, puis s'aspergea copieusement le visage d'eau froide et s'essuya avec une poignée de serviettes en papier.

— Ça va ?

Une voix pas vraiment compatissante. Un type qui venait de pousser la porte des toilettes et se dirigeait déjà vers l'urinoir le plus proche.

— Je ne me suis jamais senti aussi bien, répondit Rebus.

— À la bonne heure !

Aussi bien ? Il fallait le dire vite... En tout cas, ça s'éclaircissait dans sa tête et le monde lui paraissait un peu moins flou. Côté Alcotest, ça lui semblait jouable. Tant mieux, étant donné qu'il comptait maintenant rejoindre sa voiture garée dans une ruelle sombre.

Il n'arrivait toujours pas à comprendre comment Tony McCall faisait. Ce type était stupéfiant ! Tenant à peine sur ses guiboles avec la demi-douzaine de pintes qu'il s'était enfilées, il était capable de jouer au billard sans avoir la tremblote ni la vue brouillée. Ce mufle avait gagné six parties d'affilée. Pourtant, Rebus s'était *vraiment* battu. Surtout vers la fin. De quoi avait-on l'air face à un type chancelant qui n'arrêtait pas de mettre les boules au fond des blouses, liquidait les parties en un rien de temps et tonitruait à chaque nouvelle victoire ? Ce n'était pas flatteur, et pas franchement agréable.

Il n'était que onze heures. Sans doute un peu tôt. Il fuma une cigarette dans la voiture en stationnement ; les bruits du monde tout autour lui parvenaient par la vitre baissée. Les sons honnêtes d'une fin de soirée : la circulation, des voix un peu fortes, des rires, des talons sur les pavés. Une cigarette, pas plus. Il alluma le moteur et parcourut lentement moins d'un kilomètre pour atteindre sa destination. Il y avait encore une vague clarté dans le ciel, comme toujours en été à Édimbourg. Encore plus au nord, il ne faisait jamais vraiment nuit à cette époque.

Mais la nuit pouvait receler d'autres ténèbres.

Il repéra un adolescent sur le trottoir devant le siège de l'Assemblée d'Écosse. Le garçon n'avait aucune raison d'attendre là. Ce n'était pas une heure pour donner rencard à ses potes, et l'arrêt de bus le plus proche était situé cent mètres plus bas dans Waterloo Place. Le gamin fumait, un pied appuyé contre le mur en pierre derrière lui. Il jeta un coup d'œil à Rebus qui roulait à petite vitesse, et se pencha même en avant comme pour mieux observer le conducteur. Rebus crut le voir sourire, sans en être certain. L'inspecteur fit bientôt demi-tour. Une autre voiture s'était arrêtée à la hauteur du gamin, et la conversation s'était engagée. Rebus continua sa route. Deux jeunes hommes discutaient devant le bâtiment du Scottish

Office. À quelque distance, trois voitures étaient garées devant le cimetière. Rebus fit un tour de plus, puis se rangea près des trois voitures et poursuivit à pied.

La nuit était fraîche. Aucun nuage. Juste une légère brise. Le garçon qui fumait devant l'Assemblée était monté dans la voiture. Personne n'avait pris sa place sur le trottoir. Rebus traversa la rue et se posta devant le mur, s'armant de patience. Il observa les allées et venues. Une ou deux voitures ralentirent en passant à sa hauteur, mais personne ne s'arrêta. Il essaya de retenir leur numéro d'immatriculation, sans trop savoir pourquoi.

— Vous avez du feu, m'sieur ?

Un type jeune, dix-neuf ou vingt ans à tout casser. Jean, baskets, tee-shirt avachi et blouson en jean. Crâne rasé, visage imberbe et boutonneux. Deux clous dorés à l'oreille gauche.

— Merci, dit-il en prenant les allumettes que lui tendait Rebus. Alors, quoi de neuf ?

Il adressa un regard amusé à Rebus, puis alluma sa cigarette.

— Pas grand-chose, répondit Rebus en reprenant ses allumettes.

Le garçon souffla de la fumée par les narines. Il ne semblait pas décidé à partir. Rebus se demandait s'il devait recourir à quelque code. Bien qu'il eût la chair de poule, sa peau était moite sous sa chemise fine.

— C'est toujours mort par ici, reprit le gamin. Vous voulez boire un coup ?

— À cette heure ? Où ça ?

Le garçon indiqua vaguement une direction d'un signe de tête.

— Dans le cimetière. On peut toujours y boire un coup.

— Non, merci.

Rebus fut consterné de sentir qu'il rougissait. Pourvu que ça ne se voie pas sous l'éclairage urbain...

— Bon. À plus.

Le jeune homme s'éloigna.

— OK, dit Rebus, soulagé. À plus.

— Et merci pour le feu !

Rebus l'observa qui s'éloignait d'un pas lent mais résolu, en se retournant chaque fois qu'une voiture passait. Au bout d'une centaine de mètres, il traversa la rue et rebroussa chemin sans lui prêter attention, la tête ailleurs. Rebus était frappé par la solitude et la tristesse du garçon. Celui-ci n'avait rien d'un prostitué. Ni d'une victime.

Rebus fixa le mur et la grille du cimetière. Il y avait amené sa fille pour lui montrer les tombes célèbres — David Hume[1], l'éditeur Constable, le peintre David Allan — et la statue d'Abraham Lincoln. Elle lui avait demandé qui étaient ces messieurs qui quittaient furtivement les lieux, tête baissée. Un homme d'un certain âge, suivi de deux adolescents. Rebus les avait remarqués lui aussi. Sans se poser trop de questions.

Non, il ne pouvait pas s'y résoudre. Il ne voulait pas mettre les pieds dans ce cimetière. Non pas qu'il ait la trouille. Mais alors pas du tout, même pas une seconde. C'était juste que... Non, il ne savait pas pourquoi. La tête recommençait à lui tourner, il se sentait tout flageolant. Le moment de regagner la bagnole.

Ça faisait une minute qu'il était installé au volant, à fumer pensivement, quand il aperçut quelqu'un du coin de l'œil. Il tourna la tête et vit un gamin assis,

1. Philosophe et historien du XVIIIe siècle, natif d'Édimbourg. *(N.d.T.)*

non, accroupi plutôt, devant un muret. Rebus s'en désintéressa et tira une bouffée de sa cigarette. Le garçon choisit ce moment-là pour se lever et s'approcher de la voiture. Il frappa à la vitre côté passager. Rebus inspira longuement avant de déverrouiller la portière. Le garçon monta sans dire un mot et claqua la portière. Il resta silencieux, le regard rivé sur le pare-brise. Incapable de trouver quelque chose d'intelligent à dire, Rebus fit de même. Ce fut le garçon qui craqua en premier.

— Salut.

Une voix d'homme mûr.

Rebus se tourna pour l'examiner. Dans les seize ans. Blouson de cuir, chemise, jean déchiré.

— Salut, répondit-il.

— Vous auriez pas une clope ?

Rebus lui tendit le paquet. Le garçon se servit, puis le lui rendit en échange des allumettes. Il porta la cigarette à ses lèvres, inspira profondément, mais ne recracha que très peu de fumée. Je prends, mais je ne donne rien, songea Rebus. La devise de la rue.

— Alors, vous faites quoi ce soir ?

Une question que Rebus avait sur le bout des lèvres, mais c'était le garçon qui l'avait formulée.

— Je tue le temps. Je n'arrivais pas à dormir.

Le garçon éclata de rire.

— C'est ça ! Vous n'arriviez pas à dormir, alors vous êtes sorti faire un tour en voiture. Comme vous en aviez assez de conduire, vous vous êtes arrêté ici. Par hasard. Dans cette rue, à cette heure. Puis vous êtes sorti faire un tour, histoire de vous dégourdir les jambes, et vous êtes revenu à la voiture. Je me trompe ?

— Tu m'as bien observé, reconnut Rebus.

— J'avais pas besoin. J'en ai vu d'autres.

— Souvent ?

— Assez souvent, James.

Sa voix était dure. Rebus n'avait aucune raison de mettre en doute ce qu'il lui disait. Avec le gosse de tout à l'heure, c'était le jour et la nuit.

— Je ne m'appelle pas James.

— Bien sûr que si. Tout le monde s'appelle James. Comme ça, on se souvient du nom même quand le visage ne dit rien.

— Je vois.

Le garçon termina sa cigarette en silence, puis balança le mégot par la fenêtre.

— Alors, c'est quoi le programme ?

— Je ne sais pas, lui répondit sincèrement Rebus. Un tour en voiture ?

— Que dalle !...

Le garçon parut se raviser.

— Oh... et puis si. On n'a qu'à aller en haut de Calton Hill. Pour jeter un coup d'œil à la flotte, OK ?

— D'accord, dit Rebus en démarrant.

Ils empruntèrent la route escarpée et tortueuse jusqu'au sommet de la colline où l'observatoire et la Folie — la copie d'une des façades du Parthénon — se détachaient sur le ciel nocturne. D'autres voitures stationnaient, phares éteints, face au Firth of Forth et à la côte peu éclairée du Fife. S'efforçant de ne pas trop regarder les autres véhicules, Rebus voulut se garer un peu à l'écart, mais le garçon n'était pas de cet avis.

— Garez-vous près de la Jag, ordonna-t-il. Super, la caisse !

Rebus sentit sa propre voiture se rebiffer face à un tel affront. Les freins couinèrent avec indignation quand il s'arrêta et coupa le contact.

— Alors ? demanda-t-il.

— Tout ce que vous voudrez, répondit le garçon. Paiement à la livraison, bien entendu.

— Bien entendu. Si on discutait ?

— Ça dépend de quoi vous voulez discuter. Plus c'est cochon, plus c'est cher.

— Je pense à un type que j'ai rencontré par ici une fois. Il n'y a pas si longtemps que ça. Comme je ne l'ai pas revu, je me demande ce qu'il est devenu.

Sans prévenir, le garçon tendit la main vers l'entrecuisse de Rebus et se mit à frotter vigoureusement l'étoffe. Rebus fixa la main une bonne seconde avant de la retirer, calmement mais fermement. Le garçon se cala dans son fauteuil, l'air amusé.

— Il s'appelle comment, James ?

Rebus faisait de son mieux pour maîtriser ses tremblements. Il sentait son estomac se remplir de bile.

— Ronnie, finit-il par répondre en se raclant la gorge. Pas très grand, cheveux bruns coupés très court. Passionné de photo.

Le garçon écarquilla les yeux.

— Vous êtes photographe ? Les clichés, ça vous botte ? Je vois.

Il hocha lentement la tête. Rebus doutait fort d'avoir été compris, mais inutile de trop en dire. Très sympa, la Jaguar. Neuve, apparemment. Carrosserie étincelante. Fallait avoir les moyens... Mon Dieu, voilà qu'il se mettait à bander...

— Je crois que je sais de qui vous parlez. Mais je ne l'ai pas vu récemment, votre Ronnie.

— Qu'est-ce que tu peux me dire sur lui ?

— La vue est superbe, hein ? rétorqua le garçon, qui regardait droit devant lui. Même la nuit. *Surtout* la nuit. Magnifique. Je ne viens presque jamais la journée, tout a l'air trop bof. Dites-moi, vous êtes bien flic ?

Rebus se tourna vers lui, mais il garda les yeux rivés sur le pare-brise, l'air de rien.

— J'ai tout de suite deviné, reprit-il en souriant.

— Alors pourquoi t'es monté ?

— Par curiosité, j'imagine. Et puis, dit-il en se tournant enfin vers Rebus, j'ai de très bons clients dans les forces de l'ordre.

— Eh bien, ça ne me concerne pas.

— Non ? Pourtant ça devrait : je suis mineur, vous savez.

— Je m'en doutais.

— Ouais...

Le garçon posa les pieds sur la plage avant. Se demandant ce qu'il allait faire, Rebus se redressa soudain. Mais il se contenta de rire.

— Je vous ai fait peur ? Vous croyez que je vais encore vous caresser ? Hein ? Faut pas rêver, James !

Rebus hésitait : flanquer un coup de poing dans le ventre à ce sale morveux ou lui trouver un foyer où l'on s'occuperait de lui avec amour. Mais avant tout il devait lui soutirer des réponses.

— Alors ? Tu me dis quoi sur Ronnie ?

— Passez-moi une clope.

Rebus lui tendit le paquet.

— Merci. Pourquoi vous vous intéressez tant à ce Ronnie ?

— Parce qu'il est mort.

— Ça arrive tout le temps.

— D'une overdose.

— Comme je viens de dire.

— Avec de la came trafiquée.

Le garçon resta silencieux un instant.

— Là, c'est plus embêtant, finit-il par dire.

— Il y a de la mauvaise came qui circule ?

— Pas du tout, dit-il en souriant de nouveau. Rien que de la bonne. Vous en auriez pas sur vous ?

Rebus fit non de la tête et pensa : *J'opte pour le direct dans le foie.*

— Dommage.

— Au fait, tu t'appelles comment ?

— Pas de nom, James, dit-il en tendant la main, paume ouverte. J'ai besoin de fric.

— Moi, il me faut d'abord des réponses.

— Posez-moi les questions. Mais d'abord, un petit geste de bonne volonté, hein ?

La main resta tendue, aussi insistante qu'un Témoin de Jéhovah. Rebus trouva un billet de dix livres froissé dans la poche de son blouson.

— Ça vaut deux réponses, dit le garçon, l'air satisfait.

Rebus s'emporta.

— Ça vaut autant de réponses que je veux, sinon je préfère te dire que...

— C'est ça votre truc ? Le s.m. ?

Son ton était nonchalant. Peut-être en avait-il entendu d'autres. Rebus ne savait pas trop quoi penser.

— C'est quelque chose de fréquent ? demanda-t-il.

— Pas trop... Mais tout de même.

— Et Ronnie donnait là-dedans, n'est-ce pas ?

— Deuxième question, déclara le garçon. Réponse : j'en sais rien.

— Quand on ne sait pas, ça ne compte pas. Et j'ai encore pas mal de questions.

— OK. Si c'est comme ça...

Le garçon tendit la main vers la poignée, prêt à filer. Rebus l'empoigna par le cou et lui cogna le visage contre la plage avant, pile entre ses deux pieds.

— Putain !

Le gamin se toucha le front et vit que ça ne saignait pas. Rebus était plutôt content de lui : marquer le coup sans laisser de traces.

— Vous avez pas...

— Je peux faire ce qui me chante, mon gars, y compris te pousser dans le vide du haut de cette colline. Maintenant, parle-moi de Ronnie.

— Je peux rien vous dire sur Ronnie. Je ne le connaissais pas assez bien.

Il avait les larmes aux yeux et se frottait le front, comme pour faire partir la douleur.

— Raconte-moi déjà ce que tu sais.

— OK, OK... dit-il en reniflant et en s'essuyant le nez sur sa manche. Tout ce que je sais, c'est que j'ai des potes qui sont sur un coup.

— Quel genre de coup ?

— Je sais pas. Mais c'est du costaud. Ils n'en parlent pas, mais je vois les traces. Des bleus, des coupures. Il y en a même un qui s'est retrouvé une semaine au Royal Infirmary. Soi-disant qu'il est tombé dans l'escalier. C'est ça... peut-être dans un gratte-ciel !

— Mais personne ne moufte ?

— Ça doit bien payer.

— Autre chose ?

— Oui... enfin, c'est peut-être rien du tout.

Le gamin avait craqué pour de bon. Rebus l'entendait dans sa voix. Il était mûr pour cracher jusqu'au Jugement dernier. Tant mieux : Rebus manquait d'indics dans cette partie de la ville. Un de plus pouvait faire toute la différence.

— Quoi ? aboya-t-il, ravi de son rôle.

— Des photos. Quelqu'un fait circuler le mot qu'il

y a des photos intéressantes qui s'échangent sous le manteau. Et pas du chiqué. Des trucs gratinés.

— Du porno ?

— Ouais, je suppose. Les rumeurs sont vagues. C'est toujours comme ça, les rumeurs, dès que ça dépasse deux personnes.

— Comme le jeu du téléphone arabe, dit Rebus.

Comme tout le reste dans cette affaire, songea-t-il. Tout de deuxième ou troisième main, rien qui soit jamais sûr à cent pour cent.

— Quoi ?

— Peu importe. C'est tout ?

Le gamin opina du chef. Rebus plongea la main dans sa poche et fut étonné d'y trouver un autre billet de dix livres. Puis il se souvint d'avoir été prendre de l'argent au distributeur, au milieu de sa beuverie avec McCall.

— Tiens, dit-il en le tendant au gamin. Je vais aussi te donner mon nom et mon téléphone. Je suis toujours partant pour des infos, même toutes petites. Au fait, désolé pour ta tronche.

Le garçon empocha le billet.

— C'est rien, dit-il avec un sourire. Vous payez pas trop mal.

— Tu veux que je te dépose quelque part ?

— Du côté du pont, c'est possible ?

— Pas de problème. Tu t'appelles comment ?

— James.

— Sérieux ? demanda Rebus en souriant.

— Oui, sérieux, répondit le garçon en souriant à son tour. Écoutez, il y a autre chose.

— Je t'écoute, James.

— C'est juste un nom que j'ai entendu. Peut-être que ça n'a rien à voir.

— Oui ?

— Hyde.

— C'est tout ?

— Oui. Hyde.

— Et alors ?

— Je n'en sais pas plus. Juste ce nom.

Rebus s'agrippa au volant. *Hyde* ? Une idée venait de le frapper. Et si Ronnie avait voulu dire ça à Tracy... Pas seulement de se cacher, mais de se cacher d'un certain Hyde[1] ? Perdu dans ses réflexions, il se mit à fixer la Jaguar. Ou, plus exactement, le profil de son conducteur. Un homme qui caressait le cou d'un passager nettement plus jeune que lui, tout en parlant à voix basse. Des caresses, des paroles, rien que de très innocent.

Il était d'autant plus étonnant que James Carew, de l'agence immobilière Bowyer Carew, se sentant observé, prenne un air si ahuri en croisant le regard de l'inspecteur John Rebus.

Ces réflexions traversèrent l'esprit de Rebus, tandis que Carew tournait maladroitement la clé dans le contact, faisait rugir son moteur V12 flambant neuf et quittait le parking en trombe et en marche arrière, comme si la Cutty Sark[2] était à ses trousses.

— Vachement pressé, celui-là ! fit remarquer James.

— Tu le connais ?

— Je n'ai pas bien vu son visage. La bagnole, c'est la première fois.

— Ouais, mais elle est toute neuve, dit Rebus en démarrant à son tour, plus calmement.

1. En anglais, *to hide* signifie « se cacher » et se prononce comme le nom Hyde. *(N.d.T.)*

2. Célèbre personnage maléfique qui poursuit un fermier aviné dans un poème de Robert Burns, mais ne réussit qu'à attraper la queue de son cheval. *(N.d.T.)*

Le passage de Tracy se faisait toujours sentir. Dans le salon et la salle de bains. Rebus la revoyait avec sa serviette sur la tête, ses jambes repliées sous elle... ou bien en train de lui apporter son petit déjeuner au lit : la vaisselle sale traînait encore dans la chambre, à côté du lit qu'il n'avait pas fait. Elle avait été enchantée en découvrant qu'il dormait sur un matelas à même le sol.

— Comme dans un squat ! s'était-elle exclamée.

L'appartement lui semblait vide, comme ça ne lui était pas arrivé depuis longtemps. Un bain lui ferait le plus grand bien. Il alla dans la salle de bains et ouvrit le robinet d'eau chaude. Il avait encore la sensation de la main de James posée entre ses cuisses... De retour dans le salon, il fixa la bouteille de scotch pendant une bonne minute, mais finit par lui tourner le dos pour aller prendre une bière légère dans le frigo.

La baignoire mettait une éternité à se remplir. Une vis d'Archimède aurait été plus efficace. Il en profita pour appeler le poste et prendre des nouvelles de Tracy. Ça n'allait pas fort. Elle était d'humeur irritable, refusait de se nourrir et se plaignait de douleurs au ventre. Une crise d'appendicite ? Plutôt la trouille. Il s'en voulut de ne pas avoir pris le temps d'aller la voir. Ça attendrait le lendemain matin : au point où il en était, une dose supplémentaire de culpabilité ne faisait aucune différence. Il avait besoin de souffler quelques heures, de ne plus se mêler de toutes ces vies. Son appart' ne lui faisait plus l'effet d'une forteresse ; il ne s'y sentait plus en sécurité, comme seulement un ou deux jours auparavant. Et la blessure était interne, pas simplement externe : il se sentait souillé au plus profond de lui-même, comme si la ville lui avait fait avaler de force une couche de crasse raclée à sa surface.

Et puis merde !

Pris au piège, il l'était pour de bon. Il vivait dans la plus belle, la plus civilisée des villes du nord de l'Europe, mais au quotidien il était confronté à l'envers du décor, à l'*animus* de cette ville. L'animus ? ça faisait belle lurette qu'il n'avait pas employé ce terme ! Il ne savait même plus ce que ça voulait dire exactement, mais ça sonnait bien. Il porta la bouteille à ses lèvres, fit tourner la mousse dans sa bouche comme un gosse jouant avec du dentifrice. Quelle bière fadasse !... rien que de la mousse.

De la mousse... Excellente idée. Il allait se mettre un peu de bain moussant. Qui lui en avait fait cadeau, déjà ? Ah oui... Gill Templar. Ça lui revenait. Il se souvenait même du moment précis. Elle le taquinait sans cesse au sujet de sa baignoire crasseuse. Puis elle lui avait offert ce flacon de bain moussant.

« Pour se laver en même temps qu'on lave sa baignoire, avait-elle lu sur l'étiquette. Pour que le bain redevienne une partie de plaisir. »

Il avait suggéré d'expérimenter la chose à deux, ce qu'ils avaient fait...

Merde ! John, tu vas pas te mettre à broyer du noir. Juste parce qu'elle s'est barrée avec un crétin d'animateur de radio qui porte le nom débile de Calum McCallum. Ce n'était pas la fin du monde. Pas de pluie de bombes, pas de sirènes retentissant dans le ciel. Rien que...

Ronnie, Tracy, Charlie, James et les autres. Et maintenant Hyde.

Rebus commençait à comprendre ce que ça voulait dire d'être claqué. Il abandonna ses membres fourbus dans l'eau brûlante et ferma les yeux.

JEUDI

Cette demeure où l'on choisit de s'enchaîner...
et son reclus énigmatique.

Claqué. Holmes bâilla, debout mais crevé. Pour une fois, il avait devancé le réveil : quand la radio se mit en marche, il venait de se recoucher avec une tasse de café instantané. Vous parlez d'un réveil ! Dès qu'il aurait le temps, il réglerait le poste sur quelque chose de plus calme, genre Radio 3. Sauf qu'avec de la musique classique, il était sûr de se rendormir aussi sec. Alors qu'avec Calum McCallum, ses blagues nulles et ses disques minables entrecoupés de jingles et de rires, il se réveillait en sursaut, prêt à affronter une nouvelle journée les dents serrées.

Ce matin, il avait été plus rapide que la petite voix prétentieuse. Il éteignit la radio.

— Tiens, dit-il, ton café. Allez, debout.

Nell souleva sa tête de l'oreiller et le regarda, les yeux endormis.

— Il est déjà neuf heures ?

— Pas tout à fait.

Elle replongea son visage dans l'oreiller et gémit doucement.

— Tant mieux. Réveille-moi à neuf heures.

— Bois ton café, insista-t-il en lui touchant l'épaule.

La peau de Nell était chaude, tentante. Brian eut un sourire mélancolique et sortit de la chambre. Il n'avait pas fait dix pas qu'il rebroussa chemin. Les longs bras bronzés de Nell l'accueillirent tendrement.

Malgré le petit déjeuner qu'il lui apporta dans sa cellule, Rebus dut essuyer la colère de Tracy, surtout quand il lui expliqua qu'elle n'était pas du tout en état d'arrestation, qu'elle était libre de partir.

— C'est ce qu'on appelle *protéger* quelqu'un, lui expliqua-t-il. Des types qui te poursuivaient. De Charlie.

Elle se calma un peu en entendant ce nom.

— Charlie... murmura-t-elle en effleurant son coquard. Dans ce cas, pourquoi vous avez mis tant de temps à venir me voir ? se plaignit-elle.

Rebus haussa les épaules.

— J'avais des trucs à faire.

Installé à son bureau, il fixait maintenant la photo de Tracy. Brian Holmes était assis en face de lui et sirotait son café dans une tasse ébréchée. Rebus se demandait s'il devait le féliciter ou lui en vouloir d'avoir rapporté un truc pareil, de l'avoir posé comme ça sur son bureau. Sans un mot. Pas de bonjour, salut mon gars... Juste ce cliché. Tracy. Nue.

Il ne cessa de fixer la photo pendant que Holmes lui faisait son rapport. Le garçon s'était démené, et avait obtenu des résultats. *Dans ce cas, pourquoi l'avoir ignoré dans le pub ?* S'il avait eu cette photo la veille, elle ne serait pas en train de lui pourrir la matinée, de balayer le souvenir d'une bonne nuit de sommeil.

— T'as pu apprendre quelque chose sur son compte ? demanda-t-il en s'éclaircissant la gorge.

— Non, monsieur. C'est tout ce que j'ai trouvé.

Il pointa la photo du menton, sans sourciller — *Je*

vous ramène déjà ça, qu'est-ce qu'il vous faut de plus ?

— Je vois, fit Rebus d'une voix égale.

Il retourna la photo et lut l'étiquette collée au dos. Studio Hutton. Un numéro de téléphone.

— Bon, reprit-il. Tu vas me la laisser, Brian. J'ai besoin d'y réfléchir.

— OK, répondit Holmes.

Surpris de s'entendre appeler par son prénom, il se fit la réflexion que le patron n'allait pas très fort ce matin-là.

Rebus se cala dans son fauteuil et porta sa tasse à ses lèvres. Du café au lait, sans sucre. Ça l'agaçait que Holmes boive pareil. Un point commun : leur goût en matière de café.

— Comment se passe la recherche d'appart' ? demanda-t-il sur le ton de la conversation.

— Mal. Comment est-ce que vous...

Holmes se souvint du journal de petites annonces immobilières qui pointait hors de la poche de son blouson, plié comme un tabloïd. Il y porta la main et Rebus sourit en opinant du chef.

— Je me souviens quand j'ai acheté mon appart'. J'ai épluché les gratuits pendant des semaines avant de tomber sur un qui me plaisait.

— Si ça me plaît, lâcha Holmes d'un ton désabusé, ce sera du bonus ! Mon problème, c'est déjà de trouver quelque chose dans mes moyens.

— C'est à ce point ?

Holmes fixa Rebus d'un air légèrement incrédule. Il avait peine à concevoir que tout le monde ne soit pas obnubilé comme lui par ces problèmes.

— Vous n'avez pas remarqué ? Ce n'est pas franchement ce qu'on appelle des prix planchers ! De toute manière, si je veux rester près du centre, avec mes moyens ce sera un parquet sans toit !

— Oui, dit Rebus d'un air pensif. Ça me revient ; quelqu'un m'en a touché un mot. Hier à déjeuner. J'ai vu les gens qui financent la campagne anti-drogue du Paysan. Il y avait notamment un certain James Carew.

— Il a quelque chose à voir avec Bowyer Carew ?

— C'est le grand patron. Tu veux que je lui en parle ? Pour qu'il te fasse une petite ristourne ?

Holmes sourit. Le glacier entre eux commençait à fondre.

— Ce serait génial. Faudrait lui suggérer de faire des soldes d'été, bonnes affaires à tous les étages...

Holmes perdit son air amusé au fil de sa phrase. Rebus n'écoutait pas, perdu dans ses pensées.

— Oui, dit-il doucement. De toute façon, il faut que je voie ce monsieur Carew.

— Ah bon ?

— C'est à mon tour de le solliciter.

— Vous envisagez de déménager, monsieur ?

Holmes n'y comprenait rien.

— Bon, peu importe. J'imagine qu'il nous faut dresser un plan de bataille pour la journée.

— Ah... fit Holmes, l'air mal à l'aise. J'avais l'intention de vous en parler, monsieur. J'ai reçu un coup de fil ce matin. Ça fait plusieurs mois que j'enquête sur des combats de chiens illégaux, et on est sur le point d'arrêter le gang au grand complet.

— Des combats de chiens ?

— Oui, vous savez : on met deux chiens sur un ring, on les laisse s'entre-dévorer et on parie sur le résultat.

— Je croyais que ça avait disparu avec la crise ?

— Ça revient à la mode. Et c'est assez épouvantable. Je peux vous montrer des photos.

— Pourquoi ce regain d'intérêt ?

— Qui sait ? Les gens font ça pour s'amuser ; c'est plus palpitant que de jouer aux courses.

Rebus hochait la tête, de nouveau plongé dans ses pensées.

— Tu penses que c'est un truc de yuppie, Holmes ?

Holmes haussa les épaules. *Ça commence à aller un peu mieux, il ne m'appelle plus par mon prénom.*

— Peu importe, reprit Rebus. Tu voudrais être présent pour l'arrestation ?

— Si c'est possible, monsieur, acquiesça Holmes.

— C'est tout à fait possible. Ça se passe où ?

— Je dois me renseigner. Quelque part dans le Fife.

— Vraiment ? Je suis originaire du Fife.

— Ah bon ? Je ne savais pas. C'est quoi, le dicton, déjà...

— Vaut mieux prévoir une cuillère au long manche pour souper avec un gars du Fife !

— C'est ça, répliqua Holmes en souriant. On dit la même chose pour le diable, non ?

— Ça signifie juste qu'on est proches les uns des autres, Holmes. Très soudés. On supporte mal les imbéciles et les étrangers. Allons, file et tu verras bien sur place de quoi je parle !

— Oui, monsieur. Et vous ? Je veux dire... vous comptez faire quoi au sujet de...

Son regard se posa sur la photo. Rebus la rangea soigneusement dans la poche intérieure de son veston.

— Ne te fais pas de souci pour moi. J'ai de quoi m'occuper. Essayer d'échapper au Paysan devrait suffire à meubler ma journée. Je vais peut-être prendre la voiture. Belle journée pour aller faire un tour.

— Belle journée pour aller faire un tour.

Tracy feignait de l'ignorer, le regard rivé sur sa vitre. Comme si elle trouvait passionnant le défilé des boutiques, des passants, des touristes et des enfants désœuvrés pendant les vacances d'été.

Malgré tout, elle ne s'était pas fait prier pour quitter le poste. Rebus lui avait tenu la portière ouverte, pour la dissuader de filer à pied. Elle avait accepté mais en silence, la mine boudeuse. Elle était fâchée ? Il s'en remettrait. Elle aussi.

— Message reçu, dit-il. T'en as ras le cul. Mais combien de fois je dois t'expliquer ? C'était juste pour te protéger, le temps de procéder à quelques vérifications.

— On va où ?

— Tu connais ce quartier ?

Elle resta silencieuse. Pas question d'avoir une conversation. Juste des questions et des réponses. Ses questions à elle.

— On fait juste un tour comme ça, dit-il. Tu dois bien connaître le coin. Il y avait pas mal de dealers, avant.

— Je ne touche pas à ça !

Ce fut à son tour de garder le silence. Lui aussi était capable de jouer à ce jeu-là. Il prit deux fois à gauche, puis à droite.

— On est déjà passés ici, fit-elle remarquer.

Ça ne lui avait donc pas échappé. Futée. Mais cela n'avait aucune importance. Une seule chose importait : se rapprocher progressivement de leur destination, par étapes successives, en tournant à gauche puis à droite, et ainsi de suite.

À un moment, il se gara soudain le long du trottoir et tira sur le frein à main.

— Bien, dit-il. On est arrivés.

— Arrivés ?

Elle jeta un coup d'œil dehors. Un immeuble ravalé récemment. La brique ressemblait à de la pâte à modeler d'un ocre rosé.

— Arrivés ? répéta-t-elle.

Le mot demeura coincé dans sa gorge parce qu'elle venait de reconnaître l'endroit. Elle essaya de n'en rien laisser paraître. Quand elle se détourna enfin de la vitre, elle vit la photo posée sur ses genoux. Poussant un cri, elle la balaya comme un insecte. Rebus la ramassa et la lui tendit.

— C'est à toi, si je ne m'abuse.

— Où vous avez trouvé ça ?

— Tu veux m'en parler ?

Elle avait pris la couleur des briques de l'immeuble, et ses yeux s'agitaient comme ceux d'un oiseau paniqué. Elle voulut détacher sa ceinture, ne pouvant plus supporter de rester là, mais Rebus tenait la boucle d'une poigne d'acier.

— Laissez-moi partir ! cria-t-elle en lui frappant la main.

Puis elle ouvrit la portière, mais celle-ci se referma aussitôt à cause de l'inclinaison de la chaussée. De toute façon, la ceinture était trop serrée pour qu'elle s'en dégage. Tracy était parfaitement ligotée.

— J'ai pensé qu'on pouvait rendre visite à M. Hutton, déclara Rebus d'un ton tranchant. Pour lui parler de cette photo. Des quelques livres qu'il t'a payée pour que tu poses. Des photos de Ronnie que tu lui as refilées. Pour quelques livres de plus, ou juste pour faire du mal à Ronnie. C'est bien comme ça que ça s'est passé ? Je parie que Ronnie a été furieux en découvrant que Hutton lui avait fauché ses idées. Mais il ne pouvait rien prouver, hein ? Et puis, il ne pouvait pas savoir comment Hutton se les était procurées.

J'ai ma petite idée là-dessus : t'as dû accuser Charlie, ce qui expliquerait que vous ne soyez pas très copain-copain. On peut dire que t'as été une super-copine pour Ronnie, ma jolie. Une super-copine !

Elle s'effondra enfin et ne chercha plus à retirer la ceinture. Elle inclina la tête, plaqua son visage dans ses mains et sanglota longuement. Rebus en profita pour souffler. Il n'était pas très fier de lui, mais les choses devaient être dites. Tracy ne pouvait pas continuer à se voiler la face. Il ne s'agissait, bien entendu, que de pures conjectures, mais il était convaincu que s'il le pressait un peu, Hutton confirmerait les détails. Elle posait pour se faire de l'argent, avait peut-être mentionné au détour d'une conversation que son copain faisait de la photo. Elle avait montré les photos à Hutton, avait troqué le seul espoir de Ronnie, sa créativité, et sans doute contre un peu de fric. À qui se fier si l'on ne peut plus faire confiance à ses amis ?

La nuit passée dans une cellule, c'était pour essayer de la faire craquer. Vu qu'elle avait bien tenu le choc, elle ne devait pas se droguer. Ce qui ne voulait pas dire qu'elle n'avait pas quelque vice caché. Pas la seringue mais autre chose. Comme tout le monde, non ? En tout cas, elle avait besoin de fric et avait donc pigeonné son copain...

— C'est toi qui as placé l'appareil photo chez Charlie pour le faire accuser ?

— Non !

Malgré ce qu'elle venait de subir, être accusée à tort l'indignait. C'était donc Charlie qui l'avait fauché. À moins que quelqu'un d'autre ne l'ait placé là pour que Rebus tombe dessus. Non... pas exactement, puisque ce n'était pas lui qui l'avait trouvé mais McCall. Très facilement, d'ailleurs. Avec la même désinvolture que quand il avait déniché la came dans le sac de couchage. Un vrai flair de flic ? À moins que... Un tuyau ? Refilé par un indic ? Si on ne peut plus faire confiance à ses amis...

— Est-ce que tu te rappelles avoir vu l'appareil photo le soir où Ronnie est mort ?

— Il était dans sa chambre, j'en suis sûre.

Elle cligna des yeux pour refouler ses larmes et s'essuya le nez avec le mouchoir qu'il lui tendit. Elle avait la voix encore fébrile et la gorge nouée, mais s'était remise du double choc : la photo et, pis encore, la découverte de sa trahison.

— Le type qui est passé voir Ronnie, il était dans la chambre après moi.

— Tu veux parler de Neil ?

— Oui, je crois qu'il s'appelle comme ça.

Trop de cuisiniers gâtent la sauce ?... songea Rebus. Décidément, toujours des allégations ! Dans cette affaire, il n'avait quasiment que ça. Il avait l'impression que la spirale s'élargissait, l'éloignant de plus en plus de l'élément crucial : le cadavre de Ronnie, étendu sur ce sol humide, flanqué de bougies et d'amis louches.

— Neil était le frère de Ronnie.

— Vraiment ?

D'un ton détaché. Le rideau qui la protégeait du monde extérieur était retombé. Fin de la séance.

— Oui, vraiment.

Rebus eut un frisson. Si *tout le monde* se moque de savoir ce qui est arrivé à Ronnie, sauf Neil et moi, pourquoi est-ce que je me donne toute cette peine ?

— Charlie a toujours cru qu'ils avaient une relation homo. Moi, je n'ai jamais posé la question à Ronnie. Je ne crois pas qu'il m'aurait dit la vérité.

Elle appuya sa tête sur le dossier, apparemment plus détendue.

— Mon Dieu, souffla-t-elle avec un sifflement. Faut vraiment qu'on reste ici ?

Elle commença à lever les mains, comme pour se prendre la tête, et Rebus était sur le point de répondre que non, quand il vit les deux poings se refermer et s'abattre en un éclair. Impossible de parer le coup. En plein dans le bas-ventre. Un flash aveuglant, plus rien sauf des bruits et une douleur atroce. Il rugit et se plia en deux, sa tête heurtant le volant à l'endroit du klaxon. Celui-ci se mit à couiner faiblement, tandis que Tracy détachait sa ceinture, ouvrait la portière et descendait. Elle détala, sans prendre le soin de la refermer. Les yeux gonflés de larmes, Rebus avait l'impression de la regarder courir au bord d'une piscine, le chlore lui piquant les pupilles.

— Putain de merde... gémit-il, la tête toujours appuyée contre le volant.

Il n'était pas près de bouger.

Imagine que t'es Tarzan, lui avait dit son père une fois. Un des rares conseils du vieux. Il parlait des bagarres avec ses camarades de classe. Un contre un. Genre on se retrouve à quatre heures derrière le local à bicyclettes. *Imagine que t'es Tarzan. T'es fort, t'es le roi de la jungle, et surtout tu protèges tes couilles.* Et il avait levé le genou vers le bas-ventre de son fils.

— Merci, papa, geignit-il. Merci du conseil...

Puis son estomac accusa le coup.

À midi, il était à peu près capable de marcher — à condition de garder les pieds très près du sol, comme s'il avait fait pipi dans sa culotte. Les gens le regardaient de travers, bien entendu, et il s'efforça de soigner sa claudication, juste pour eux. Toujours partant pour faire le mariole.

Pas question d'envisager une seconde de se taper l'escalier jusqu'à son bureau, et c'était trop douloureux d'actionner les pédales pour conduire. Il s'était donc rendu en taxi au Sutherland Bar. Au bout du troisième whisky, la douleur s'était transformée en une torpeur somnolente.

— « Comme de la ciguë[1]... », s'était-il marmonné à lui-même.

Il ne se faisait aucun souci pour Tracy. Quand on était capable de flanquer un coup de poing comme ça, c'est qu'on savait se défendre. On trouvait dans les rues bon nombre de gamins plus costauds que la plupart des flics. Tracy n'était pas une gamine. Il n'avait toujours rien appris sur elle, mais c'était censé être le boulot de Holmes, lequel était parti chasser le clébard dans le Fife. Oui, Tracy s'en sortirait. En fait, peut-être n'avait-elle pas été suivie. Mais dans ce cas, pourquoi être passée chez lui ? Des dizaines de raisons. Après tout, elle lui avait soutiré un pieu pour la nuit, quasiment toute une bouteille de vin, un bain chaud et un petit déjeuner. Pas mal, et par-dessus le marché avec un vieux flic endurci. Peut-être un peu trop vieux. Un peu trop flic, pas assez enquêteur gradé.

Où allait-il se rendre ensuite ? Il connaissait déjà la réponse, à condition que ses jambes veuillent bien l'y porter et qu'il arrive à conduire.

Il se gara assez loin de la maison, pour ne pas alerter ceux qui pourraient s'y trouver. Puis il frappa tout

1. Allusion au célèbre poème de John Keats « Ode à un rossignol ». *(N.d.T.)*

bonnement à la porte. Pendant qu'il attendait qu'on vienne lui ouvrir, il se souvint du moment où Tracy avait surgi par cette porte pour se précipiter dans ses bras. Le visage tuméfié, les yeux gonflés de larmes. Il ne pensait pas trouver Charlie sur place. Ni Tracy. Mieux valait qu'elle ne soit pas là.

La porte s'ouvrit. Un ado au regard endormi le dévisagea. Ses cheveux plats et ternes lui tombaient sur les yeux.

— Qu'est-ce qu'il y a ?

— Est-ce que Charlie est là ? J'ai des trucs à voir avec lui.

— Non. J'l'ai pas aperçu aujourd'hui.

— Je peux l'attendre ?

— Ouais.

Avant que le garçon n'ait le temps de lui fermer la porte au nez, Rebus la retint d'une main et passa la tête dans l'embrasure.

— Je voulais dire : attendre à l'intérieur.

Le garçon haussa les épaules et rentra d'un pas traînant en laissant le battant entrouvert. Il se glissa dans son sac de couchage, qu'il remonta sur sa tête. Juste de passage, en train de récupérer le sommeil en retard. Quand on n'était pas chez soi, on se moquait bien de faire entrer un parfait inconnu. Rebus le laissa dormir, vérifia rapidement qu'il n'y avait personne d'autre au rez-de-chaussée et monta à l'étage par l'escalier aux marches raides.

Les livres étaient toujours éparpillés par terre comme des dominos, avec le contenu du sac déversé par McCall. Rebus s'en désintéressa et s'installa au bureau pour examiner les papiers qui traînaient dessus. En plus du plafonnier, il alluma la lampe d'architecte. L'absence de posters ou de cartes postales sur les murs avait de quoi étonner. Rien à voir avec une chambre d'étudiant. L'identité du lieu était comme suspendue, ce qui était sans doute l'intention de Charlie. Il ne voulait pas avoir l'air d'un étudiant avec ses copains de la zone. Ni avoir l'air d'un zonard avec ses copains étudiants. Il tenait à jouer une multitude de personnages, selon l'entourage. C'était donc un caméléon autant qu'un touriste.

Rebus était venu surtout pour la dissertation sur la magie, mais profita de l'occasion pour fouiller soigneusement le bureau. Rien de louche, rien qui puisse indiquer que Charlie revendait de la came trafiquée. Il prit donc le devoir et entreprit la lecture.

Nell appréciait ces moments de calme. Pendant l'année universitaire, les étudiants utilisaient la bibliothèque comme un lieu de rendez-vous, une sorte de foyer amélioré. C'était alors un brouhaha continuel dans la salle de lecture du premier étage. Les livres traînaient un peu partout, se perdaient, étaient rangés au mauvais endroit. Tout cela était pénible. L'été, en revanche, on ne voyait que les étudiants très motivés : les thésards, ceux qui avaient du travail en retard, et la toute petite minorité qui se passionnait pour ses études, sacrifiait le soleil et la liberté pour se cloîtrer dans ce lieu silencieux et studieux.

On finissait par les connaître de vue, puis on pouvait mettre un nom sur les visages. On entamait des conversations dans la cafétéria déserte, on s'échangeait des conseils de lecture. À l'heure du déjeuner, on s'installait dans les jardins, on allait faire un tour aux Meadows, juste derrière la bibliothèque, où l'on croisait d'autres visages, d'autres lecteurs plongés dans leurs pensées.

Cela dit, c'était aussi en été qu'une bibliothécaire devait se farcir les tâches les plus rébarbatives. L'inventaire, la réparation des reliures, les classements, les mises à jour informatiques, et cætera. Mais l'ambiance estivale compensait largement tout ça. Pas besoin de courir, de faire les choses dans la précipitation. Pas de réclamations sur tel ou tel titre en trop petit nombre d'exemplaires, parce que deux cents personnes en avaient besoin pour une dissertation en retard. Mais après l'été viendrait la nouvelle fournée d'étudiants, et à chaque fois Nell éprouvait fortement le poids de l'année écoulée, et le fossé qui grandissait avec ces jeunes. Elle se sentait déjà désespérée par leur jeunesse, cette aura qui lui rappelait sans cesse ce qu'elle avait à jamais perdu.

Elle était en train de traiter des fiches d'ouvrages demandés quand l'esclandre se produisit. Le vigile à l'entrée venait d'arrêter quelqu'un qui voulait passer sans présenter sa carte. En général, Nell savait qu'on se montrait coulant. Mais là, la jeune fille était visiblement perturbée, elle n'avait rien d'une étudiante ni d'une lectrice. Elle protestait à tue-tête, alors qu'une vraie étudiante aurait expliqué calmement qu'elle avait oublié sa carte. Autre chose... Nell plissa le front en essayant de se souvenir où elle avait vu cette fille. L'apercevant de profil, elle se rappela soudain la photo dans la mallette de Brian. Mais oui, c'était bien elle. Une vraie femme plutôt qu'une jeune fille. Les cernes sous les yeux la trahissaient, malgré son corps svelte, sa tenue très jeune. Qu'est-ce qui lui prenait de faire un tel tapage ? D'habitude, elle se contentait de fréquenter la cafétéria ; Nell ne l'avait jamais vue essayer d'entrer dans la bibliothèque. Cela éveilla sa curiosité.

Le vigile retenait Tracy par le bras, et celle-ci lui criait des insultes, le regard fou. Nell s'approcha d'eux, d'un pas qu'elle voulait autoritaire.

— Vous avez un problème, monsieur Clarke ?

— Je m'en occupe, mademoiselle.

Son regard disait tout le contraire. Il avait l'âge d'être à la retraite, était en nage, n'était pas du tout habitué à ce genre de face-à-face et ne savait quoi faire.

— Vous n'avez pas le droit de débarquer ici comme ça, dit Nell en se tournant vers Tracy. Si vous voulez faire passer un message à un des étudiants, je vais voir ce que je peux faire.

La jeune femme se débattit de plus belle.

— Je veux juste entrer !

Plus question de raisonner avec elle : si on l'empêchait d'entrer, elle tenterait de passer de force.

— Eh bien, ce n'est pas possible, dit Nell qui sentait monter la colère.

Elle aurait mieux fait de ne pas intervenir. D'habitude, elle avait affaire à des gens calmes, sensés et raisonnables. D'accord, certains s'énervaient de ne pas trouver un livre, mais ils savaient se tenir.

La jeune femme la dévisageait. Un regard méchant. Totalement dépourvu de gentillesse. Nell sentit ses cheveux se hérisser sur sa nuque. Soudain, avec un cri d'enragée, la jeune femme bondit en avant, échappant au vigile. Clouée sur place, la bibliothécaire prit le coup de boule en plein visage et tomba à la renverse comme un tronc d'arbre. Tracy se figea une seconde, comme si elle venait de retrouver ses esprits. Le vigile voulut la saisir, mais elle poussa un nouveau cri et il recula. Elle le bouscula, franchit les portes de la bibliothèque et se mit à courir tête baissée, jambes et bras gesticulant dans tous les sens. Le vigile l'observa un moment, toujours craintif, puis s'intéressa au visage ensanglanté d'une Nell Stapleton inconsciente.

L'individu qui vint ouvrir était aveugle.

— Oui ? demanda-t-il, la main sur la poignée.

On distinguait ses yeux derrière des verres épais. Dans son dos, le couloir était plongé dans l'obscurité. À quoi lui servirait-il d'allumer ?

— Monsieur Vanderhyde ?

L'homme sourit.

— Oui ? répéta-t-il.

Rebus n'arrivait pas à détacher son regard des yeux de l'aveugle. Ces verres avaient la couleur d'une bouteille de bordeaux. Vanderhyde devait avoir entre soixante-cinq et soixante-dix ans. Ses épais cheveux argentés étaient un peu jaunis mais bien coiffés. Il portait une chemise et un gilet marron avec une montre de gousset dans une des poches et se tenait légèrement appuyé sur une canne à pommeau d'argent. Rebus subodorait que le vieillard était capable de s'en servir avec dextérité comme d'une arme à l'encontre d'un visiteur malintentionné.

— Monsieur Vanderhyde, je suis policier, déclara Rebus en portant la main vers son portefeuille.

— Inutile de me montrer une pièce d'identité, à moins que vous n'ayez quelque chose en braille.

Rebus se figea, la main dans la poche intérieure de son veston.

— Bien sûr, bafouilla-t-il, se sentant un rien idiot.

Les handicapés avaient l'art de vous faire sentir que vous étiez beaucoup plus infirme qu'eux.

— Vous feriez mieux d'entrer, inspecteur.

— Merci.

Rebus ne réagit qu'une fois dans l'entrée.

— Comment est-ce que...

Vanderhyde secoua la tête.

— J'ai dit ça au hasard. À l'aveuglette, si j'ose dire.

Son rire était éraillé. Observant ce qu'il parvenait à distinguer de l'entrée, Rebus trouva la déco particulièrement ratée, même pour un aveugle. Un hibou empaillé trônait sur un piédestal poussiéreux, à côté d'un porte-parapluies qui avait tout l'air d'une patte d'éléphant évidée. Sur une petite table traînaient du courrier et un téléphone sans fil auquel Rebus s'intéressa tout particulièrement.

— La technologie a fait des progrès considérables, vous ne trouvez pas ? lui dit Vanderhyde. C'est d'une aide inestimable pour ceux d'entre nous qui sommes privés d'un sens.

— En effet, acquiesça Rebus, alors que l'aveugle ouvrait une porte donnant sur une pièce où il faisait presque aussi sombre que dans l'entrée.

— Par ici, dit Vanderhyde.

— Merci.

La pièce sentait le renfermé et les médicaments pour vieillard. Elle était confortablement meublée, avec un canapé bien rembourré et deux gros fauteuils. Une bibliothèque vitrée, remplie de livres, occupait un des murs. Les autres étaient nus, mis à part quelques aquarelles d'artistes sans génie. Il y avait des bibelots partout. Le regard de Rebus s'arrêta sur la cheminée, qui croulait sous un fatras d'objets exotiques. Sans pouvoir identifier précisément leur provenance, Rebus reconnut de l'artisanat antillais, africain, oriental et asiatique.

Vanderhyde se laissa tomber dans un fauteuil. Rebus se fit la remarque qu'il n'y avait pas de table basse, ni aucun meuble superflu dans lequel l'aveugle aurait risqué de se cogner.

— Rien que des bibelots, inspecteur. Des colifichets accumulés au cours de mes voyages de jeunesse.

— Preuve que vous avez une âme de voyageur.

— Dites plutôt une âme de brocanteur, le reprit Vanderhyde. Je peux vous offrir du thé ?

— Non, je vous remercie.

— Peut-être quelque chose de plus fort ?

— Non merci, vraiment, déclina Rebus avec un sourire. J'ai un peu trop bu hier soir.

— Votre sourire s'entend dans votre voix.

— Vous n'avez pas l'air curieux du motif de ma visite, monsieur Vanderhyde.

— Peut-être parce que je le connais *déjà*, inspecteur. Ou parce que j'ai des réserves inépuisables de patience. Le temps n'a pas la même signification pour moi que pour la plupart des gens. Je ne suis pas pressé d'entendre votre explication. Je n'ai pas les yeux rivés sur l'horloge, voyez-vous.

Il sourit de nouveau. Son regard était fixé à droite de Rebus, légèrement au-dessus de lui. Rebus resta silencieux, attendant la suite de ces considérations.

— D'un autre côté, reprit Vanderhyde, étant donné que je sors peu et reçois peu de visites, et que je n'ai jamais, à ma connaissance, enfreint les lois de notre cher pays, cela restreint considérablement les raisons qui peuvent expliquer votre visite. Vous êtes bien sûr que vous ne voulez pas une tasse de thé ?

— Non, mais que ça ne vous empêche pas d'en prendre.

Rebus avait aperçu un mug presque vide, par terre, à côté du fauteuil du vieil homme. Il jeta un coup d'œil autour de son propre fauteuil — un autre mug était posé sur le tapis aux motifs fanés. En silence, il tendit la main et sentit que la tasse était encore légèrement chaude à la base, ainsi que le tapis autour.

— C'est bon, répondit Vanderhyde. Je viens d'en boire une tasse. Avec mon visiteur.

— Votre visiteur ? s'étonna Rebus.

L'aveugle sourit et hocha légèrement la tête, content de lui. Se sentant pris au piège, Rebus décida d'aller malgré tout de l'avant.

— Je croyais que vous ne receviez pas beaucoup de visites ?

— Non, je n'ai pas le souvenir d'avoir dit *tout à fait* ça. Malgré tout, c'est la vérité. Aujourd'hui, c'est l'exception qui confirme la règle. Deux visiteurs.

— Puis-je vous demander qui était cette personne ?

— Quant à moi, puis-je vous demander, inspecteur, ce qui vous amène ici ?

Ce fut au tour de Rebus de sourire en hochant la tête. Le vieil homme avait les joues qui rougissaient. Signe qu'il était parvenu à le désarçonner.

— Eh bien ? insista Vanderhyde d'un ton impatient.

— Eh bien, dit Rebus, qui choisit ce moment pour se lever et déambuler dans la pièce, je suis tombé sur votre nom, cher monsieur, dans une dissertation d'étudiant sur l'occultisme. Cela vous surprend-il ?

— Cela me flatte, répondit le vieillard après un temps de réflexion. Après tout, mon ego a besoin d'être flatté.

— Mais ça ne vous étonne pas ?

Vanderhyde haussa les épaules.

— Votre nom était cité en relation avec un groupe basé à Édimbourg... une sorte de guilde... dont les activités remontent aux années 1960.

— Le terme de guilde est inexact, mais peu importe.

— Vous en faisiez partie ?

— Je ne nie pas le fait.

— Quitte à évoquer les faits, vous étiez plus exactement le flambeau du groupe. Même si le terme de flambeau a quelque chose d'inexact.

Vanderhyde éclata de rire. Un rire déconcertant, très aigu.

— Touché, inspecteur ! Touché ! Continuez, je vous en prie.

— Je n'ai pas eu trop de mal à trouver votre adresse. Il n'y a pas beaucoup de Vanderhyde dans le Bottin.

— Ma famille habite Londres.

— Si je suis ici, monsieur Vanderhyde, c'est à cause d'un meurtre. Tout du moins, une falsification des preuves sur les lieux d'une mort suspecte.

— Me voici très intrigué, dit Vanderhyde en joignant les mains et en les portant à ses lèvres.

On avait du mal à croire qu'il était aveugle. Les déambulations de Rebus autour de la pièce ne semblaient pas du tout l'affecter.

— Le cadavre a été retrouvé les bras en croix...

— Nu ?

— Non, pas complètement. Juste le torse. Il y avait des bougies de chaque côté du corps, et un pentacle peint sur le mur.

— Rien d'autre ?

— Non. À part un bocal avec des seringues.

— Une mort par overdose ?

— Oui.

— Hum... fit Vanderhyde en se levant.

Il se dirigea d'un pas sûr vers la bibliothèque. Il ne l'ouvrit pas mais resta devant, comme s'il parcourait les titres.

— À supposer que nous ayons affaire à un sacrifice, inspecteur... j'imagine que c'est votre hypothèse ?

— Une parmi d'autres, monsieur.

— Eh bien, *s'il* s'agit d'un sacrifice, alors la

méthode d'exécution est tout à fait inhabituelle. Non, mieux que ça : elle est sans précédent. D'abord, il faut reconnaître que très peu de satanistes envisageraient de commettre un sacrifice humain. De nombreux psychopathes ont cherché à faire passer leurs meurtres pour des actes rituels, mais c'est autre chose. De toute manière, quel que soit le sacrifice... humain ou autre... il requiert du sang. De façon symbolique dans certains rites, comme le corps et le sang du Christ. Dans d'autres cas, du vrai sang. Un sacrifice *dépourvu de sang* ? Voilà qui serait, pour le coup, vraiment très original. Quant à l'overdose... Non, inspecteur, vous avez vous-même évoqué une hypothèse plus plausible : quelqu'un a dû brouiller les cartes après le décès de la victime.

Vanderhyde revint vers Rebus, repérant sans peine sa position dans la pièce. Il leva les bras pour signifier qu'il n'avait rien de plus à lui offrir.

Rebus se rassit. Quand il l'effleura, il constata que le mug n'était plus chaud. L'indice avait refroidi, s'était dissipé, volatilisé. Il prit le mug et l'inspecta. Gentillet. Motifs à fleurs. Une fêlure verticale, partant du bord. Soudain, Rebus crut très fort en ses qualités d'enquêteur. Il se leva et se dirigea vers la porte.

— Vous partez ?

Il ne répondit pas à la question de Vanderhyde, mais se dirigea vers le couloir et s'arrêta au pied d'un escalier en chêne foncé. À mi-étage, celui-ci formait un tournant à angle droit. D'en bas, Rebus apercevait ce palier de repos. Une seconde auparavant, quelqu'un s'était tenu là, accroupi, à les espionner. Rebus avait deviné la silhouette plus qu'il ne l'avait vue. Il se racla la gorge, davantage par nervosité que par nécessité.

— Descends, Charlie.

Il se tut. Le silence. Mais il sentait la présence du jeune homme, un peu plus haut dans l'escalier.

— Sauf si tu préfères que ce soit moi qui monte. Tu ne veux tout de même pas qu'on en arrive là ? Toi et moi, seuls là-haut dans le noir.

Toujours le silence, rompu seulement par le chuintement des pantoufles de Vanderhyde et les coups de sa canne sur le parquet. Quand Rebus se retourna, il vit la mine provocante du vieillard. Celui-ci avait sa fierté, n'éprouvait sans doute aucun remords. Puis une latte craqua : Charlie était redescendu sur le palier. Un sourire illumina le visage de Rebus — un sourire victorieux, de soulagement. Il s'était fait confiance et montré à la hauteur.

— Salut, Charlie.

— Je ne voulais pas la frapper. C'est elle qui a commencé.

La voix était reconnaissable, mais Charlie était comme cloué sur son palier. Il se tenait légèrement voûté, le visage de profil, les bras ballants. Cette voix de jeune homme bien éduqué semblait désincarnée, ne pas appartenir à cette sombre marionnette.

— Tu ne veux pas te joindre à nous ?

— Vous allez m'arrêter ?

— Pour quels motifs ?

Une question posée par Rebus, avec une pointe d'amusement dans la voix.

— C'est toi qui devrais poser cette question, Charles, lança Vanderhyde, l'air de donner ses instructions.

Rebus en avait assez de leur manège.

— On se calme, ordonna-t-il. Je propose qu'on reprenne une tasse d'Earl Grey.

Rebus ouvrit les rideaux de velours écarlate du salon. Il faisait encore un peu jour et la pièce en parut moins confinée, moins impressionnante, et nettement moins mystérieuse. Les objets posés sur la cheminée n'étaient qu'un fatras de bibelots. Les livres de la bibliothèque comprenaient surtout de grands classiques : Dickens, Hardy, Trollope. Lisait-on encore Trollope ?

Charlie était parti faire le thé dans la petite cuisine. Rebus et Vanderhyde attendirent en silence, écoutant au loin le bruit des tasses et des cuillères qui s'entrechoquaient.

— Vous avez l'ouïe fine, finit par dire Vanderhyde.

Rebus haussa les épaules, toujours occupé à observer les lieux. Non, il ne pourrait pas vivre dans un endroit pareil. En revanche, il pouvait s'imaginer y rendre visite à un vieux parent.

— Ah, voici le thé ! dit Vanderhyde.

Charlie posa tant bien que mal son plateau par terre, entre le canapé et les fauteuils. Son regard croisa celui de Rebus ; il semblait l'implorer. Celui-ci n'afficha aucune réaction et se contenta d'accepter la tasse qui lui était tendue avec un léger hochement de tête. Il était sur le point de faire observer que le jeune homme se repérait très bien dans son lieu de refuge, mais Charlie prit les devants. Il tendit un mug de thé à Vanderhyde — à moitié rempli, ce qui était une sage précaution.

— Voilà, oncle Matthew, dit-il en prenant la main de l'aveugle.

— Merci, Charles.

Le sourire que Vanderhyde voulut adresser à Rebus fut en fait dirigé quelques centimètres au-dessus de son épaule.

— Hum... fit Rebus en humant son thé parfumé à la bergamote.

Charlie prit place sur le canapé et croisa les jambes, presque décontracté. Aucun doute, il connaissait bien les lieux, s'y sentait aussi à l'aise que dans un vieux pantalon confortable. Il paraissait à deux doigts de s'épancher, mais Vanderhyde tenait d'abord à donner son point de vue.

— Charles m'a tout raconté, inspecteur. Enfin, quand je dis ça, je veux dire qu'il m'a raconté ce qu'il jugeait bon de me confier.

Charlie adressa un regard furieux à son oncle, qui se contenta de sourire, comme s'il devinait la moue renfrognée du garçon.

— J'ai conseillé à Charles de vous parler de nouveau. Il n'a pas l'air décidé. N'avait pas l'air. Il n'a plus le choix.

— Comment avez-vous su ? demanda Charlie.

Décidément, le garçon était beaucoup plus à sa place dans cet appartement que dans le squat minable de Pilmuir.

— Su quoi ? rétorqua Rebus.

— Où me trouver. Comment avez-vous découvert l'oncle Matthew ?

— Ah, ça ! fit Rebus en ôtant une peluche imaginaire sur son pantalon. Ta dissertation. Elle traînait sur le bureau. Très utile.

— Quoi ?

— D'avoir un sorcier dans la famille quand on fait une dissert sur l'occultisme.

Vanderhyde gloussa.

— Je n'ai rien d'un sorcier, inspecteur ! Je ne l'ai jamais été. D'ailleurs, je crois bien que je n'en ai rencontré qu'un seul dans toute ma vie. Un *authentique* sorcier, j'entends. Quelqu'un du coin, soit dit en passant.

— Oncle Matthew, intervint Charlie, je ne crois pas que l'inspecteur soit venu pour entendre...

— Au contraire, l'interrompit Rebus. C'est pour ça que je suis ici.

— Ah bon ? déclara Charlie, apparemment déçu. Vous n'êtes pas venu m'arrêter ?

— Non, mais tu mériterais une bonne claque pour ce coup que tu as filé à Tracy.

— Elle ne l'a pas volé !

La mine vexée, il retroussait la lèvre inférieure comme un gamin.

— Tu as osé frapper une dame ? s'écria Vanderhyde d'un ton indigné.

Charlie pivota vers lui, mais détourna aussitôt les yeux, incapable de soutenir ce regard aveugle.

— Oui, admit-il en desserrant à peine les dents. Mais regardez...

Il tira sur le col de son polo pour exposer son cou. Deux marques rouges circulaires étaient visibles, là où deux mains avaient planté leurs ongles.

— Jolies griffures, commenta Rebus à l'intention du vieillard. Les égratignures pour toi, l'œil au beurre noir pour elle : pour ce qui est de « œil pour œil », vous êtes au coude à coude.

Vanderhyde glousssa de nouveau, en prenant appui sur sa canne.

— Bravo, inspecteur ! Bravo ! Bien, dit-il en portant son mug à ses lèvres. Qu'est-ce qu'on peut faire pour vous ?

— J'ai relevé votre nom dans la dissertation de Charlie. Dans une note de bas de page, vous êtes cité comme personne interviewée. J'en ai déduit que vous deviez être de la région, et on ne trouve pas...

— Beaucoup de Vanderhyde dans le Bottin, compléta le vieillard. Vous l'avez déjà dit.

— Mais vous avez répondu à la plupart de mes questions. En tout cas, pour ce qui est d'un lien éventuel avec la magie noire. Par contre, j'aimerais éclaircir quelques détails avec votre neveu.

— Vous voulez que je...

Vanderhyde commença à se lever. Rebus lui fit signe de rester, avant de se rappeler que son geste ne servait à rien. Malgré tout, Vanderhyde s'était figé comme s'il avait anticipé sa réaction.

— Pas du tout, protesta Rebus alors que l'aveugle se rasseyait. J'en ai juste pour quelques minutes. (Il se tourna vers Charlie, qui aurait voulu disparaître dans les épais coussins du canapé.) À nous deux, Charlie. Pour l'instant, je peux te poursuivre pour vol, et pour complicité de meurtre. Qu'est-ce que tu en dis ?

Il observa avec délectation le visage du jeune homme qui passait de la couleur thé à celle d'une pâtisserie avant cuisson.

Vanderhyde eut un rictus, également de satisfaction. Charlie les dévisagea à tour de rôle, à la recherche d'un regard amical. Il tomba sur deux paires d'yeux aussi aveugles l'une que l'autre.

— Je... je...

— Oui ? insista Rebus.

— Je vais remplir ma tasse, balbutia Charlie, comme si son vocabulaire se limitait désormais à ces cinq mots.

Rebus se cala patiemment dans son fauteuil. Qu'à cela ne tienne : le lascar pouvait refaire une théière, se remplir autant de tasses qu'il voulait. Mais il lui fournirait ses réponses. À force de suer tous les tanins de son corps, il finirait bien par les cracher.

— C'est toujours aussi déprimant, le Fife ?

— Seulement les coins les plus pittoresques. Le reste est plutôt sympa.

Brian Holmes suivait l'agent de la SSPCA à travers un champ au crépuscule. Il n'y avait que la silhouette d'un arbre mort pour rompre la monotonie de ces étendues sans relief. Le vent soufflait fort, un vent glacial de surcroît. Le gars de la SSPCA avait dit que c'était un « vent d'euste ». Holmes comprit que ça devait se traduire par « vent d'est », et que le gars n'avait pas trop le sens de l'orientation, car le vent soufflait de toute évidence de l'ouest.

Le paysage était trompeur : ils étaient sur un faux plat. On sentait que ça montait légèrement. Holmes pensa à cette colline quelque part en Écosse, l'Electric Brae, où une illusion optique donnait l'impression de monter alors qu'on était en train de descendre. À moins que ce ne soit l'inverse... Inutile de poser la question à son guide.

Bientôt, au-delà de la montée, Holmes aperçut une zone noire et granuleuse : une mine désaffectée, séparée du champ par une rangée d'arbres. Depuis les années 1960, toutes les mines de la région avaient fermé. Récemment, on avait enfin trouvé de l'argent pour raser les terrils fumants et s'en servir pour combler les gouffres des mines à ciel ouvert. Les bâtiments aussi étaient démontés, et tout un paysage disparaissait, comme si les mines du Fife n'avaient jamais existé.

Ses oncles avaient été mineurs, Brian Holmes était donc bien placé pour le savoir. De vrais puits d'anecdotes et de renseignements. Le jeune Brian n'en perdait jamais une miette.

— Pas très gai, se murmura-t-il à lui-même.

Il suivait toujours l'agent de la SSPCA. Le terrain descendait en pente douce jusqu'aux arbres, devant lesquels se tenaient une demi-douzaine d'hommes qui se retournèrent en les entendant approcher. Holmes se présenta à un type en civil, qui avait tout l'air d'être le plus gradé.

— Je suis le constable Holmes, monsieur.

L'homme sourit et pointa du menton un type nettement plus jeune que lui. Tout le monde — les gars en tenue, ceux en civil, même ce Judas de la SSPCA — semblait trouver très amusante la méprise de Holmes. Il se mit à rougir et resta bêtement planté là. Remarquant son embarras, le jeune gradé lui tendit la main.

— Enchanté, Brian. Je suis le sergent Hendry. Ça fait plaisir de savoir que j'ai l'air si jeune que ça, et Harry si vieux ! (Il fit un signe de la tête vers l'homme auquel Brian s'était présenté.) Bon. Je vais vous répéter ce que j'ai dit aux autres. On a un bon tuyau comme quoi un combat de chiens va être organisé ici ce soir. L'endroit est bien isolé : à huit cents mètres de la route principale ; l'habitation la plus proche est à deux kilomètres. C'est l'idéal, quoi. Il y a un chemin que les camions empruntent de la route pour accéder au chantier. Ils devraient arriver par là : trois ou quatre camionnettes avec les chiens, et Dieu sait combien de parieurs en voiture. Si ça attire autant de monde qu'Ibrox[1], on fera venir des renforts. Ce n'est pas tellement les joueurs qui nous intéressent, plutôt les propriétaires de chiens. Davy Brightman serait le principal organisateur. Un ferrailleur qui possède deux casses, à Kirkcaldy et à Methil. On sait qu'il a des pitbulls, et on le soupçonne d'organiser des combats.

1. Célèbre stade du club de football des Glasgow Rangers. *(N.d.T.)*

Une radio crachota, puis émit un signal d'appel. Le sergent Hendry répondit.

— Le constable Holmes se trouve-t-il avec vous ? lui demanda son interlocuteur.

Il tendit la radio à Holmes, qui prit une mine contrite.

— Holmes à l'appareil.

— J'ai un message pour vous.

— Je vous écoute.

— Ça concerne une certaine Nell Stapleton.

Assis dans la salle d'attente de l'hôpital, Rebus passait en revue la journée écoulée tout en grignotant une barre chocolatée achetée dans un distributeur. Quand il repensa à l'agression de Tracy, il sentit ses testicules se rétracter. Ça lui faisait toujours mal. Comme une double hernie — bien qu'il n'en ait jamais eu.

Malgré tout, l'après-midi s'était révélé très fructueux. Vanderhyde était un curieux personnage. Quant à Charlie, il s'était mis à table.

— Vous voulez me parler de quoi ? avait-il demandé en revenant dans le salon.

— Je m'intéresse à la chronologie, Charlie. Ton oncle m'a déjà confié que lui ne s'intéressait pas au temps. Le temps n'a pas de prise sur lui. Mais sur les policiers, si. Surtout pour ce genre d'enquête. Vois-tu, je trouve que la chronologie des événements pose quelque problème. C'est ce que je souhaiterais clarifier, dans la mesure du possible.

— D'accord. En quoi puis-je vous aider ?

— Tu es bien passé chez Ronnie ce soir-là ?

— Oui. Un petit moment.

— Et tu es parti pour aller à je ne sais quelle soirée ?

— C'est ça.

— Tu as laissé Neil avec Ronnie ?

— Non, il était déjà parti.

— Et tu ne savais pas, bien entendu, que Neil était le frère de Ronnie ?

Charlie avait paru totalement surpris, mais Rebus connaissait ses talents d'acteur et était décidé à ne présumer de rien.

— Non, je ne le savais pas. Merde, son frangin... Pourquoi il nous l'a caché ?

— Neil fait le même métier que moi, avait expliqué Rebus.

Charlie avait souri en secouant la tête. Dans son fauteuil, Vanderhyde affichait une expression pensive, tel un juré attentif.

— Neil prétend qu'il est parti assez tôt, avait repris Rebus. Ronnie ne se serait pas montré très loquace.

— Je devine pourquoi.

— Pourquoi, alors ?

— C'est simple : il venait bien de récupérer de la came, non ? Alors que ça faisait une plombe qu'il était à sec.

Charlie s'était arrêté net en se rappelant que son oncle écoutait la conversation, et s'était tourné vers lui. Toujours aussi perspicace, Vanderhyde l'avait senti et lui avait fait signe d'un geste impérieux, l'air de dire : « On ne saurait plus être choqué quand on traîne depuis si longtemps sur cette planète. »

— Je pense que tu as raison, avait acquiesçé Rebus. À cent pour cent. Donc, Ronnie se shoote dans la maison déserte. Sauf que la came est mortelle. Quand Tracy arrive, elle le retrouve dans sa chambre...

— C'est elle qui le dit ! l'avait coupé Charlie.

Rebus avait opiné du chef pour montrer qu'il comprenait sa méfiance.

— Admettons pour l'instant que les choses se

soient vraiment passées comme ça. Il est mort ; en tout cas, elle a cette impression. Elle panique et s'enfuit. Bien. Jusqu'ici, pas de problème. Après, ça se complique. C'est là que j'ai besoin de ton aide, Charlie. Quelqu'un transporte le cadavre de Ronnie au rez-de-chaussée. Je ne sais pas pourquoi. Peut-être pour déconner ou pour brouiller les cartes, comme l'a dit M. Vanderhyde. C'est à peu près à ce stade de la chronologie qu'un second sachet de poudre fait son apparition. Tracy n'en a aperçu qu'un seul... (Il avait vu que Charlie était sur le point de l'interrompre à nouveau.) Je sais, c'est elle qui le dit. Charlie se shoote donc avec un sachet. Après sa mort, son corps se retrouve en bas et un deuxième sachet apparaît par miracle. De la bonne came, pas le poison que Ronnie s'est injecté. Dernier élément, l'appareil photo de Ronnie disparaît. Pour réapparaître un peu plus tard, Charlie, dans ton squat, dans ta chambre, dans ton sac-poubelle.

Charlie ne regardait plus Rebus. Son regard était fixé sur son mug, sur la théière.

— Oui, c'est moi qui l'ai pris, avait-il dit sans lever les yeux.

— Tu as pris l'appareil photo ?

— C'est ce que je viens de dire, non ?

— OK, avait déclaré Rebus d'un ton neutre.

La honte qui couvait en Charlie menaçait à tout moment de s'embraser et de virer à la colère.

— Quand l'as-tu récupéré ?

— Si vous croyez que j'ai eu le temps de jeter un coup d'œil à ma montre !

— Charles ! avait explosé Vanderhyde.

Sa voix était forte et mordante. Charlie ne se l'était pas fait répéter. Il s'était tenu tout droit, redevenant le petit garçon intimidé devant l'oncle magicien.

Rebus s'était éclairci la gorge. Le goût de l'Earl Grey lui collait encore à la langue.

— Il n'y avait personne d'autre quand tu es revenu dans la maison ?

— Non. Enfin, mis à part Ronnie.

— Il était à l'étage ou au rez-de-chaussée ?

— Puisque vous tenez à le savoir, il était en haut de l'escalier. Allongé, comme s'il avait voulu descendre. J'ai d'abord cru qu'il était complètement défoncé. Mais j'ai senti que quelque chose clochait. Quand quelqu'un dort, ça bouge tout de même un peu. Alors que Ronnie... lui, il était tout rigide. Puis il avait la peau froide et moite.

— Et tu dis donc qu'il se trouvait en haut de l'escalier ?

— Oui.

— Et ensuite, qu'est-ce que tu as fait ?

— Je savais qu'il était mort. J'avais l'impression d'être dans un rêve. Ça semble bête, j'en conviens, mais c'était vraiment ça. Maintenant, je comprends que c'était une façon d'en sortir. Je suis allé dans la chambre de Ronnie.

— Le bocal avec les seringues s'y trouvait-il ?

— Je ne me souviens pas.

— Peu importe. Continue.

— Eh bien, je savais que Tracy, quand elle rentrerait...

— Oui ?

— Putain, je vais passer pour un vrai monstre !

— Quoi donc ?

— Je savais qu'en retrouvant Ronnie mort elle faucherait tout ce qu'elle pourrait. C'était évident, j'en étais sûr et certain. Alors, j'ai pris quelque chose qu'il aurait été content de me donner.

— Tu as donc fait ça pour des raisons sentimentales ? avait demandé Rebus d'un ton railleur.

— Pas seulement, avait reconnu Charlie.

Rebus avait été refroidi par une pensée : *tout cela s'enchaînait trop facilement.*

— C'était le seul objet de valeur appartenant à Ronnie, avait poursuivi Charlie.

Rebus avait hoché la tête. Oui, on était plus proche de la vérité. Même si Charlie n'avait pas vraiment besoin de pognon, avec l'oncle Matthew qui pouvait toujours lui glisser quelques billets. Non, c'était de commettre un acte illicite qui était excitant. Quelque chose que Ronnie aurait été content de lui donner ? Quelle chance !

— Tu as donc pris l'appareil photo ?

Charlie avait fait oui de la tête.

— Et ensuite tu es reparti ?

— Je suis rentré direct au squat. Quelqu'un m'a dit que Tracy était passée, qu'elle me cherchait. Elle était dans tous ses états. J'en ai déduit qu'elle était déjà au courant pour Ronnie.

— Mais elle ne s'était pas tirée avec l'appareil photo. Elle te cherchait.

— Oui.

Charlie avait presque l'air contrit. Presque. Rebus se demandait comment Vanderhyde prenait tout ça.

— Et le nom de Hyde ? Ça te dit quelque chose ?

— Un personnage de Robert Louis Stevenson.

— Et à part ça ?

Charlie avait fait la moue.

— Et connaîtrais-tu quelqu'un du nom d'Edward ?

— Un personnage de Robert Louis Stevenson, avait répété Charlie.

— Je ne comprends pas...

— Désolé, je plaisante. Edward est le prénom de

Hyde, dans *Jekyll et Hyde*. Non, je ne connais personne qui s'appelle Edward.

— D'accord. Tu sais quoi, Charlie ?

— Quoi ?

Rebus avait jeté un coup d'œil à Vanderhyde, lequel affichait un visage impassible.

— En fait, je pense que ton oncle sait déjà ce que je vais te dire.

— En effet, avait confirmé Vanderhyde en souriant. Corrigez-moi si je me trompe, inspecteur Rebus : vous alliez dire que, le cadavre ayant été déplacé de la chambre sur le palier, il semblerait que la personne qui a fait ça était toujours là quand Charles est arrivé.

Charlie en était resté littéralement bouche bée. C'était la première fois que Rebus voyait quelqu'un réagir comme ça.

— C'est tout à fait ça, avait-il acquiescé. Je dirais que tu as été chanceux, Charles. À mon avis, on était en train de transporter Ronnie en bas quand on t'a entendu arriver. La personne s'est cachée dans une autre chambre, ou peut-être même dans la salle de bains immonde, en attendant que tu repartes. Tout le temps que tu es resté, il y avait quelqu'un d'autre sur place.

Charlie avait fermé la bouche et ravalé sa salive. Puis il avait basculé la tête en avant et s'était mis à pleurer. Pas tout à fait en silence, ce qui avait permis à son oncle d'être au courant. Celui-ci avait souri et s'était penché vers Rebus, la mine satisfaite.

Rebus termina sa barre chocolatée. Elle avait un goût de désinfectant, comme l'odeur des couloirs, des services et même de cette salle d'attente où des visages angoissés faisaient mine de s'intéresser une ou deux secondes à des revues sur papier glacé. La porte s'ouvrit et Holmes entra, l'air épuisé et angoissé. Il avait eu quarante minutes de trajet en voiture pour envisager le pire, comme ses traits creusés l'attestaient. Rebus comprit qu'un remède rapide était nécessaire.

— Elle est saine et sauve. Tu peux la voir dès que tu veux. Ils vont la garder cette nuit, mais ce n'est qu'une formalité. Elle a juste le nez cassé.

— Le nez cassé ?

— C'est tout. Aucun traumatisme, elle voit très clair. Un bon vieux nez cassé : la malédiction du boxeur à poings nus.

Rebus craignit un instant que sa désinvolture passe mal auprès de Holmes. Mais le jeune homme sourit, visiblement soulagé. Il détendit les épaules et inclina légèrement la tête, signe que la tension retombait.

— Alors, dit Rebus, tu veux la voir ?

— Oui.

— Viens, je vais t'accompagner.

Il posa la main sur l'épaule de Holmes et le fit sortir de la salle d'attente.

— Mais comment vous saviez ? lui demanda Holmes dans le couloir.

— Comment je savais quoi ?

— Que c'était Nell, qu'on est ensemble...

— Tu es flic, Brian. Réfléchis un peu.

Rebus vit que l'esprit de Holmes s'attaquait au problème. Il espérait que l'exercice lui serait salutaire.

— Comme Nell n'a pas de famille, finit par dire Holmes, elle a demandé qu'on me prévienne.

— Enfin, elle a demandé par écrit. Avec son nez cassé, on a du mal à comprendre ce qu'elle dit.

— On ne savait pas où me joindre, poursuivit Holmes d'une voix terne. Alors on vous a demandé si vous saviez où je me trouvais.

— C'est presque ça. Bravo. Alors, c'était comment le Fife ? Moi, je n'y vais qu'une fois par an.

Le 28 avril, songea-t-il.

— Le Fife ? Pas mal. J'ai dû partir avant l'arrestation. Dommage. Ça n'a pas dû faire bonne impression.

— Qui dirige l'opération ?

— Un jeune sergent du nom de Hendry.

Rebus hocha la tête.

— Je vois qui c'est. Ça m'étonne que tu ne le connaisses pas. Au moins de réputation.

Holmes haussa les épaules.

— J'espère bien qu'ils vont coincer ces salauds.

Rebus s'arrêta devant la porte d'une salle.

— C'est ici ? lui demanda Holmes.

Il hocha le menton.

— Tu veux que je t'accompagne ?

Holmes regarda son supérieur avec un semblant de gratitude, puis secoua la tête.

— Non, c'est bon. Je ne vais pas rester si elle est endormie. Une dernière chose.

— Oui ?

— Qui a fait ça ?

Qui ? C'était ce qu'il y avait de plus dur à comprendre. Tandis qu'il marchait dans le couloir, Rebus repensa au visage tuméfié de Nell, à sa détresse de ne pas arriver à parler. Par gestes, elle lui avait fait comprendre qu'elle voulait écrire. Il avait pris son calepin dans sa poche et lui avait tendu son stylo. Elle avait écrit fiévreusement pendant une minute. Il s'arrêta, prit son calepin et relut ces lignes pour la quatrième ou cinquième fois de la soirée.

J'étais à la bibliothèque où je travaille. Une femme a essayé de forcer le passage à l'entrée. Vous pouvez vérifier auprès du vigile. Cette femme m'a flanqué un coup de boule dans la figure. Je voulais juste aider, la calmer. Elle a dû croire que je me mêlais de ce qui ne me regardait pas. Pas du tout, je voulais juste aider. C'était la jeune femme nue de la photo, cette photo que Brian avait dans sa mallette hier soir au pub. Vous étiez là aussi, non ? Dans le même pub que nous ? C'était facile de vous repérer, il n'y avait quasiment personne. Où est Brian ? En train de récupérer d'autres photos cochonnes pour vous, inspecteur ?

Rebus sourit, comme à sa première lecture. Elle ne manquait pas de cran. Plutôt mignonne, malgré les pansements et les bleus. Elle lui rappelait Gill.

Tracy semait donc la terreur, comme la traînée luisante d'un escargot. Petite conne ! Un simple pétage de plombs, ou bien s'était-elle rendue à la bibliothèque dans un but précis ? Rebus s'adossa au mur dans le couloir. Quelle journée ! Lui qui était censé se trouver entre deux enquêtes, en train de boucler les dossiers avant de se mettre à temps plein sur la campagne anti-drogue. En roue libre, quoi. Ce n'était pas demain la veille !

Les portes du service se refermèrent et il aperçut la silhouette de Brian Holmes. Celui-ci parut désorienté un instant, puis marcha dans sa direction d'un pas décidé. Rebus ne savait plus quoi penser du jeune homme : représentait-il un atout ou un handicap ? Les deux à la fois ?

— Comment va-t-elle ? s'enquit-il avec sollicitude.

— Pas trop mal. Elle est réveillée. Son visage est tout de même pas mal amoché.

— Rien que des bleus. Les médecins ont affirmé que le nez se réparerait très bien. Tu n'y verras que du feu.

— Oui, c'est ce que Nell m'a dit.

— Elle arrive à parler ? Tant mieux.

— Elle m'a aussi raconté qui avait fait ça, poursuivit Holmes en fixant Rebus, qui détourna le regard. Qu'est-ce que c'est que cette histoire ? Qu'est-ce que Nell vient faire là-dedans ?

— Rien, autant que je sache. Tu sais ce qu'on dit, elle se trouvait au mauvais endroit au mauvais moment. Un coup du sort.

— Le sort ? Facile à dire ! C'est la faute à pas de chance, et après on oublie tout, c'est ça ? Je ne sais pas quel est votre petit jeu, Rebus, mais moi j'arrête de jouer !

Il pivota sur ses talons et s'éloigna d'un pas rageur. Rebus faillit le rappeler pour le prévenir qu'il n'y avait pas de sortie par là, mais Holmes n'avait pas besoin de conseils. Il avait surtout besoin de souffler, d'une coupure. Rebus aussi. En attendant, il voulait réfléchir et le poste de police était l'endroit idéal.

En prenant bien son temps, Rebus parvint à gravir les marches jusqu'à son bureau. Il n'était pas installé depuis dix minutes qu'il fut pris d'une subite envie de thé et décrocha son téléphone. Puis il se cala dans son fauteuil et fixa la feuille où il s'était efforcé de lister les éléments concrets du dossier. Une pensée le glaçait : était-il en train de gaspiller son temps et ses efforts ? Un jury aurait bien du mal à y déceler le moindre crime. Rien qui suggère que Ronnie ne se soit pas piqué lui-même. Par contre, c'était un fait qu'il avait eu du mal pendant un certain temps à s'approvisionner, alors que la drogue ne manquait pas en ville. Et quelqu'un avait bel et bien déplacé le cadavre, avait pris la peine de laisser sur place un sachet d'héroïne pure, en espérant peut-être qu'elle serait testée, que le décès serait mis sur le compte de la malchance : une overdose, point à la ligne. Et non : on avait décelé des traces de mort-aux-rats.

Rebus fixa la feuille avec une moue. Il en était déjà aux « peut-être » et aux suppositions. Peut-être une question de cadrage. Tourner le tableau dans l'autre sens et tout reprendre à zéro.

Pourquoi quelqu'un s'était-il donné le mal de tuer Ronnie ? Après tout, le pauvre bougre aurait fini par y arriver tout seul. Ronnie subissait un sevrage de force, puis mettait la main sur de la came dont il se doutait qu'elle n'était pas d'une pureté irréprochable. Ce qui signifiait qu'il savait sans doute que celui qui la lui avait procurée voulait sa mort. Ce qui ne l'avait pas empêché de se shooter... Non, vu sous cet angle, ça tenait encore moins debout. Retour à la case départ.

Pour quelle raison avait-on tué Ronnie ? Plusieurs réponses possibles. Parce qu'il savait quelque chose. Parce qu'il détenait quelque chose. Parce qu'il ne détenait pas quelque chose. Laquelle était la bonne ? Rebus n'en savait rien. Ni personne d'autre. Le tableau était toujours aussi flou.

On frappa et un agent entra avec un mug de thé. Rebus reconnut Harry Todd.

— Eh bien, tu circules pas mal, Todd !

— Ça peut aller, monsieur.

Todd posa la tasse dans un angle du bureau — les vingt derniers centimètres carrés de bois qui résistaient à la paperasse envahissante.

— C'est calme, ce soir ?

— La routine, monsieur. Quelques ivrognes. Deux cambriolages. Un accident grave près des quais.

Rebus hocha la tête et prit la tasse.

— Tu connaîtrais pas un flic qui s'appelle Neil McGrath ?

Il porta le mug à ses lèvres et fixa Todd qui rougissait.

— Si, monsieur. Je le connais.

Rebus goûta au thé et parut se délecter du breuvage fadasse.

— Hum... fit-il. Comme ça, il t'a demandé de me surveiller ?

— Je vous demande pardon ?

— Si tu le croises, Todd, dis-lui que tout baigne.

— Bien, monsieur.

Il se tourna pour prendre congé.

— Au fait, Todd...

— Oui, monsieur ?

— Que je ne te reprenne pas à traîner autour de moi. Pigé ?

— Oui, monsieur.

Visiblement abattu, Todd marqua un temps d'arrêt devant la porte, comme s'il venait d'avoir une idée pour retrouver les bonnes grâces de son supérieur, et se retourna vers Rebus en souriant.

— Vous êtes au courant, monsieur, pour l'interpellation dans le Fife ?

— Quelle interpellation ?

Rebus n'avait pas l'air intéressé.

— Les combats de chiens, monsieur.

Rebus fit un gros effort pour cacher sa curiosité.

— On les a pris en flagrant délit, poursuivit Todd. Vous savez qui a été arrêté ?

— Malcolm Rifkind[1] ? suggéra Rebus.

Todd se vexa et perdit son sourire.

— Pas du tout, monsieur, dit-il en faisant mine de sortir.

1. Plusieurs fois ministre dans les gouvernements Thatcher et Major, et notamment en charge des affaires écossaises. *(N.d.T.)*

Rebus était à bout de patience.

— Qui ça, bon sang ?

— L'animateur de radio Calum McCallum, dit Todd en refermant la porte derrière lui.

Rebus fixa la porte cinq secondes avant que ça fasse mouche. Calum McCallum... L'amant de Gill Templar ! Il renversa la tête en arrière et lâcha un rugissement où se mêlaient un éclat de rire et un cri de victoire.

Une fois le fou rire passé, quand il prit le temps de s'essuyer les yeux, il remarqua la porte entrouverte. Quelqu'un se tenait dans l'entrebâillement et l'observait d'un air ahuri.

Gill Templar.

Il consulta sa montre : presque une heure du matin.

— Alors, Gill, t'es passée en ronde de nuit ? dit-il, cherchant à masquer sa confusion.

— J'imagine que t'es au courant, dit-elle sans répondre à sa question.

— De quoi ?

Elle entra dans le bureau, flanqua par terre des papiers qui traînaient sur une chaise et s'assit, manifestement épuisée.

— De toute façon, le ménage est fait tous les matins, dit-il en jetant un coup d'œil au sol jonché de papiers. Oui, je suis au courant.

— C'est pour ça que tu criais comme un cinglé ?

— Ah, ça... dit-il avec un revers de la main, tout en sentant qu'il rougissait. Pas du tout. C'était... pour autre chose.

— Pas très convaincant, Rebus. Salaud.

Sa voix était fatiguée. Il aurait voulu lui remonter le moral, lui dire qu'elle avait l'air en forme. Mais ç'aurait été un mensonge, et il aurait droit à un nouveau regard noir. Alors il s'abstint. Elle paraissait vraiment crevée. Le manque de sommeil et de détente. Son univers venait d'être coffré quelque part dans une cellule du Fife. Les empreintes, la photo, et le tour était joué. Fin de Calum McCallum, du bonheur de Gill.

La vie était pleine de surprises.

— Alors, qu'est-ce que je peux faire pour toi ?

Elle le dévisagea longuement, comme si elle ne savait plus trop qui il était ni ce qu'elle faisait là. Elle se ressaisit en secouant les épaules.

— Ça a l'air crétin, mais j'étais juste en train de passer. Je prenais un café à la cantine, avant de rentrer chez moi, et puis j'ai appris la nouvelle.

Elle frissonna. Ce qu'il prit pour un geste volontaire des épaules. Rebus la sentait toute fragile. Pourvu qu'elle ne s'effondre pas en mille morceaux.

— J'ai appris que Calum s'est fait arrêter. Comment a-t-il pu me faire ça, John ? Me cacher un truc pareil ? Comment peut-on trouver ça marrant de regarder des chiens s'entre-dévorer ?

— C'est à lui qu'il faudra poser la question, Gill. Tu veux un café ?

— Non, vaut mieux pas. Je vais déjà avoir du mal à dormir. Par contre, il y a une chose qui me ferait plaisir, si ça ne te dérange pas trop.

— Vas-y.

— Que tu me ramènes chez moi...

Rebus fit oui de la tête avant qu'elle ait terminé sa phrase.

— ... et que tu me serres dans tes bras.

Il se leva lentement, enfila son veston, mit son stylo et la feuille dans sa poche, et la rejoignit au centre de la pièce, où elle s'était déjà levée. Piétinant les rapports à lire, la paperasse à signer, les statistiques de la criminalité et tout le reste, ils s'étreignirent très fort.

Elle enfouit son visage contre son épaule. Il appuya le menton sur sa nuque et fixa la porte fermée, lui caressant le dos d'une main et le tapotant de l'autre. Au bout d'un moment, elle releva la tête et recula le torse, mais sans le lâcher. Ses yeux étaient humides, mais le plus dur était passé. Elle se sentait un peu mieux.

— Merci, dit-elle.

— J'en avais besoin autant que toi, dit Rebus. Allez, on va te ramener chez toi.

VENDREDI

Tous les habitants avaient l'air de bien s'en sortir, tous rivalisaient et espéraient faire mieux encore et faisaient étalage de l'excédent de leur récolte.

Quelqu'un frappait à la porte. Des coups autoritaires, avec le vieux heurtoir en cuivre qu'il n'astiquait jamais. Rebus ouvrit les yeux. Le salon était inondé de soleil, le saphir de la platine tournait dans le vide sur son 33-tours. Une nuit de plus passée dans le fauteuil, tout habillé. Il ferait mieux de vendre son matelas. Qui voudrait d'un matelas sans sommier ?

Toc-toc de nouveau. Très patient. On attendait qu'il vienne ouvrir. Les yeux bouffis, il rentra sa chemise dans son pantalon et se dirigea vers la porte d'entrée. Tout compte fait, il ne se sentait pas si mal. Pas de torticolis, pas de courbatures. Rasé et douché, il aurait peut-être même figure humaine.

Au moment où il ouvrit, Brian Holmes était sur le point de frapper à nouveau.

— Brian !

Rebus avait l'air sincèrement ravi.

— Bonjour. Je peux entrer ?

— Bien sûr. Comment va Nell ?

— J'ai appelé ce matin. On m'a dit que la nuit s'était bien passée.

Rebus le conduisit dans la cuisine. Holmes s'était imaginé que ça empesterait la clope et la bière, comme chez tous les célibataires. En fait, c'était beaucoup plus ordonné qu'il ne s'y attendait, et meublé avec un peu de goût. Beaucoup de bouquins. Il n'aurait pas cru que Rebus était un grand lecteur. Cela dit, pas mal de livres semblaient ne pas avoir été ouverts. Achetés en prévision des longs week-ends pluvieux. Puis oubliés.

Rebus lui indiqua vaguement la bouilloire et un placard.

— T'as qu'à nous faire du café. Je vais me doucher rapidement.

— OK.

Holmes se disait que la nouvelle pouvait attendre. Au moins le temps que Rebus soit parfaitement réveillé. Il chercha en vain du café en poudre, mais trouva au fond d'un placard un paquet de café moulu, périmé de plusieurs mois. Il l'ouvrit et en versa quelques cuillerées dans une théière pendant que la bouilloire chauffait. Du côté de la salle de bains, on entendait l'eau qui coulait et une radio. Des voix — sans doute un talk-show.

Holmes profita de l'occasion pour jeter un coup d'œil à l'appartement. Le salon était immense, avec un très haut plafond à moulures. Il en éprouva une pointe de jalousie ; lui n'aurait jamais les moyens de s'acheter un aussi bel appart'. Il cherchait du côté d'Easter Road et de Gorgie, près des stades respectifs des Hibs et des Hearts[1]. Des quartiers à la portée de son budget, où il pourrait même s'offrir trois chambres. De toutes petites chambres, dans des quartiers pourris. Non pas qu'il soit snob... Bien sûr que si ! Il rêvait d'habiter New Town, Dean Village ou ici à Marchmont, où les étudiants refaisaient le monde dans les cafés chics.

Il souleva le bras de la platine, sans faire trop attention au disque. Un orchestre de jazz. Ça ne datait pas

1. Les deux clubs de football professionnel d'Édimbourg. *(N.d.T.)*

d'hier, et il ne trouva pas la pochette. Les bruits ayant cessé dans la salle de bains, il regagna discrètement la cuisine, où il trouva une passoire à thé au fond d'un tiroir. Ce qui lui permit de passer le café, qu'il versa dans deux mugs. Rebus arriva, une serviette nouée autour de la taille, en train de se sécher les cheveux avec une autre plus petite. Ça ne lui aurait pas fait de mal de perdre un peu de poids, ou de faire du sport. Il avait la poitrine qui pendouillait et d'une pâleur cadavéreuse. Il prit un mug et but une gorgée.

— Miam, du vrai café !

— Je l'ai déniché dans un placard. Par contre, pas de lait.

— Peu importe. C'est parfait. Dans un placard, tu dis ? Tous les espoirs sont permis : on arrivera peut-être à faire de toi un bon enquêteur. Je reviens, je vais juste enfiler quelque chose.

Cette fois, il revint au bout de deux minutes, avec des habits propres mais pas repassés. Holmes remarqua un endroit où aurait dû se trouver une machine à laver. Rebus sembla lire dans ses pensées.

— C'est ma femme qui l'a emportée quand elle est partie. Et pas mal d'affaires. C'est pour ça que ça fait un peu rudimentaire.

— Non, on a l'impression que c'est voulu.

— Allez, on va dans le salon, dit Rebus en souriant.

Il fit signe à Holmes de s'asseoir, puis en fit autant. Le fauteuil dans lequel il avait dormi était encore tiède.

— Je vois que tu connais déjà la pièce.

Holmes ne put cacher sa surprise. Pris la main dans le sac. Puis il se souvint d'avoir arrêté le tourne-disque.

— Oui, reconnut-il.

— Ça me plaît, dit Rebus. T'as de la graine de flic, Brian.

Holmes, qui hésitait à prendre ça pour de la flatterie ou de la condescendance, ne releva pas.

— J'ai une info qui devrait vous intéresser... commença-t-il.

— Je suis déjà au courant, le coupa Rebus. Désolé de te priver de ta surprise, mais j'étais au poste tard hier soir et quelqu'un m'a prévenu.

— Hier soir ? répéta Holmes qui ne comprenait pas. Mais, le corps n'a été retrouvé que ce matin...

— Le corps ? Tu veux dire qu'il est mort ?

— Oui. Un suicide.

— Merde... Pauvre Gill.

— Gill ?

— Gill Templar. Elle sortait avec lui.

— L'inspecteur Templar ? murmura Holmes, l'air choqué. Je croyais qu'elle vivait avec cet animateur...

Ce fut au tour de Rebus de n'y rien comprendre.

— Ce n'est pas de lui qu'on est en train de parler ?

— Non, répondit Holmes, ravi que sa surprise soit totale.

— *De qui*, alors ? demanda Rebus, gagné par l'angoisse. Qui s'est suicidé ?

— James Carew.

— Carew ?

— Oui. Il a été retrouvé chez lui ce matin. Une overdose, apparemment.

— Une overdose de quoi ?

— Je ne sais pas. De médicaments.

Rebus n'en revenait pas. Il se souvenait de l'expression de Carew quand il avait croisé son regard l'avant-veille sur Calton Hill.

— Merde, moi qui voulais le voir.

— Je me demandais... dit Holmes.

— Quoi donc ?

— J'imagine que vous ne lui aviez pas parlé de mon appart' ?

— Non, répondit Rebus. Je n'en ai pas eu l'occasion.

— Je plaisantais, précisa Holmes en comprenant que Rebus avait pris sa question au pied de la lettre. C'était un ami ? Je savais que vous aviez déjeuné ensemble, mais je ne me rendais pas compte que...

— Il a laissé une lettre ?

— Je ne sais pas.

— Qui pourrait savoir ça ?

Holmes réfléchit une seconde.

— Je crois que l'inspecteur McCall s'est rendu sur place.

— Allez, on y va, dit Rebus en se levant.

— Et votre café ?

— Je m'en fous. Je veux voir Tony McCall.

— C'est quoi cette histoire sur Calum McCallum ? demanda Holmes en se levant à son tour.

— Tu n'es pas au courant ? Je vais te raconter ça en route.

Pressé de filer, Rebus attrapa son veston et sortit ses clés pour fermer l'appartement. Holmes se demandait quel était ce secret. Qu'avait bien pu faire Calum McCallum ? Dieu, il ne supportait pas les cachottiers !

Rebus lut la lettre dans la chambre. Elle était rédigée au stylo plume, d'une écriture élégante, mais la peur transparaissait clairement dans certains mots : lettres toutes tremblantes, ratures. Le papier était de belle qualité, avec filigrane. La V12 était au garage. L'appartement était à couper le souffle : un musée de mobilier Art déco, de peinture moderne et de livres rares gardés sous clé.

Le pendant de l'appart' de Vanderhyde, avait pensé Rebus en découvrant les lieux. Puis McCall lui avait tendu la lettre.

Si mon péché est grand, ma souffrance ne l'est pas moins.

Était-ce une citation ? Un peu grandiloquent, pour une lettre d'adieu. Carew avait dû la retravailler un certain nombre de fois, jusqu'à en être satisfait. Il lui fallait quelque chose d'exact, qui reste comme son chef-d'œuvre.

Un jour, vous comprendrez peut-être où réside le bien et le mal dans tout ça.

Rebus n'avait pas besoin d'aller chercher très loin. En lisant ces lignes, il avait la sensation troublante que Carew s'adressait à lui, qu'il y disait des choses que seul Rebus pouvait comprendre.

— C'est bizarre de laisser une lettre pareille, fit remarquer McCall.

— Oui, acquiesça Rebus.

— Tu l'avais bien rencontré récemment, n'est-ce pas ? Je me souviens que tu m'en as parlé. Tu l'as trouvé comment ? Il avait l'air déprimé ?

— Je l'ai revu depuis.

— Ah bon ?

— Je traînais sur Calton Hill il y a deux soirs ; il était là dans sa bagnole.

— Ah ouais... fit McCall en hochant la tête.

Voilà qui éclaircissait un peu les choses.

Rebus lui rendit la lettre et s'approcha du lit. Les draps étaient défaits. Trois flacons de médicaments vides se trouvaient sur la table de nuit, et une bouteille de cognac vide par terre.

— Monsieur a tiré sa révérence en grande pompe,

dit McCall. Avant ça, il s'est tapé deux bouteilles de pinard.

— Oui, j'ai vu ça dans le salon. Un Château-Lafite 1961. Réservé aux grandes occasions.

— On fait pas plus grand que ça, John.

Tous deux se retournèrent, sentant la présence d'une troisième personne dans la pièce. C'était le Paysan, essoufflé d'avoir gravi les marches.

— Vous parlez d'une situation embarrassante ! déclara-t-il. Un des principaux animateurs de notre campagne se suicide, et il ne trouve rien de mieux qu'une overdose ! On va avoir l'air de quoi, hein ?

— Comme vous dites, convint Rebus, c'est embarrassant.

— Je ne vous le fais pas dire, bougonna Watson en pointant Rebus de l'index. John, c'est à vous de veiller à ce que les médias ne fassent pas leurs choux gras de cette affaire.

— Bien, monsieur.

Watson jeta un coup d'œil vers le lit.

— Un type bien, quel gâchis ! On se demande ce qui peut pousser à en arriver là. C'est fou, regardez-moi cet appart' ! Il avait aussi une propriété quelque part sur une des îles. Une affaire prospère. Une voiture de luxe. Des tas de choses dont nous autres ne pouvons que rêver. Ça fait réfléchir, non ?

— Oui, monsieur.

— Bien, dit Watson, qui regarda le lit une dernière fois et attrapa Rebus par l'épaule. Je compte sur vous, John.

— Bien, monsieur.

McCall et Rebus observèrent leur supérieur tandis qu'il s'en allait.

— Nom d'un chien ! bougonna McCall. J'ai pas eu droit à un seul regard ! J'aurais pu ne pas être là.

— Tu devrais remercier ta bonne étoile, Tony. J'aimerais bien avoir le don d'être invisible, comme toi.

Tous deux échangèrent un sourire.

— C'est bon, t'as fini ? lui demanda McCall.

— Je vais faire un dernier tour, puis je te fiche la paix.

— Comme tu veux, John. Juste une chose.

— Quoi donc ?

— Qu'est-ce que tu foutais sur Calton Hill en pleine nuit ?

— Si seulement tu savais... lui lança Rebus avec un baiser en se dirigeant vers le salon.

La nouvelle allait faire beaucoup de bruit dans le coin. On n'y couperait pas. Les radios et les journaux auraient du mal à choisir quel titre méritait la une : *Arrestation d'un présentateur radio au cours de combats de chiens illégaux* ou *Suicide d'un baron de l'immobilier*. Quelque chose dans ce goût. Jim Stevens s'en serait donné à cœur joie. Sauf que Stevens était maintenant basé à Londres, où il avait, disait-on, épousé une gamine deux fois plus jeune que lui.

Rebus admirait ce genre de choix audacieux. Alors qu'il n'avait aucune admiration pour James Carew. Sur un point, Watson ne s'était pas trompé : Carew avait tout pour lui, à telle enseigne que Rebus le voyait mal se suicider juste parce qu'il avait croisé un flic sur Calton Hill. Non, cela avait peut-être servi de déclencheur, mais il y avait forcément *autre chose*. Une explication qui se trouvait peut-être quelque part dans l'appartement, ou dans les bureaux de Bowyer Carew sur George Street.

James Carew possédait beaucoup de livres. Rebus parcourut les rayonnages et vit surtout des ouvrages précieux aux titres prestigieux mais dont très peu avaient été lus : chaque fois qu'il en ouvrait un, le dos craquait. Les rayons tout en haut à droite retinrent particulièrement son attention. Des livres de Genet et d'Alexander Trocchi, *Maurice* de Forster et même *Last Exit to Brooklyn.* La poésie de Whitman, la trilogie de Fiersten. Pour l'essentiel des écrits homosexuels. Rien de mal à ça. En revanche, leur emplacement — tout en haut, à l'écart des autres livres — portait à croire que Carew avait honte de ce qu'il était. Une honte qui n'avait aucune raison d'être, pas à l'époque actuelle...

Enfin, il ne fallait pas non plus se leurrer. À cause du sida, l'homosexualité était de nouveau reléguée dans les recoins les plus sombres de la société. En dissimulant la vérité, Carew s'exposait à un sentiment de honte, et donc aux chantages en tout genre.

Mais, bien sûr ! Il arrivait qu'une personne victime de chantage soit acculée au suicide. Peut-être qu'une trace traînait quelque part : une lettre, un mot... *N'importe quoi*, pourvu que Rebus puisse se prouver qu'il n'était pas parano.

Il finit par mettre la main dessus.

Dans un tiroir. Fermé à clé, bien entendu, mais la clé se trouvait dans le pantalon de Carew. Comme il était mort en pyjama, ses habits n'avaient pas été emportés avec le cadavre, ils étaient toujours dans la chambre. Rebus revint dans le salon avec la clé. Un magnifique secrétaire, une antiquité de prix. On avait à peine la place d'y poser le coude et une feuille de format A4. Ce meuble, qui avait dû servir en son temps, n'était plus qu'un objet décoratif dans une somptueuse demeure. Rebus ouvrit précautionneusement le tiroir et en sortit un agenda de bureau relié en cuir. De belles pages, une par jour. Sans doute pas un agenda pour noter ses rendez-vous, puisqu'il était gardé sous clé. Un journal intime, alors. Rebus l'ouvrit, impatient. Sa déception fut immédiate. La plupart des pages étaient vierges. Tout au plus une ou deux lignes par page, griffonnées au crayon.

Rebus lâcha un juron.

Bon. C'était mieux que rien. Il s'arrêta sur une des pages avec des annotations. Une écriture régulière et pâle, au crayon. *Jerry, 16 h.* Un simple rendez-vous. Il consulta la page correspondant au jour du déjeuner à l'Eyrie. Rien. Tant mieux : cet agenda n'était pas destiné aux déjeuners d'affaires. De toute manière, très peu de choses y étaient notées. Rebus ne doutait pas que l'agenda de l'agence fût beaucoup plus chargé. Ici, il s'agissait de vie privée.

Lindsay, 6 h 30.

Marks, 11 h.

Ce jour-là, il avait commencé tôt. Marks... Deux individus portant le prénom Mark ? Ou bien un nom de famille ? Et pourquoi pas Marks & Spencer... Lindsay, Jerry — des noms androgynes, anonymes. Il lui fallait un numéro de téléphone, une adresse.

Il tourna la page. Et lut deux fois ce qui était inscrit sur la suivante. Il passa son doigt sur les lettres.

Hyde, 22 h.

Hyde... Le nom que James lui avait fourni. La méprise concernant ce que Ronnie avait dit à Tracy.

Rebus poussa un petit cri de victoire. Il tenait enfin son lien, même s'il était ténu. Un lien entre Ronnie et James Carew. Quelque chose de plus que les rencontres passagères sur Calton Hill. Un nom. Il feuilleta rapidement le reste de l'agenda. Hyde y figurait à trois autres endroits. Toujours le vendredi, à une heure tardive — l'heure à laquelle les affaires commençaient sur Calton Hill. Toujours le deuxième ou le troisième vendredi du mois. Quatre fois en six mois.

— T'as trouvé quelque chose ? demanda McCall en jetant un coup d'œil par-dessus l'épaule de Rebus.

— Oui... dit-il avant de se raviser. En fait, non. Rien d'extraordinaire, Tony. Juste un vieil agenda. Mais notre lascar n'était pas porté sur l'écriture.

McCall hocha la tête et s'éloigna. Il était davantage intéressé par la chaîne hi-fi.

— Monsieur avait bon goût, dit-il en l'examinant. Une platine Linn. Tu sais combien ça vaut, John ? Une fortune. Ça ne paye pas de mine, mais ces gens-là savent ce qu'ils font.

— Un peu comme nous, alors ? lança Rebus.

Il avait vraiment très envie de fourrer l'agenda dans sa poche. Pas très légal. Et puis, qu'est-ce qu'il en ferait ? Peut-être rien, mais Tony McCall tournait justement le dos... Non, il ne pouvait pas faire ça. Il le laissa retomber bruyamment et referma le tiroir à clé. Puis il rendit la clé à McCall qui était toujours accroupi devant la chaîne.

— Merci, John. Tu sais, c'est vraiment du sacré matos.

— Je ne savais pas que ça t'intéressait.

— Depuis que je suis gosse. J'ai dû me séparer de ma chaîne quand je me suis marié : ça faisait trop de boucan. Alors, on va trouver des réponses ici ?

Il se releva.

— Je pense qu'il gardait tous ses secrets dans sa cervelle, dit Rebus en secouant la tête. C'était quelqu'un de très réservé. Non, à mon avis il a emporté toutes les réponses avec lui dans la tombe.

— Bien, bien. Comme ça, c'est une affaire classée et entendue.

— Claire comme de l'eau de roche, Tony.

Quelle expression avait employée le vieux Vanderhyde, déjà ? Oui, brouiller les cartes... Rebus avait la très forte intuition que toutes ces énigmes devaient avoir une solution simple, on ne peut plus limpide. Tout le problème, c'était que des fils parasites venaient s'y enchevêtrer. *J'abuse des métaphores ? C'est bien mon droit !* Une seule chose importait : démêler l'écheveau pour en extraire ce diamant qu'on appelait vérité.

Il sentait aussi que tout était affaire de classement. Il devait identifier chacun des fils et repartir de là. Jusque-là, il avait commis l'erreur de vouloir les tisser ensemble, pour obtenir un motif qui n'existait peut-être pas. En séparant chaque fil, il se donnerait peut-être les moyens de résoudre le tout.

Ronnie s'était suicidé. Tout comme Carew. Ce qui faisait un deuxième point commun, en plus du mystérieux Hyde. Un client de Carew ? Qui réinvestissait dans la pierre les profits de son trafic de drogue ? Un lien qui serait tout trouvé. Hyde. Forcément un nom d'emprunt. Combien de Hyde trouvait-on dans le Bottin ? Oui, un pseudo. Après tout, les prostitués masculins travaillaient rarement sous leur vraie identité. Hyde. Jekyll et Hyde. Une coïncidence de plus ? Le livre que Rebus était en train de lire le soir où Tracy avait débarqué. Fallait-il en fait chercher un Jekyll ? Le bon docteur, admiré de tous ; cette petite brute de Hyde étant l'alter ego, une créature de la nuit. Il se souvint des silhouettes sombres entraperçues sur Calton Hill... se pouvait-il que la solution fût aussi évidente ?

Il se gara à la seule place libre devant le poste de Great London Road et gravit les marches familières. Elles semblaient de plus en plus hautes au fil des ans, et il aurait juré qu'elles étaient plus nombreuses que la première fois qu'il avait mis les pieds ici... et cela ne faisait jamais que six ans. Pas si long que ça, au regard d'une vie. Alors, pourquoi se sentait-il comme Sisyphe ?

— Salut, Jack, lança-t-il au sergent de faction.

Contrairement à ses habitudes, celui-ci ne hocha pas la tête. Rebus s'en étonna. Jack n'avait rien d'un boute-en-train, mais il ne rechignait pas à faire fonctionner les muscles de son cou. Son vague hochement de tête, insulte aussi bien qu'approbation, était légendaire. Mais ce jour-là, rien.

Rebus choisit de ne pas relever l'affront et s'engagea dans l'escalier. Deux agents qui descendaient se turent en le croisant. Il rougit, mais accéléra le pas. Compris : sa braguette devait être ouverte, ou bien il avait une saleté sur le nez. Quelque chose du genre. Il vérifierait ça tranquillement là-haut.

Holmes était installé à son bureau, en train d'éplucher des petites annonces. Quand Rebus entra, il se leva précipitamment et replia son journal, tel un gamin surpris avec une revue porno.

— Salut, Brian, dit Rebus en accrochant sa veste à la porte. Écoute, j'ai besoin que tu me fasses la liste de tous les Jekyll et tous les Hyde d'Édimbourg, avec leur adresse. Je sais que ça peut paraître crétin, mais contente-toi de le faire. Ensuite...

— Je pense que vous feriez mieux de vous asseoir, dit Holmes d'une voix tremblante.

Rebus le dévisagea, vit la peur dans son regard et comprit que le pire était arrivé.

Rebus poussa brusquement la porte de la salle d'interrogatoire. Son visage était rouge comme une tomate. Holmes suivait, craignant que son supérieur ne soit sur le point de faire une crise cardiaque. Deux policiers se trouvaient là, en manches de chemise comme après une séance éprouvante. Ils se retournèrent en entendant Rebus entrer et celui qui était assis se leva, l'air de vouloir en découdre. De l'autre côté de la table, le gamin à face de fouine que Rebus connaissait sous le nom de James glapit et se leva précipitamment, faisant tomber sa chaise avec fracas sur le sol en pierre.

— Le laissez pas s'approcher de moi ! s'écria-t-il.

— Voyons, John... commença à dire le sergent Dick, un des deux policiers.

Rebus leva la main pour montrer qu'il n'avait pas l'intention d'être violent. Ses deux collègues échangèrent un regard, hésitant à le croire.

Il fixa l'adolescent droit dans les yeux.

— Tu vas récolter ce que tu mérites, dit-il, alors tu ferais mieux de m'aider. Je te tiens par les couilles et je ne vais pas te lâcher. Crois-moi.

De la colère sourde et contenue transparaissait dans sa voix. Mais l'ado comprit que les autres étaient prêts à s'interposer, que Rebus ne représentait aucun danger physique. Il afficha un rictus moqueur.

— Ouais, c'est ça, dit-il d'un ton méprisant.

Rebus voulut lui sauter dessus, mais Holmes le retint par l'épaule.

— Arrête, John, le mit en garde Cooper. Laisse-nous faire, ça ne va pas être long.

— Tu parles ! grogna Rebus.

Holmes le fit sortir et Rebus se retrouva dans le couloir ténébreux, vidé de sa colère, la tête baissée. Il n'arrivait pas à y croire...

— Inspecteur Rebus !

Tous deux tournèrent la tête vers une femme policier. Elle n'en menait pas large.

— Oui ? parvint tout juste à dire Rebus, ravalant sa salive.

— Le superintendant demande à vous voir dans son bureau. C'est urgent.

— Je n'en doute pas.

Le voyant avancer vers elle, l'allure menaçante, la jeune femme battit en retraite vers la réception où il faisait grand jour.

— Sauf votre respect, monsieur, c'est un putain de coup monté !

N'oublie jamais la règle en or, John, se répétait Rebus. Ne jamais jurer devant un supérieur sans ajouter « sauf votre respect ». Il avait appris ça à l'armée. À condition que vous prononciez ces trois mots, la hiérarchie ne pouvait pas vous poursuivre pour insubordination.

— John, dit Watson en admirant ses doigts croisés comme la huitième merveille du monde. Nous sommes tenus d'enquêter, John. C'est notre devoir. Je sais bien que c'est ridicule, comme tout le monde, mais il faut qu'on le *prouve*. C'est notre devoir.

— Tout de même...

Watson l'interrompit d'un geste et se remit à jouer avec ses doigts.

— De toute façon, vous êtes suspendu d'office jusqu'à ce que notre petite campagne soit lancée.

— Oui, monsieur, mais c'est justement ce qu'il cherche.

— Il ?

— Un certain Hyde. Il veut que je laisse tomber l'enquête sur la mort de Ronnie McGrath. C'est ce qui explique tout ça. Je suis victime d'un coup monté.

— Peut-être bien, mais il n'en demeure pas moins qu'on a porté plainte contre vous.

— Ce petit connard en bas ?

— Il prétend que vous lui avez donné de l'argent. Vingt livres, je crois bien.

— C'est vrai que je lui ai donné vingt livres, mais pas pour me faire sauter, bon sang !

— Pour quoi faire, alors ?

Rebus aurait voulu répondre, mais il s'avoua vaincu. Pourquoi avait-il filé du fric à ce James ? Il s'était piégé tout seul comme un grand. Hyde n'aurait pas pu s'y prendre mieux. Et maintenant le petit salopard crachait aux enquêteurs son discours appris par cœur. Et on pouvait dire ce qu'on voulait, la boue ne partait jamais complètement. L'eau et le savon n'y feraient rien. Le petit con !

Il fit une dernière tentative.

— C'est faire le jeu de Hyde, monsieur. Si cette histoire est vraie, pourquoi a-t-il attendu aujourd'hui ? Qu'est-ce qui l'empêchait de porter plainte hier ?

Mais Watson avait pris sa décision.

— Non, John. Je vous demande de disparaître un jour ou deux. Vous pouvez même prendre une semaine. Faites ce qui vous plaît, mais ne vous mêlez pas de cette affaire. Ne vous en faites pas, on va tirer ça au clair. On va lui réduire sa fable en charpie. Une fois qu'on aura trouvé où ça ne colle pas, tout va s'écrouler. Ça, faites-nous confiance.

Rebus fixa Watson. Ce qu'il disait ne manquait pas de sens ; c'était même plutôt subtil et malin. Tout compte fait, le Paysan n'était peut-être pas si rustre que ça...

— Comme vous voudrez, dit-il en soupirant.

Watson opina du chef en souriant.

— Au fait, John : vous vous souvenez de cet Andrews qui possède un club, le Finlay's ?

— On a déjeuné avec lui, monsieur.

— C'est ça. Il me propose de devenir membre.

— Tant mieux pour vous, monsieur.

— Apparemment, il y a une liste d'attente d'un an... tous ces richards d'Anglais qui viennent nous envahir. Mais pour moi, il propose de faire accélérer les choses. J'ai refusé. Je bois très peu, et je ne joue jamais. Malgré tout, le geste est sympathique. Je devrais peut-être vous proposer à ma place. Ça vous occuperait ces quelques jours, hein ?

Rebus considéra l'offre. Boire et jouer : un bon mélange. Son visage s'éclaircit.

— Merci, monsieur. Ce serait très aimable de votre part.

— Bien, je vais voir ce que je peux faire. Une dernière chose.

— Oui, monsieur ?

— Vous comptez aller chez Malcolm Lanyon ce soir ? Vous vous souvenez qu'il nous a invités quand on l'a croisé à l'Eyrie ?

— J'avais complètement oublié. Serait-il... plus convenable que je m'abstienne ?

— Pas du tout. Je ne suis pas sûr de pouvoir passer, mais je ne vois aucune raison pour que vous n'y alliez pas. Par contre, pas un mot sur...

Il pointa le menton vers la porte, désignant ainsi la salle d'interrogatoire du sous-sol.

— Compris, monsieur. Merci.

— Au fait, John...

— Oui, monsieur ?

— Ne jurez jamais devant moi. Que vous disiez « sauf votre respect » ou non. OK ?

Rebus se mit à rougir, pas de colère mais de honte.

— Oui, monsieur, dit-il en sortant.

Holmes attendait avec impatience dans le bureau de Rebus.

— Alors, qu'est-ce qu'il voulait ?

— Qui ça ? fit Rebus avec une suprême nonchalance. Ah, tu parles de Watson ? Me prévenir qu'il proposait ma candidature au Finlay's.

— Le club ? dit Holmes d'un air interloqué.

Il ne s'attendait vraiment pas à ça.

— Tout à fait. À mon âge, je trouve d'ailleurs que je mérite de faire partie d'un club, non ?

— Je ne sais pas.

— Oui, et il voulait aussi me rappeler que j'étais invité ce soir chez Malcolm Lanyon.

— L'avocat ?

— Tout à fait, dit Rebus, ravi de mener Holmes par le bout du nez. Pendant que je taillais une bavette avec le chef, j'espère que tu as bien bossé.

— Hein ?

— Les Jekyll et les Hyde, Brian. Je t'ai demandé une liste avec les adresses.

— La voici. Dieu merci, elle est pas très longue. J'imagine que c'est moi qui vais user mes semelles ?

Rebus le dévisagea d'un air sidéré.

— Pas du tout ! Tu as mieux à faire pour occuper ton temps. Non, cette fois, je pense que c'est à mon tour.

— Mais... Sauf votre respect, vous ne feriez pas mieux de vous tenir à l'écart ?

— Avec tout le respect que je te dois, mon cher Brian, c'est pas tes oignons !

Chez lui, Rebus essaya en vain de joindre Gill Templar. C'était normal qu'elle ait besoin de prendre du champ. La veille, elle était restée toute silencieuse dans sa voiture et ne lui avait pas proposé de monter prendre un verre. Ça se comprenait. Pas question de profiter... dans ce cas, pourquoi l'appeler ? Bien sûr qu'il voulait en profiter ! Il avait envie de la récupérer.

Il rangea le salon, fit un peu de vaisselle et sortit avec un sac bourré de linge sale. Mme Mackay, qui tenait le pressing, était indignée par l'affaire McCallum.

— Une vedette, j'vous prie ! Ça d'vrait montrer l'exemple !

Rebus sourit et acquiesça d'un hochement de tête.

De retour à l'appartement, il prit un bouquin et s'installa pour lire, tout en sachant très bien qu'il n'avait pas la tête à ça. Il ne voulait pas s'avouer vaincu face à Hyde, qui pourtant risquait fort de l'emporter si on le tenait écarté de l'enquête. Il sortit la feuille de la poche de son veston. Aucun Jekyll dans les Lothians, et seulement une petite douzaine de Hyde. Pour ceux qui n'étaient pas sur liste rouge. Il demanderait à Holmes d'explorer aussi cette piste.

Il prit le téléphone et avait composé la moitié des chiffres quand il s'aperçut qu'il était en train d'appeler Gill au bureau. Il continua. De toute façon, elle n'y serait pas.

— Allô ?

La voix de Gill Templar, imperturbable à son habitude. Facile de jouer la comédie au téléphone.

— C'est John.

— Salut. Merci de m'avoir raccompagnée.

— Comment te sens-tu ?

— Ça va, honnêtement. Je me sens juste un peu... si je dis perdue, ce n'est pas tout à fait ça. J'ai l'impression de m'être fait avoir. Je ne peux pas trouver mieux comme explication.

— Tu comptes aller le voir ?

— Quoi ? Dans le Fife ? Non, je ne crois pas. Le problème, ce n'est pas tant de me retrouver en face de lui. Ça, j'y tiens plutôt. Non, c'est l'idée de mettre les pieds dans un poste de police où tout le monde me reconnaîtra et saura très bien pourquoi je suis là.

— Je peux t'accompagner, si tu veux.

— Merci, John. Peut-être d'ici un jour ou deux. Là, c'est trop tôt.

— Compris.

Il se rendit compte qu'il serrait le combiné très fort, au point d'avoir mal aux doigts. Putain, il avait mal partout ! Avait-elle la moindre idée de ce qu'il ressentait à la seconde même ? Il était persuadé qu'il aurait été incapable d'exprimer ses émotions avec des mots. Les mots n'existaient pas. Il se sentait si proche d'elle, et pourtant si loin, comme un gamin qui vient de se faire larguer par sa première petite amie.

— Merci d'avoir appelé, John. Ça me touche. Mais il faut que je retourne...

— Oui, oui, tu as raison. Bon, tu as mon numéro, Gill. Prends soin de toi.

— Salut, J...

Il raccrocha. Ne sois pas trop pressant avec elle, se dit-il. C'est comme ça que tu l'as perdue la première fois. Ne décide pas pour elle. Elle n'aime pas du tout ça. Laisse-la respirer. Peut-être qu'il aurait mieux fait de ne pas appeler. Et puis merde !

Sauf votre respect.

Cette fouine de James. Quel petit connard ! Il lui arracherait la tronche dès qu'il lui mettrait la main dessus. Hyde avait dû le payer grassement. Plus que deux billets de dix livres, à coup sûr.

Le téléphone sonna.

— Rebus à l'appareil.

— John, c'est Gill. Je viens d'apprendre la nouvelle. Pourquoi tu ne m'as rien dit ?

— Dit quoi ? demanda-t-il avec une indifférence feinte, en sachant qu'elle ne serait pas dupe.

— Qu'on avait porté plainte contre toi.

— Ah, ça ! Allons, Gill, ce sont des choses qui arrivent.

— Oui, mais pourquoi tu ne m'as rien dit ? Pourquoi tu m'as laissée jacasser comme ça ?

— Tu ne jacassais pas.

— Et puis merde ! s'emporta-t-elle, au bord des larmes. Pourquoi t'as toujours besoin de me cacher les choses ? C'est quoi ton problème ?

Il était sur le point de s'expliquer quand elle raccrocha. Il fixa bêtement le téléphone, se demandant *pourquoi* il ne lui avait pas dit les choses d'emblée. Parce qu'elle avait ses propres soucis ? Parce qu'il était embarrassé ? Parce qu'il ne voulait pas de la pitié d'une femme vulnérable ? Les raisons ne manquaient pas.

Des raisons valables ?

Bien sûr, mais aucune ne le réconfortait. *Pourquoi t'as toujours besoin de me cacher les choses* ? Toujours ce mot : cacher. « Hide » le verbe ; « Hyde » le nom. Un lieu ou une personne. Sans visage, mais que Rebus commençait à bien connaître. L'adversaire était rusé, aucun doute là-dessus. Par contre, il se trompait s'il s'imaginait pouvoir faire son affaire de John Rebus, comme il avait déjà réglé les problèmes Ronnie McGrath et James Carew.

Le téléphone sonna encore une fois.

— Rebus à l'appareil.

— C'est Watson, John. Je suis content de vous trouver chez vous.

Parce que ça veut dire, ajouta Rebus dans sa tête,

que je ne suis pas dans la nature en train de vous attirer des ennuis.

— Oui, monsieur ? Il y a un problème ?

— Bien au contraire. On est toujours en train d'interroger le prostitué. Il ne devrait plus y en avoir pour très longtemps. En attendant, je vous appelle parce que j'ai eu le casino.

— Le casino, monsieur ?

— Mais oui, Finlay's.

— Ah, j'y suis !

— Vous pouvez passer quand ça vous chante. Dites que vous venez de la part de Finlay Andrews et on vous laissera entrer.

— Bien, monsieur. Je vous remercie.

— Tout le plaisir est pour moi, John. Dommage que vous soyez sur la touche, avec cette affaire de suicide. La presse s'est jetée dessus ; ils flairent le moindre ragot. Dur métier que le nôtre !

— Oui, monsieur.

— C'est McCall qui répond à leurs questions. Pourvu qu'ils ne me le mettent pas à la télé ! Pas très photogénique, le bougre.

Son ton semblait indiquer que la faute en revenait à Rebus, et ce dernier était sur le point de se confondre en excuses quand le superintendant plaça sa main sur le micro pour échanger quelques mots avec quelqu'un. Quand il le reprit, ce fut pour raccrocher précipitamment.

— J'ai une conférence de presse, expliqua-t-il.

Rebus fixa le téléphone une bonne minute : si quelqu'un d'autre voulait appeler, que ce soit tout de suite ! Personne ne se manifestant, il jeta l'appareil, qui tomba par terre avec fracas. Il espérait bien le casser un de ces quatre, ce qui lui donnerait l'excuse de racheter un bon vieux modèle. Mais ce fichu machin était beaucoup plus solide qu'il n'y paraissait.

Il venait de reprendre son livre quand on frappa à la porte. Trois coups de heurtoir. Ce n'était donc pas Mme Cochrane qui s'inquiétait de savoir quand il briquerait l'escalier, mais une visite de boulot.

Brian Holmes.

— Je peux entrer ?

— Pourquoi pas... répondit Rebus sans grand enthousiasme.

Il laissa la porte entrouverte et retourna dans le salon ; libre au jeune flic de l'y suivre. Holmes l'accompagna avec une bonne humeur qui sonnait faux.

— J'ai visité un appart' à Tollcross, alors je me suis dit...

— Épargne-moi les excuses bidon, Brian. T'es là pour me surveiller. Alors, il s'est passé quoi pendant mon absence ? Remarque, dit-il en consultant sa montre, ça fait un peu moins de deux heures.

— Ah, je me faisais du souci, c'est tout.

Rebus le regarda. Simple, direct, droit au but. Après tout, peut-être que Holmes pouvait lui donner une ou deux leçons.

— C'est pas les ordres du Paysan ?

— Pas du tout. J'avais vraiment un appart' à visiter.

— Et alors, c'était comment ?

— Épouvantable comme c'est pas permis. La cuisinière dans le salon, la douche dans un placard minuscule. Ni salle de bains ni cuisine.

— Ils en demandaient combien ? Non, tout compte fait, ne me dis pas. Ça va me déprimer.

— Et moi donc !

— Tu pourras toujours racheter le mien quand on me foutra au trou pour détournement de mineur.

Voyant que Rebus plaisantait, Holmes sourit avec soulagement.

— La version du type s'effiloche déjà.

— Parce que tu en doutais ?

— Pas du tout. Mais bon, je vous ai apporté ça. Je me disais que ça vous remonterait le moral.

Holmes brandit une enveloppe en papier kraft qui était discrètement glissée dans sa veste. Une veste en velours côtelé que Rebus voyait pour la première fois ; sans doute une tenue réservée aux prospections immobilières.

— C'est quoi ? demanda-t-il en prenant l'enveloppe.

— Des photos. L'opération d'hier soir. J'ai pensé que ça vous intéresserait.

Rebus ouvrit l'enveloppe et en sortit une série de clichés 18 x 24 en noir et blanc. On y voyait les silhouettes plus ou moins nettes d'hommes en train de détaler sur un terrain vague. La lumière avait quelque chose de cru, comme un éclairage à l'halogène. Les ombres étaient allongées, les visages pâles comme de la craie, pétrifiés de surprise.

— Comment tu te les es procurées ?

— C'est le sergent Hendry qui me les a adressées, avec un petit mot au sujet de Nell. Il pensait que ça me remonterait le moral.

— Je t'avais dit que c'était un type sympa. Tu ne saurais pas lequel de ces crétins est l'animateur ?

Holmes se leva et s'accroupit à côté de Rebus qui tenait une des photos.

— Pas celle-ci, dit Holmes. On le voit mieux sur une autre.

Il les passa en revue jusqu'à ce qu'il trouve la bonne.

— Voilà. McCallum, c'est lui.

Rebus contempla le portrait flou. La trouille était tellement évidente qu'on aurait pu croire à un dessin d'enfant. Les yeux écarquillés, la bouche formant un rond, les bras suspendus en l'air, comme pris entre la fuite et la reddition. Le sourire de Rebus se communiqua à ses yeux.

— T'es sûr que c'est lui ?

— Un agent l'a reconnu au poste. McCallum lui a signé un autographe une fois.

— Quel veinard ! Pour les autographes, ça risque de se calmer. Ils l'ont placé où ?

— Toutes les personnes arrêtées sont au poste de Dunfermline.

— Ça va pour eux. Au fait, ils ont coincé les organisateurs ?

— Tout le monde. Y compris Brightman, le grand chef.

— Davy Brightman ? Le ferrailleur ?

— C'est ça.

— J'ai joué contre lui une ou deux fois, quand je faisais du foot à l'école. Il jouait arrière gauche, et moi j'étais à l'aile. Je me souviens d'un match où il ne m'a pas raté, le salaud !

— La revanche est douce.

— Je ne te le fais pas dire, Brian, déclara Rebus qui regardait de nouveau la photo.

— En fait, un ou deux parieurs ont réussi à filer, mais on a leurs photos. La pellicule ne ment jamais, hein ?

Rebus examina les autres clichés.

— Oui, l'appareil photo est un outil puissant, acquiesça-t-il distraitement.

Soudain, son expression changea du tout au tout.

— Ça va, monsieur ?

La voix de Rebus n'était plus qu'un murmure.

— La révélation vient de me tomber dessus, Brian. Comment on appelle ça, déjà ?... Une épi quelque chose...

— J'ai aucune idée, monsieur, bafouilla Holmes.

Plus aucun doute : son chef venait de péter un câble.

— Une épiphanie, c'est ça. J'ai compris le pourquoi du comment, Brian. J'en suis sûr. Le salopard de Calton Hill m'a parlé de photos, des photos que tout le monde voulait. C'est forcément les photos de Ronnie !

— Quoi ? Les photos dans sa chambre ?

— Non, pas celles-là.

— Alors celles du Studio Hutton ?

— Pas tout à fait. Non, je ne sais pas *où* sont ces photos, mais j'ai ma petite idée. « Hide » et « Hyde », Brian : c'est toute la clé de l'énigme. Allez, on y va.

— Où ça ?

Rebus bondit de son fauteuil et se précipita vers la porte. Holmes commença à ramasser les photos qu'il avait laissées tomber par terre.

— T'occupe, lança Rebus en enfilant un blouson.

— Merde, on va où ?

— Tu ne penses pas si bien dire, mon garçon, répondit Rebus avec un petit air malin.

Il commençait à faire froid. Épuisé, le soleil était sur le point d'abandonner la partie. À travers les nuages d'un rose de sparadrap, deux ultimes rayons étaient braqués comme des faisceaux de torche sur un pavillon de Pilmuir, ignorant tous les autres. Rebus inspira longuement. Une scène magnifique.

— On dirait l'étable de Bethléem, fit remarquer Holmes.

— Vachement bizarre comme étable ! rétorqua

Rebus. Si c'est Dieu qui nous fait une plaisanterie, je trouve son sens de l'humour un peu limite.

— C'est juste Cecil B. DeMille qui fait des siennes.

— Tiens, qu'est-ce qui se passe là-bas ?

À peine visibles dans la luminosité éblouissante, une camionnette et une benne étaient garées devant la maison de Ronnie.

— La municipalité ? suggéra Holmes. Sans doute qu'ils font nettoyer la baraque.

— Pourquoi, nom de Dieu ?

— Beaucoup de gens attendent un logement.

Rebus ne l'écoutait pas. La voiture n'était pas sitôt arrêtée qu'il descendit et fonça vers la benne. Toutes sortes de détritus provenant du squat s'y entassaient. Des coups de marteau retentissaient dans la maison. À l'arrière de la camionnette, un ouvrier tenait un Thermos dans une main et un gobelet en plastique dans l'autre.

— Qui est le chef de chantier ? lui demanda sèchement Rebus.

L'ouvrier souffla sur le breuvage et en but une gorgée avant de répondre.

— Moi, j'imagine.

Son regard était méfiant. Il était capable de repérer l'autorité à des kilomètres.

— J'ai droit à une pause, ajouta-t-il.

— Peu m'importe. Qu'est-ce qui se passe dans la baraque ?

— Qui veut le savoir ?

— La police.

L'homme fixa durement Rebus, qui en avait vu d'autres, et se décida promptement.

— Eh bien, on nous a dit de passer pour remettre la bicoque en état. Histoire que ce soit habitable.

— Qui a donné l'ordre ?

— Je ne sais pas. Quelqu'un. Nous, on reçoit l'avis et on vient faire le boulot.

— Bon, dit Rebus, qui lui tourna le dos et emprunta l'allée en direction de la porte d'entrée.

Holmes adressa un sourire contrit à l'ouvrier et le suivit. Dans le salon, deux hommes portant des bleus de travail et des gants en caoutchouc blanchissaient les murs à la chaux. Le pentacle de Charlie était déjà recouvert, son contour à peine visible sous la couche blanche. Les ouvriers jetèrent un coup d'œil à Rebus, puis au mur.

— Ça se verra plus avec la couche suivante, dit l'un d'eux. Vous en faites pas.

Rebus le fixa, puis sortit de la pièce en passant devant Holmes. Il gravit l'escalier et entra dans la chambre. Un ouvrier, beaucoup plus jeune que les autres, rassemblait les quelques affaires de Ronnie dans un sac en plastique noir. Au moment où Rebus entra, le gamin se figea : il était en train de glisser un bouquin dans la poche de sa combinaison.

Rebus pointa l'index vers le livre.

— Remets ça dans le sac, mon gars. La famille va récupérer les affaires.

Persuadé par son ton, le jeune homme obéit.

— T'as trouvé autre chose d'intéressant ? lui demanda Rebus en s'avançant, les mains dans les poches.

— Rien, répondit-il d'un air coupable.

Rebus fit comme s'il n'avait obtenu aucune réponse.

— Des photos, en particulier. Peut-être une pochette entière, ou juste quelques-unes. Alors ?

— Non. Aucune photo.

— T'es sûr ?

— Ouais.

— OK. Descends à la camionnette et ramène-moi un pied-de-biche ou quelque chose du genre. Je veux qu'on démonte les lattes du plancher.

— Hein ?

— Tu m'as très bien entendu. Allons, dépêche-toi.

Holmes avait observé la scène en silence, épaté. Rebus lui paraissait métamorphosé, plus grand et plus baraqué. Comment faisait-il ? Cela venait peut-être des mains dans les poches, avec les coudes écartés qui créaient l'illusion d'une silhouette plus étoffée. En tout cas, ça marchait. Le jeune ouvrier ne se fit pas prier pour filer vers l'escalier.

— Vous êtes sûr qu'on va les retrouver ici ? demanda Holmes d'une petite voix.

Il s'efforçait de garder un ton neutre, pour ne pas paraître trop dubitatif. Rebus n'en était plus à de telles considérations. Pour lui, c'était comme s'il avait déjà les photos en main.

— J'en suis convaincu, Brian. *Je les sens*.

— Vous êtes sûr que c'est pas plutôt les toilettes ?

Rebus se tourna vers lui et le dévisagea, comme s'il venait de découvrir sa présence.

— Tu viens peut-être de mettre le doigt sur quelque chose, Brian. Peut-être bien.

Holmes le suivit jusqu'à la salle de bains. Quand Rebus ouvrit la porte d'un coup de pied, la puanteur leur tomba dessus. Ils se plièrent en deux, saisis d'un haut-le-cœur. Rebus sortit un mouchoir de sa poche, le plaqua sur son visage et se pencha pour attraper la poignée et refermer la porte.

— J'avais complètement oublié, dit-il. Attends-moi ici.

Il revint avec le chef de chantier, une pelle, une poubelle en plastique et trois masques jetables. Il en tendit un à Holmes. Celui-ci enfila l'embout en carton maintenu en place par un élastique et inspira profondément. Il était sur le point de faire remarquer qu'on sentait toujours l'odeur quand Rebus ouvrit la porte du bout du pied et pénétra dans la salle de bains, éclairé par la torche que brandissait l'ouvrier. Rebus lui fit signe de braquer le faisceau sur la baignoire et posa la poubelle devant. Holmes manqua de tomber en arrière. Interrompu dans son festin parmi les ordures pourries, un gros rat couina, ses yeux rouges fixant la lampe. D'un coup de pelle, Rebus trancha la bestiole en deux. Holmes sortit précipitamment de la pièce, retira son masque et vomit sur un des murs suintants. Il essaya de respirer par petites bouffées, mais la puanteur était telle que la nausée revenait aussitôt.

L'ouvrier et Rebus échangèrent un sourire, le regard pétillant au-dessus du masque. Les deux briscards en avaient vu d'autres. Bien pire que ça. Pour autant, n'ayant aucune envie de s'attarder là plus que nécessaire, ils se mirent au boulot : l'ouvrier tenait la lampe, tandis que Rebus transférait lentement le contenu de la baignoire dans la poubelle. Les immondices dégoulinaient de la pelle, éclaboussant le pantalon et la chemise de Rebus. Il n'y prêtait aucune attention, concentré uniquement sur la tâche du moment. Il s'était coltiné des corvées bien plus dégoûtantes à l'armée, au cours de sa formation avortée dans les SAS. Par comparaison, c'était la routine. En plus, il s'agissait là d'un boulot avec un but précis, un objectif.

Du moins l'espérait-il.

En attendant, Holmes essuya ses yeux larmoyants avec le dos de sa main. Par la porte entrouverte, il suivait la progression des opérations. La lampe projetait des ombres inquiétantes sur les murs et au plafond : une silhouette balançant bruyamment ses pelletées de merde dans la poubelle. On aurait dit une scène de *L'Enfer* de Dante : ne manquaient que les diables pour tyranniser les pauvres travailleurs. D'ailleurs, faute de s'acquitter de leur tâche avec joie, ceux-ci y mettaient... du *professionnalisme*, voilà le mot qui venait à l'esprit. Mon Dieu, songea Holmes. Je ne demande pas grand-chose, juste un appart' à moi, quelques vacances de temps en temps, une bagnole correcte. Et Nell, bien entendu. Un jour, il lui raconterait cet épisode et ça la ferait bien rire. Pour l'instant, il avait envie de tout sauf de sourire.

Quand il entendit le fou rire, il jeta un coup d'œil à la ronde et mit une ou deux secondes avant de comprendre que ça venait de la salle de bains, que le rire était celui de John Rebus, lequel plongea les mains dans la baignoire et les ressortit en brandissant quelque chose. Holmes ne remarqua même pas les gants en caoutchouc qui le protégeaient jusqu'aux coudes. N'en pouvant plus, il se retourna et descendit au rez-de-chaussée sur ses jambes flageolantes.

— Bonne pioche ! s'exclama Rebus.

— Il y a un tuyau d'arrosage dehors, lui dit l'ouvrier.

— Je vous suis... Je te suis, McDuff, se reprit Rebus en secouant le paquet pour faire tomber quelques saletés.

— En fait, je m'appelle MacBeth, lui lança l'ouvrier qui se dirigeait vers l'escalier.

Dehors, où l'air était frais et pur, ils posèrent le paquet contre la façade de la maison et l'arrosèrent. Rebus l'examina de plus près. Un emballage en tissu, fait d'un tee-shirt ou d'un vêtement quelconque, entouré d'un sac en plastique rouge, comme ceux qu'on vous donne chez les disquaires. Le tout était attaché avec du scotch, l'équivalent d'un rouleau entier, et de la ficelle avec un beau nœud au milieu.

— T'étais sacrément futé, mon salaud, hein ? murmura Rebus en emportant le paquet. Nettement plus malin qu'ils ne pouvaient tous s'en douter.

Il raccompagna l'ouvrier à sa camionnette, se débarrassa des gants en caoutchouc et lui serra la main ; ils échangèrent quelques adresses de pubs avec la promesse de s'en enfiler une un de ces soirs. Puis il se dirigea vers sa voiture ; Holmes le suivait d'un air penaud. Pendant le trajet jusqu'à l'appartement de Rebus, Holmes n'osa pas lui demander de baisser les vitres.

Rebus était tout excité, comme un gamin qui vient de trouver un cadeau le jour de son anniversaire. Il serrait le paquet contre sa poitrine, tachant un peu plus sa chemise, et n'avait pourtant pas du tout l'air pressé de l'ouvrir. Maintenant qu'il le tenait, il pouvait retarder la révélation. Ça suffisait à son bonheur.

Mais quand ils arrivèrent à l'appartement, l'humeur de Rebus changea brusquement et il se précipita dans la cuisine pour y prendre une paire de ciseaux. Pendant ce temps, Holmes s'excusa et fila dans la salle de bains ; il se frotta vigoureusement les mains, les bras et le visage. Sa tête le démangeait et il aurait donné cher pour passer une heure ou deux sous la douche.

Au moment où il sortit dans le couloir, il entendit une plainte en provenance de la cuisine. C'était l'opposé du rire dans la salle de bains à Pilmuir : une sorte de geignement exaspéré. Il se précipita dans la cuisine, et vit Rebus, prostré devant le plan de travail, les mains plantées dessus comme pour se soutenir. Le paquet ouvert était posé devant lui.

— John ? Qu'est-ce qui se passe ?

Rebus s'exprima d'une voix éteinte, soudain gagnée par la fatigue.

— Putain, c'est les photos d'un combat de boxe. Rien de plus. Des photos de boxe à la con !

Holmes s'approcha lentement, craignant que le moindre bruit ne le fasse craquer pour de bon.

— Peut-être, suggéra-t-il en jetant un coup d'œil par-dessus l'épaule de Rebus, une personne du public... Ce Hyde pourrait être un des spectateurs.

— Le public est complètement flou. Tiens, regarde.

Holmes examina la douzaine de clichés. Deux poids plume en train de s'en mettre plein la tronche, de gaieté de cœur. Ça ne faisait pas dans la dentelle, mais rien que de très banal.

— La salle de boxe appartient peut-être à Hyde, suggéra-t-il.

— Peut-être, dit Rebus, qui n'en avait plus rien à faire.

Lui qui avait été convaincu de retrouver ces photos, qui croyait dur comme fer que ce serait la dernière pièce du puzzle ! Pourquoi les avoir cachées avec tant de soin, tant de ruse ? Sans parler de l'emballage... Il y avait forcément une raison...

— Il y a peut-être quelque chose qui nous échappe, dit Holmes, qui recommençait à lui taper sur le système. Le tissu dans lequel elles sont emballées, l'étui...

— Arrête de dire des conneries ! s'énerva Rebus, en frappant le plan de travail et en se calmant aussitôt. Désolé. Putain, je suis désolé.

— Ce n'est rien, dit Holmes froidement. Je vais faire du café. Et on va examiner ces photos *de près*. D'accord ?

— Oui, acquiesça Rebus en se redressant. Bonne idée. Je vais d'abord prendre une douche, dit-il en regardant Holmes avec un sourire. Je dois puer quelque chose de bien !

— Un parfum très rural, monsieur, dit Holmes en souriant à son tour.

Tous deux rigolèrent de cette allusion au Paysan. Pendant que Rebus se douchait, Holmes prépara le café, envieux des bruits qui lui parvenaient de la salle de bains. Il jeta un nouveau coup d'œil aux photos, plus attentivement cette fois, avec l'espoir de repérer quelque chose pour épater Rebus, et lui remonter un peu le moral.

C'étaient de jeunes boxeurs, photographiés du bord du ring ou quasiment. En revanche, le photographe — sans doute Ronnie McGrath — n'avait pas utilisé de flash, se contentant de l'éclairage tamisé. On ne pouvait donc reconnaître ni les deux boxeurs ni aucune personne dans le public. Les visages étaient flous, les silhouettes des combattants brouillées à cause du mouvement. Pourquoi le photographe s'était-il privé d'un flash ?

Sur une des photos, le côté droit était sombre : l'image était coupée en oblique, quelque chose avait en partie obstrué l'objectif. Quoi donc ? Un spectateur qui serait passé devant ? Le blouson de quelqu'un ?

Soudain, l'explication lui parut évidente : c'était le blouson du photographe, parce que les photos avaient été prises en cachette, avec un appareil dissimulé sous un vêtement. Ce qui expliquerait la mauvaise qualité des clichés, le cadrage fantaisiste. Et voulait dire qu'on les avait effectivement prises dans un but précis, lequel but constituait forcément l'indice traqué par Rebus. Il ne restait plus qu'à deviner lequel.

La douche fut réduite à un ruissellement, puis s'arrêta complètement. Au bout de quelques minutes,

Rebus passa, une serviette autour de la taille, et fila s'habiller dans sa chambre. Il se tenait en équilibre sur une jambe, en train d'enfiler son pantalon, quand Holmes l'y rejoignit, brandissant les photos.

— Je crois que j'ai la solution ! s'exclama-t-il.

Rebus leva les yeux, surpris, et finit de mettre son pantalon.

— Oui, fit-il. Moi aussi. Ça m'est venu sous la douche.

— Ah bon ?

— Va chercher le café. On va se mettre dans le salon et on verra bien si on a eu la même idée. OK ?

— D'accord, marmonna Holmes, qui se demandait une fois de plus ce qu'il faisait dans la police alors qu'il existait tant de métiers plus valorisants.

Quand il arriva dans le salon avec les deux mugs, Rebus faisait les cent pas, son téléphone coincé entre l'épaule et l'oreille.

— C'est ça, dit-il. Je patiente. Non, non, je n'ai pas envie de rappeler. J'ai dit que je *patientais*. Merci.

Il prit le café que lui tendait Holmes et leva les yeux au ciel pour montrer qu'il avait affaire à un interlocuteur particulièrement gratiné.

— C'est qui ? demanda Holmes du bout des lèvres.

— L'office des HLM, répondit Rebus sans baisser la voix. Andrew m'a filé un nom et un numéro de poste.

— C'est qui, Andrew ?

— Andrew MacBeth, le chef de chantier. Je veux savoir qui a donné l'autorisation de remettre la maison en état. Tu ne trouves pas que la coïncidence est un peu étonnante ? Qu'on se soit mis à tout nettoyer juste au moment où on venait fourrer notre nez ?

Il reprit sa conversation téléphonique.

— Oui ? C'est ça. Ah, je vois ! (Il regarda Holmes, sans rien trahir.) Comment cela a-t-il pu se produire ?... Oui, je vois... Oui, je suis d'accord, ça semble étonnant. Mais ce sont des choses qui arrivent, hein ? Vivement l'informatisation ! Merci de votre aide. T'as dû comprendre en gros, dit-il à Brian en appuyant sur un bouton pour couper la communication.

— Ils n'ont aucune trace de qui a donné l'autorisation ?

— Tout à fait, Brian. Les papiers sont parfaitement en règle, sauf sur un point : la signature. Celle-ci est illisible.

— On n'a pas de quoi faire une expertise graphologique ?

— Le reçu que m'a montré Andrew était tapé à la machine.

— Vous en pensez quoi ?

— Que ce monsieur Hyde a des amis partout. À l'office des HLM, pour commencer, et sans doute aussi dans la police. Sans compter d'autres cercles moins respectables.

— Et maintenant, qu'est-ce qu'on fait ?

— Les photos. On n'a rien d'autre, hein ?

Ils les étudièrent une par une, minutieusement, s'attardant sur le moindre détail, chacun soumettant ses idées à l'autre. Un travail fastidieux. Tout du long, Rebus n'arrêtait pas de marmonner les dernières paroles de Ronnie McGrath à Tracy, où se trouvait la clé de l'énigme. Cette phrase avec un triple sens : fais-toi discrète, méfie-toi d'un certain Hyde, et j'ai caché quelque chose. Diablement intelligent, en si peu de mots. Peut-être même un peu *trop* intelligent, pour quelqu'un comme Ronnie. Peut-être que ces multiples sens lui avaient échappé...

Au bout d'une heure et demie, Rebus jeta la dernière photo par terre. Avachi dans le canapé, Holmes tenait une photo dans une main et se frottait le front avec l'autre, ses yeux ayant décrété qu'ils ne voulaient plus voir clair.

— Ça ne sert à rien, Brian. Rien du tout. J'en ai aucune qui me dise quoi que ce soit. Et toi ?

— Pas grand-chose, reconnut Holmes. Mais j'en reviens au fait que Hyde tenait... tient toujours, d'ailleurs... à mettre la main sur ces photos.

— Et ?

— Ça veut dire qu'il en connaît l'existence, mais sans se douter qu'elles sont si mauvaises. Il pense à tort qu'elles montrent quelque chose.

— Oui, mais quoi ? Tiens, tu sais que le corps de Ronnie McGrath portait des traces de coups ?

— Pas surprenant, si quelqu'un l'a trimbalé dans l'escalier.

— Non, il était déjà mort. Les coups, ça date d'avant. Son frère l'avait remarqué, ainsi que Tracy, mais ils ne lui en ont jamais parlé. Quelqu'un m'a suggéré des relations sexuelles un peu musclées. Mais en fait il s'agissait peut-être de ça, dit-il en indiquant les photos éparpillées par terre.

— Un combat de boxe ?

— Illégal. Deux gamins se foutant sur la tronche.

— Pour quoi faire ?

Rebus fixa le mur, à la recherche d'une réponse introuvable, puis se tourna vers Holmes.

— La même raison qui pousse les gens à organiser des combats de chiens. Pour s'amuser.

— Ça paraît incroyable.

— Peut-être que ça l'est pour de bon. Dans l'état d'esprit où je me trouve, je serais capable de croire qu'on a retrouvé des bombardiers sur la lune. Il est quelle heure ? demanda-t-il en s'étirant.

— Presque huit heures. Vous n'allez pas chez Malcolm Lanyon ?

— Merde ! lâcha Rebus en se relevant aussi sec. J'ai complètement oublié ! Je suis en retard.

— Bon, je vais vous laisser vous préparer. De toute façon, on n'a pas grand-chose à faire. Il faut que je passe voir Nell.

— Oui, oui, file. Et... merci, Brian.

Holmes sourit et haussa les épaules.

— Une dernière chose, dit Rebus.

— Oui ?

— Je n'ai aucune veste mettable. Je peux t'emprunter la tienne ?

Les manches étaient trop longues et ça le serrait un peu au niveau de la poitrine, mais ça ferait l'affaire. Rebus se tenait sur le perron de Malcolm Lanyon, s'efforçant de paraître à l'aise. Ce fut la ravissante Orientale qu'il avait aperçue à l'Eyrie qui vint ouvrir. Sa robe noire lui arrivait à peine en haut des cuisses. Elle lui sourit, l'air de le reconnaître.

— Entrez.

— J'espère que je ne suis pas en retard.

— Pas du tout. Malcolm n'organise pas ses soirées l'œil rivé à sa montre. Les invités sont libres d'arriver et de partir quand ils veulent.

Sa voix était empreinte de froideur, sans que ce soit désagréable. Jetant un regard derrière elle, Rebus fut soulagé d'apercevoir quelques invités en costume de ville, et d'autres avec des blousons sport. L'assistante personnelle — il se posait des question sur l'étendue de ses fonctions... — le conduisit dans le salon, où un serveur officiait derrière une table garnie de verres et de bouteilles.

On sonna à la porte d'entrée.

— Si vous voulez bien m'excuser, dit la jeune femme en effleurant l'épaule de Rebus.

— Mais bien entendu, dit-il en se tournant vers le serveur. Un gin-tonic.

Puis il observa la poupée asiatique qui se dirigeait vers la porte d'entrée.

— Salut, John.

Une main nettement plus ferme lui flanqua une tape sur l'épaule. C'était Tommy McCall.

— Bonsoir, Tommy.

Rebus prit le verre qu'on lui tendait et McCall demanda qu'on lui remplisse le sien.

— Je suis content que vous ayez pu venir. C'est vrai que ce soir c'est un peu moins animé que d'habitude. L'humeur est un chouia morose.

— Morose ?

En effet : autour d'eux, les conversations restaient très feutrées. Rebus remarqua soudain quelques cravates noires.

— J'ai préféré venir, expliqua McCall, parce que James l'aurait voulu.

— Bien sûr, dit Rebus en hochant la tête.

Le suicide de James Carew lui était complètement sorti de l'esprit. Dire que c'était le matin même ! Ça semblait une éternité ! Tous ces gens étaient des amis ou des connaissances de Carew.

— Il vous paraissait déprimé ? demanda-t-il en fronçant le nez.

— Pas particulièrement. Il venait de s'acheter la Jaguar. Vous vous souvenez ? Pas franchement le geste d'un déprimé !

— J'imagine que non. Vous le connaissiez bien ?

— À mon avis, aucun d'entre nous ne le connaissait bien. C'était quelqu'un de réservé. Et il faut dire qu'il était souvent absent, pour affaires, ou dans sa propriété.

— Il n'était pas marié ?

Tommy McCall le dévisagea, puis but une bonne gorgée de whisky.

— Non, répondit-il. Je ne crois pas qu'il se soit jamais marié. Tant mieux, d'une certaine façon.

— Oui, je vois ce que vous voulez dire, fit Rebus, qui commençait à sentir les effets du gin. Tout de même, je n'arrive pas à comprendre son geste.

— C'est toujours les calmes qui font ça, hein ? Malcolm me disait ça à l'instant.

— Je n'ai pas encore salué notre hôte, dit Rebus en jetant un coup d'œil à la ronde.

— Je crois qu'il est dans le petit salon. Je vous fais faire la visite ?

— Oui, pourquoi pas ?

— Vous allez voir, c'est une super-baraque. On commence en haut par la salle de billard ou en bas par la piscine ?

Rebus rigola en agitant son verre vide.

— Moi, je commencerai par faire un tour au bar !

C'était une baraque époustouflante ; il n'y avait pas d'autre mot. Rebus eut une pensée pour ce pauvre diable de Brian Holmes. Je suis aussi fauché que toi, l'ami. Les invités ne dépareillaient pas. Certains visages lui étaient familiers, certains noms, certaines réputations. Surtout des dirigeants de grosses sociétés. En revanche, aucune trace de leur hôte, alors que de nombreuses personnes certifiaient l'avoir vu « plus tôt dans la soirée ».

Plus tard, Tommy McCall devenant un peu trop volubile, l'alcool aidant, Rebus, qui lui aussi ne tenait plus très bien sur ses jambes, décida de faire un nouveau tour des lieux. Cette fois seul. Il y avait une bibliothèque à l'étage, qu'il avait juste entraperçue au premier passage. Un bureau à tiroirs, en particulier, avait retenu son attention. Parvenu sur le palier, il jeta un regard furtif à la ronde mais apparemment tout le monde se trouvait au rez-de-chaussée. Quelques invités s'étaient même mis en maillot de bain et profitaient de la piscine chauffée de six mètres au sous-sol.

Il fit tourner la grosse poignée en cuivre et se glissa dans la bibliothèque faiblement éclairée. Ça sentait le vieux cuir. Une odeur qui transporta Rebus dans le passé, aux années 1920 ou 1930. Une lampe était allumée sur le bureau, où il aperçut des papiers. Il était à deux pas du bureau quand il pensa à une chose : cette lampe n'était pas allumée tout à l'heure. Se retournant, il découvrit Malcolm Lanyon qui se tenait à l'autre bout de la pièce, les bras croisés et le sourire aux lèvres.

— Inspecteur, dit-il d'une voix aussi soyeuse que ses vêtements, vous portez là une veste très étonnante ! Saiko m'a prévenu que vous étiez arrivé.

Il s'avança lentement vers lui, la main tendue. Rebus la serra d'une poigne ferme.

— J'espère que je ne... commença-t-il. Je veux dire, c'est trop aimable à vous de...

— Mais non, pas du tout. Le superintendant compte-t-il passer ?

Rebus haussa les épaules, et sentit la veste trop ajustée dans son dos.

— Non ? Eh bien, tant pis. Je vois que vous êtes comme moi : vous aimez la lecture et la réflexion. Cette pièce est ma préférée, dit-il en contemplant les rayonnages. Je me demande pourquoi je me donne la peine de recevoir. Sans doute parce que c'est ce qui se fait. Et aussi parce qu'il est intéressant d'observer les permutations, qui parle avec qui, quelle main vient de presser un bras avec une pointe de tendresse excessive.

— Ce n'est pas d'ici que vous pouvez voir grand-chose, fit remarquer Rebus.

— Mais j'ai Saiko qui me raconte tout. Elle est épatante pour noter ce genre de choses, même quand les gens s'imaginent être très discrets. Par exemple, c'est elle qui m'a parlé de votre veste. Beige, en velours côtelé. Trop juste, et pas tout à fait coordonnée au reste de la tenue. Vous l'avez donc empruntée. Je me trompe ?

— Bravo, fit Rebus en applaudissant silencieusement. J'imagine que c'est pour ça que vous êtes un si bon avocat.

— Non, ce sont des années et des années de travail. Par contre, pour devenir un avocat *connu*, il faut quelques petits talents comme celui que je viens d'exhiber.

Lanyon passa devant lui et prit les documents posés sur le bureau.

— Vous cherchiez quelque chose de précis ?

— Non, répondit Rebus. Je venais juste voir cette pièce.

Lanyon lui jeta un coup d'œil en souriant, l'air pas très convaincu.

— Il y a d'autres pièces nettement plus intéressantes, mais que je ferme à clé.

— Ah bon ?

— Il n'est pas toujours souhaitable, par exemple, de dévoiler à tout le monde sa collection de tableaux.

— Oui, je vois.

Lanyon s'installa au bureau, chaussa une paire de demi-lunes et fit mine de s'intéresser aux documents.

— Je suis l'exécuteur testamentaire de James Carew, déclara-t-il. Je dois établir qui sont les bénéficiaires de son testament.

— Triste affaire.

Lanyon parut ne pas comprendre tout de suite, puis opina du chef.

— Certes, c'est une histoire tragique.

— Vous deviez être assez proches l'un de l'autre ?

L'avocat sourit, comme s'il savait qu'il n'était pas le premier à répondre à cette question au cours de la soirée.

— Je le connaissais assez bien, finit-il par répondre.

— Vous saviez qu'il était homosexuel ?

Aucune réaction. Rebus s'en voulut d'avoir joué son atout trop vite.

Lanyon le regarda.

— Bien sûr, dit-il d'une voix posée. Je ne sache pas qu'il s'agisse d'un délit.

— Tout dépend, maître, ainsi que vous êtes bien placé pour le savoir.

— Qu'entendez-vous par là ?

— En tant qu'avocat, vous n'ignorez pas certaines lois...

— Oui, oui, bien sûr. J'espère que vous n'êtes pas en train d'insinuer que James était mêlé à des trafics sordides.

— À votre avis, monsieur Lanyon, pourquoi s'est-il suicidé ? J'aimerais votre avis professionnel sur la question.

— C'était un ami, dit Lanyon en fixant les épais rideaux en face de son bureau. Mon avis professionnel n'a rien à voir. J'ignore pourquoi il s'est suicidé. À mon avis, on ne le saura jamais.

— Je ne parierais pas là-dessus, monsieur, dit

Rebus, qui se dirigea vers la porte, puis s'arrêta, la main sur la poignée. Je serais très, très curieux de savoir qui hérite de sa fortune, une fois que vous y verrez plus clair, naturellement.

Lanyon resta silencieux.

Rebus sortit et referma la porte derrière lui. Sur le palier, il expira longuement. Belle prestation. Ça méritait bien un verre. Et cette fois, il porterait en silence un toast à la mémoire de James Carew.

Jouer les nurses n'était pas son truc, mais il se doutait que ça en arriverait là.

Affalé sur la banquette arrière, Tommy McCall chantait à tue-tête une chanson de rugby, tandis que Rebus saluait rapidement Saiko. Il eut même droit à un sourire. Après tout, il lui rendait un fier service en la débarrassant de cet ivrogne turbulent.

— Tu vas me mettre au trou, John ? beugla McCall, interrompant son chant.

— Non, et maintenant tu vas me la boucler !

Rebus se mit au volant et tourna la clé de contact. Il jeta un dernier coup d'œil en arrière et vit Lanyon qui avait rejoint Saiko sur le perron. Elle était en train de lui parler, sans doute un compte-rendu, et il l'écoutait en hochant la tête. Rebus ne l'avait pas revu depuis le face-à-face dans la bibliothèque. Il desserra le frein à main, démarra et fila.

— Là tu prends à gauche, et puis la prochaine à droite.

Malgré tout ce qu'il avait bu, Tommy McCall se repérait remarquablement bien. Pourtant, quelque chose chiffonnait Rebus...

— Cette rue jusqu'au bout. C'est la dernière baraque à l'angle.

— Mais, protesta Rebus, tu n'habites pas ici...

— Exact, inspecteur. C'est mon frangin qui habite ici. Je me suis dit qu'on terminerait la soirée chez lui.

— Merde ! Tommy, on peut pas débarquer comme ça...

— Foutaises ! Il sera ravi de nous voir.

Quand il s'arrêta devant la maison, Rebus fut soulagé de voir de la lumière dans le salon. Tommy tendit soudain le bras et actionna le klaxon, provoquant un tintamarre dans la nuit silencieuse. Rebus écarta la main et Tommy se cala contre la banquette, mais le mal était fait : il y eut un mouvement de rideaux à une fenêtre et quelques secondes plus tard une porte s'ouvrit sur le côté de la maison. Tony McCall sortit, en jetant un coup d'œil nerveux derrière lui. Rebus baissa sa vitre.

— John ? dit Tony qui semblait inquiet. Qu'est-ce qui se passe ?

Avant que Rebus ait le temps d'expliquer, Tommy descendit et étreignit son frère.

— C'est ma faute, Tony. Ma faute à moi. Je suis vraiment désolé, j'avais envie de te voir. Désolé...

Comprenant la situation, Tony se tourna vers Rebus, l'air de dire : « Je ne t'en veux pas », puis s'adressa à son frère.

— C'est gentil de ta part, Tommy. Ça faisait longtemps. Tu ferais bien d'entrer.

Tommy McCall se tourna vers Rebus.

— Tu vois ? Je t'avais bien dit qu'on serait les bienvenus chez Tony ! On est toujours bienvenu chez Tony.

— Tu n'as qu'à entrer toi aussi, John, lui dit Tony.

Rebus fit oui de la tête, pas franchement ravi.

Tony les fit entrer et les conduisit au salon. Les pieds s'enfonçaient dans l'épaisse moquette, et le mobilier étincelait comme s'il sortait juste de l'usine. Rebus n'osait pas trop s'asseoir, de peur de déformer un des coussins parfaitement rebondis. Tommy, pour sa part, s'effondra dans le premier fauteuil venu.

— Où sont les gosses ? brailla-t-il.

— Au lit, répondit Tony en prenant soin de chuchoter.

— Bah, fit Tommy. T'as qu'à les réveiller, dis-leur que Tonton est là.

— Je vais mettre la bouilloire, se contenta de dire son frère.

Tommy était déjà en train de s'assoupir, les bras ballants de part et d'autre du fauteuil. Pendant que Tony était dans la cuisine, Rebus jeta un coup d'œil à la pièce. Il y avait des bibelots partout : sur la cheminée, sur la table basse, dans les vitrines de la bibliothèque. Des petites figurines en céramique, des verroteries, des souvenirs de voyages. Les dossiers et les accoudoirs du canapé et des fauteuils étaient recouverts de garnitures au crochet. La pièce était surchargée, on s'y sentait mal à l'aise. Inutile de chercher à s'y détendre. Il comprenait mieux pourquoi Tony McCall se baladait à Pilmuir ses jours de repos.

La tête d'une femme apparut dans l'embrasure. Lèvres fines et serrées, regard vif et sombre. Elle fixait sévèrement la silhouette avachie de Tommy McCall, mais afficha une sorte de sourire quand elle se sentit observée. La porte s'ouvrit davantage. La femme portait une robe de chambre, dont elle pressait soigneusement le col contre son cou.

— Je suis Sheila, la femme de Tony.

— Bonsoir. Moi, c'est John Rebus.

Il voulut se lever, mais elle lui fit signe nerveusement de rester assis.

— Ah, fit-elle. Tony m'a parlé de vous. Vous êtes collègues, c'est bien ça ?

— C'est ça.

— Oui...

Elle tourna son attention de nouveau vers Tommy McCall, et sa voix se mit à suinter comme du papier peint humide.

— Regardez-moi ça ! Celui des deux frères qui a réussi ! Une belle situation, une superbe maison... Non mais, regardez-le !

Elle semblait sur le point de se lancer dans un long discours sur l'injustice sociale, mais fut interrompue par son mari qui la contourna tant bien que mal avec son plateau.

— Tu n'aurais pas dû te lever, ma chérie.

— Comment veux-tu que je dorme quand ça klaxonne dans la rue ! T'as oublié le sucre, dit-elle sèchement en regardant le plateau.

— Je n'en prends pas, précisa Rebus.

Tony versa du thé dans deux mugs.

— D'abord le lait, le sermonna sa femme, et ensuite le thé.

— On s'en fout, Sheila, rétorqua-t-il en tendant un mug à Rebus.

— Merci.

Elle les fixa un instant, puis passa la main le long de sa robe de chambre.

— Bien, fit-elle. Bonsoir.

— Bonsoir, répondit Rebus.

— Essaye de ne pas veiller trop tard, Tony.

— C'est ça...

Ils l'entendirent monter dans l'escalier et burent leur thé en silence.

— Désolé, fit Tony en poussant un long soupir.

— Pourquoi tu dis ça ? Si deux ivrognes débarquaient chez moi en pleine nuit, je ne te dis pas à quel accueil ils auraient droit ! Je l'ai trouvée d'un calme étonnant.

— Sheila reste toujours très calme. À l'extérieur.

Rebus fit un geste de la tête vers Tommy.

— Et lui ?

— Il est très bien où il est. Ça ira mieux après avoir dormi.

— T'es sûr ? Je peux le ramener chez lui si tu...

— Non, non. C'est mon frangin. Une nuit dans un fauteuil lui fera le plus grand bien. Regarde-le, dit-il en se tournant vers son frère. Dire qu'on a fait les quatre cents coups quand on était gosses ! On semait la terreur dans le quartier. Sonner aux portes, foutre le feu à n'importe quoi, casser les vitres avec notre ballon de foot... Je peux te dire qu'on était de vrais monstres ! Maintenant, je ne le vois plus, sauf quand il est dans cet état.

— Tu veux dire qu'il t'a déjà fait le coup ?

— Une ou deux fois. Il débarque en taxi, s'effondre dans le fauteuil. Quand il se réveille le lendemain matin, il n'en croit pas ses yeux. Il prend le petit déjeuner, file un peu d'argent aux gosses et se tire. Jamais le moindre coup de fil, jamais une petite visite. Et puis un soir on entend le taxi, et voilà monsieur !

— Je ne me rendais pas compte.

— Bah, je me demande pourquoi je te raconte ça, John. Après tout, ce n'est pas ton problème.

— Ça ne me dérange pas du tout de t'écouter.

Mais Tony McCall préféra s'en tenir là.

— La déco te plaît ? lui demanda-t-il.

— C'est sympa, mentit Rebus. On voit que ça a été très pensé.

— Ouais, fit McCall, l'air peu convaincu. Ça m'a

coûté un sacré pognon. Tu vois ces trucs en verre ? Tu peux pas t'imaginer ce que ça peut coûter !

— Vraiment ?

McCall parcourut la pièce du regard, comme un visiteur.

— Bienvenu dans la vie de Tony McCall ! Je crois que je préférerais encore une des cellules du poste !

Il se leva brusquement et se dirigea vers le fauteuil où son frère dormait profondément, malgré un œil entrouvert, et s'agenouilla devant.

— Mon salaud... murmura-t-il. Mon salaud... mon salaud...

Et il baissa la tête pour cacher ses larmes.

Il commençait à faire jour quand Rebus rentra à Marchmont. En chemin, il s'arrêta dans une boulangerie ouverte vingt-quatre heures sur vingt-quatre pour acheter des petits pains tout chauds et du lait. C'était son moment préféré, quand la ville s'abandonnait à la camaraderie tranquille du petit matin. Pourquoi les gens étaient-ils si rarement satisfaits ? *J'ai l'impression d'avoir tout ce dont je ne rêvais pas et ça ne suffit pas*. Là, il ne demandait rien de plus que quelques heures de sommeil, et dans son lit pour changer, pas dans le fauteuil. La scène défilait en boucle dans sa tête : Tommy McCall au pays des songes, le menton dégoulinant de bave, Tony McCall agenouillé devant lui, secoué de sanglots. Ce n'était pas une mince affaire que d'avoir un frère. Un concurrent pour la vie, qu'on ne pouvait pas détester sans se détester aussi soi-même. D'autres images lui venaient : Malcolm Lanyon dans sa bibliothèque, Saiko sur le perron, James Carew sur son lit de mort, le visage tuméfié de Nell Stapleton, le torse roué de coups de Ronnie McGrath, le regard aveugle de Vanderhyde, le visage paniqué de Calum McCallum, les petits poings serrés de Tracy...

Si mon péché est grand, ma souffrance ne l'est pas moins.

Carew avait chipé ça quelque part... Où ça ? On s'en fout, John, on s'en fout ! Ça ne ferait jamais qu'un fil de plus, alors que ça s'embrouillait déjà dans tous les sens. Rentre à la maison, dors, oublie tout.

Une chose était sûre : ses rêves seraient agités.

SAMEDI

Ou, si vous préférez en faire le choix, une nouvelle province du savoir et de nouvelles voies vers le pouvoir et la gloire s'ouvriront à vous, ici même dans cette pièce, à l'instant...

En fait, il ne fit aucun rêve. Et quand il se réveilla, c'était le week-end, le soleil brillait et le téléphone sonnait.

— Allô ?

— John ? C'est Gill.

— Oh... salut, Gill. Comment ça va ?

— Bien. Et toi ?

— Ça va super.

Ce n'était pas un mensonge : ça faisait longtemps qu'il n'avait pas aussi bien dormi, et pas la moindre trace de gueule de bois.

— Désolée d'appeler si tôt. Il y a du nouveau ?

— Du nouveau ?

— Pour le gamin qui t'accusait.

— Ah, ça ! Non, je n'ai pas de nouvelles.

Il aurait bien fait un pique-nique, un tour à la campagne.

— T'es à Édimbourg ? lui demanda-t-il.

— Non, dans le Fife.

— Qu'est-ce que tu fous dans le Fife ?

— Calum se trouve ici, tu te souviens ?

— Bien sûr, mais je croyais que tu préférais l'éviter.

— C'est lui qui a demandé à me voir. C'est pour ça que je t'appelle.

Il plissa le front, intrigué.

— Ah bon ?

— Calum veut te parler.

— *À moi* ? Pourquoi ?

— J'imagine qu'il préfère te le dire lui-même. Moi, il m'a juste chargée de faire la commission.

Rebus réfléchit un instant.

— T'as envie que je lui parle ? finit-il par demander.

— Ça m'est égal. Je lui ai dit que je te transmettrais le message et que ce serait le dernier service qu'il obtiendrait de ma part.

Son ton était froid et cinglant comme une pluie battante sur un toit d'ardoises ; Rebus ne demandait pas mieux que de glisser sur ce toit, pour aider Gill, lui être agréable.

— J'oubliais, reprit-elle. Au cas où tu n'aurais pas l'air convaincu, il te fait dire que ça a un rapport avec Hyde.

— Hyde ? dit Rebus en se relevant brusquement. C'est-à-dire ?

Elle rigola.

— Je n'en sais rien, John ! Mais apparemment, ça veut dire quelque chose pour toi.

— Exact. T'es à Dunfermline ?

— Je t'appelle de l'accueil du poste de police.

— OK. Je te retrouve sur place dans une heure.

— Très bien, John. Salut.

Elle n'avait pas l'air concernée.

Il coupa la connexion, enfila un blouson et sortit de l'appartement.

Ça circulait mal partout : jusqu'à Tollcross, puis dans Lothian Road, et Princes Street jusqu'à Queensferry Road. Depuis la déréglementation des transports publics, le centre-ville était livré à un ballet tragicomique : toutes sortes d'autobus, à un ou deux étages, et même de minibus y traquaient le client. Coincé derrière deux autobus bordeaux à deux étages et deux bus verts, Rebus épuisa vite ses faibles réserves de patience. Appuyant rageusement sur son klaxon, il déboîta et mit le pied au plancher pour dépasser la file de véhicules au point mort. Un coursier à moto, qui se faufilait entre les deux voies au ralenti, dut braquer pour éviter l'accident et heurta une Saab. Rebus aurait dû s'arrêter, mais n'en fit rien.

Dommage qu'il n'ait pas un gyrophare amovible, dont tous les gars de la brigade criminelle n'hésitaient pas à se servir chaque fois qu'ils étaient en retard pour un dîner ou un rendez-vous. Il se contenterait de ses phares et de son klaxon. Une fois le bouchon dépassé, il éteignit les phares et lâcha le klaxon, et comme la route s'élargissait, il put se mettre dans la file de droite.

Malgré un ralentissement prévisible au rond-point de Barnton, ça roula bien jusqu'au pont de Forth Road. Il régla le péage et traversa la rivière, lentement comme d'habitude, pour admirer la vue. En contrebas sur la gauche, il aperçut les chantiers navals de Rosyth. Beaucoup de ses copains de classe (« beaucoup » étant tout relatif, pour quelqu'un ayant si peu d'amis) s'étaient tout naturellement fait embaucher aux chantiers, et y travaillaient sans doute encore. C'était quasiment le dernier endroit du Fife où l'on pouvait trouver du boulot. Les mines fermaient régulièrement. Un peu plus loin sur la côte, dans l'autre direction, on creusait sous le Forth pour extraire du charbon de moins en moins rentable...

Hyde ! Calum McCallum savait quelque chose sur lui ! Et également que Rebus serait intéressé — comme quoi les nouvelles circulaient vite. Il appuya un peu plus sur l'accélérateur. McCallum proposerait forcément un marché : un classement sans suites, ou qu'on se débrouille pour rendre les charges plus anodines. Aucun problème, il était prêt à lui promettre le soleil, la lune et les étoiles.

À condition qu'il sache. Qui était Hyde, où le trouver.

Il trouva sans peine le poste de police principal de Dunfermline, à deux pas d'un rond-point aux abords de la ville. Aucun mal non plus pour repérer Gill. Elle attendait dans sa voiture, dans le parking spacieux devant le poste. Rebus se gara, descendit et prit place sur le siège du passager à côté d'elle.

— Salut, dit-il.

— Salut, John.

— Ça va ?

Réflexion faite, il n'avait jamais posé question plus inutile. Elle avait le visage blême et les traits creusés, et sa tête semblait s'enfoncer entre ses épaules. Les mains posées sur le volant, elle tapotait le tableau de bord du bout des ongles.

— Ça va, fit-elle.

Ce mensonge les fit sourire tous les deux.

— Je les ai prévenus à la réception que tu arrivais, ajouta-t-elle.

— Veux-tu que je transmette quelque chose à notre ami ?

— Rien du tout, dit-elle d'un ton tranchant.

Il descendit, referma doucement la portière et se dirigea vers l'entrée du poste.

Ça faisait plus d'une heure qu'elle arpentait les couloirs de l'hôpital. Comme on était dans les heures de visite, personne ne s'étonnait de la voir entrer dans telle ou telle salle, circuler parmi les lits, sourire à quelques vieux malades qui fixaient sur elle leur regard chargé de solitude. Elle croisait des familles qui entraient voir grand-père à tour de rôle, puisque c'était limité à deux personnes. Pour sa part, elle cherchait une femme bien précise, sans être certaine de la reconnaître. Elle ne disposait que d'un seul point de repère : la bibliothécaire avait forcément le nez cassé.

Peut-être qu'on ne l'avait pas gardée. Elle était peut-être déjà rentrée chez elle, avec son mari, son copain ou Dieu sait qui. Tracy ferait peut-être mieux de laisser passer quelques jours et de retourner à la bibliothèque. Sauf qu'elle y serait attendue. Le vigile la reconnaîtrait. La bibliothécaire aussi. Et elle, reconnaîtrait-elle la bibliothécaire ?

Une cloche retentit, signalant la fin des visites. Elle se précipita dans la salle commune suivante, en se demandant : et si on l'avait mise dans une chambre individuelle ? Ou dans un autre hôpital ? Ou bien...

Pas du tout... Elle était là ! Tracy se figea, fit demi-tour et marcha jusqu'à l'autre extrémité de la salle. On s'embrassait et on se disait au revoir. Tout le monde semblait soulagé, les malades aussi bien que les visiteurs. Elle se mêla à tout ce petit monde qui remettait des chaises en place, enfilait son manteau et mettait son écharpe. Puis elle jeta un coup d'œil en arrière, vers le lit où était allongée la bibliothécaire. Il y avait des tas de bouquets de fleurs, et un seul visiteur — un jeune homme qui se pencha et l'embrassa longuement sur le front. La bibliothécaire serra très fort la main du jeune homme et... Mais ! Ce visage lui était familier. Elle avait déjà vu ce type quelque part... Au poste ! C'était un copain de Rebus, un flic. Il était passé la voir dans sa cellule.

Merde ! Elle avait agressé la femme d'un flic !

Voilà qui changeait tout... Pourquoi était-elle venue,

au juste ? S'en sentait-elle toujours capable ? Elle suivit une famille qui sortait et s'adossa au mur dans le couloir. Alors ? Oui, à condition de ne pas craquer nerveusement. Oui, elle s'en sentait capable.

Elle faisait mine de s'intéresser à un distributeur de boissons quand Holmes franchit la porte et s'éloigna lentement dans le couloir. Elle patienta deux minutes, en comptant jusqu'à cent vingt dans sa tête. Il ne revenait pas, il n'avait rien oublié. Elle abandonna le distributeur et avança vers la porte à double battant.

Pour elle, les horaires de visite ne faisaient que commencer.

Une jeune infirmière l'intercepta avant qu'elle puisse atteindre le lit.

— Les visites sont terminées, l'informa-t-elle.

Tracy s'efforça de sourire, d'avoir l'air normal. Elle avait du mal. Par contre, mentir était facile.

— J'ai perdu ma montre. J'ai dû l'oublier près du lit de ma sœur.

Elle fit un geste du menton en direction du lit de Nell, qui tourna la tête en entendant leurs voix. Apercevant Tracy, elle écarquilla les yeux.

— Bon, mais faites vite, hein ? dit l'infirmière en s'éloignant.

Tracy lui sourit et s'assura qu'elle quittait la salle. Elle était désormais seule avec les malades, dans le silence qui régnait soudain. Elle s'approcha du lit de Nell.

— Bonjour, dit-elle en consultant le dossier attaché au montant du lit. Vous vous appelez Nell Stapleton.

— Qu'est-ce que vous me voulez ?

Le regard de Nell ne trahissait aucune peur. Son

filet de voix lui venait directement de l'arrière de la gorge, sans passer par le nez.

— J'ai quelque chose à vous dire, répondit Tracy.

Elle vint tout près de Nell et s'accroupit, de sorte qu'on puisse à peine la voir de l'entrée. En plus, ça pouvait donner l'impression qu'elle cherchait effectivement sa montre.

— Oui ?

Tracy sourit : elle trouvait très amusante la voix déformée de Nell. On aurait dit une marionnette dans une émission de télé pour enfants. Mais elle perdit vite son sourire et rougit en se rappelant qu'elle se trouvait là justement parce que cette jeune femme était hospitalisée à cause d'elle. Les pansements sur le nez, les bleus : tout ça était sa faute.

— Je suis venue m'excuser. C'est tout, en fait. Je suis désolée.

Nell ne cilla pas.

— Et... poursuivit Tracy. Eh bien... Non, rien.

— Si, dites-moi... l'encouragea Nell.

Mais c'était un trop gros effort pour elle. Pendant la visite de Brian, c'était surtout elle qui avait parlé et elle en avait la gorge toute sèche. Elle se tourna pour prendre la carafe d'eau posée sur sa table de chevet.

— Laissez-moi faire, dit Tracy.

Elle versa de l'eau dans un verre en plastique et le tendit à Nell.

— Ces fleurs sont très jolies.

— C'est mon copain, expliqua Nell entre deux gorgées.

— Oui, je l'ai vu partir. Il est policier, c'est bien ça ? Je le sais parce que je suis amie avec l'inspecteur Rebus.

— Oui, je suis au courant.

— Ah bon ? fit Tracy, l'air stupéfait. Alors vous savez qui je suis ?

— Oui. Enfin, je sais que vous vous appelez Tracy.

Tracy se mordit la lèvre et se mit à rougir de nouveau.

— Mais ça n'a pas grande importance, hein ? reprit Nell.

— Non, dit Tracy d'un ton qui se voulait insouciant. Ça n'a pas d'importance.

— Je voulais vous demander...

— Quoi donc ? dit Tracy qui semblait très désireuse de changer de sujet.

— Vous étiez venue faire quoi à la bibliothèque ?

La question n'était pas faite pour ravir Tracy. Celle-ci réfléchit et haussa les épaules.

— Je venais chercher les photos de Ronnie.

— Les photos de Ronnie ? répéta Nell, soudain intéressée.

Même s'il s'était montré peu loquace, Brian lui avait parlé des progrès de l'enquête sur la mort de Ronnie McGrath, et notamment de la découverte des photos dans le squat. De quoi voulait parler Tracy ?

— Ouais. Ronnie les a cachées dans la bibliothèque.

— C'est quoi au juste ? Je veux dire, pourquoi avait-il besoin de les cacher ?

Encore une fois, Tracy haussa les épaules.

— Il m'a juste dit que c'était son « assurance-vie ». Il a utilisé ces mots-là : son assurance-vie.

— Et il les a cachées où exactement ?

— Il m'a dit que c'était au cinquième étage. Dans un volume relié d'un truc qui s'appelle *Edinburgh Review*. Je crois que c'est une revue.

— Tout à fait, dit Nell en souriant.

Le coup de fil de Nell avait de quoi l'étourdir. Mais la première réaction de Brian Holmes fut de lui reprocher de s'être levée.

— Je suis toujours couchée, dit-elle en mangeant la moitié des syllabes, tellement elle était excitée. Ils m'ont apporté un téléphone. Maintenant, écoute bien...

Une demi-heure plus tard, il suivait une bibliothécaire parmi les rayonnages au cinquième étage de la bibliothèque de l'université d'Édimbourg. La femme déchiffrait les cotes compliquées inscrites ici ou là et finit par trouver ce qu'elle cherchait : un long panneau entièrement rempli de volumes sombres. Au bout de la rangée, un étudiant installé à une table jeta un coup d'œil distrait en direction de Holmes, sans cesser de mâchonner son crayon. Holmes lui lança un sourire compatissant, mais sans susciter la moindre réaction.

— Nous y voici, annonça la bibliothécaire. L'*Edinburgh Review* et la *New Edinburgh Review*. Comme vous voyez, le changement de nom date de 1969. Naturellement, les années plus anciennes ne sont pas en accès direct, et si vous souhaitez les consulter cela prendra un peu de temps...

— Non, merci. C'est parfait. Je devrais trouver mon bonheur.

Elle fit une légère courbette.

— Et n'oubliez pas de transmettre nos vœux de bon rétablissement à Nell, d'accord ?

— Je retourne la voir tout à l'heure et je n'y manquerai pas.

La bibliothécaire fit une nouvelle courbette et s'éloigna. Elle s'arrêta au bout de la rangée pour appuyer sur un commutateur. Un néon grésilla au-dessus de Holmes et s'alluma. Il lui adressa un sourire en remerciement, mais elle filait déjà vers l'ascenseur, accompagnée par le couinement de ses semelles en caoutchouc.

Holmes examina les volumes reliés. Certains numéros manquaient : on avait dû les emprunter. Quelle idée, aussi, de choisir une cachette pareille ! Il prit le volume 1971-1972, glissa ses index aux deux extrémités de la reliure et secoua. Aucun papier n'en tomba, aucune photo. Il le remit à sa place, prit le volume voisin, l'agita de la même façon et le reposa à son tour.

L'étudiant s'était mis à l'observer pour de bon. Visiblement, il le prenait pour un fou. Deux autres volumes, toujours rien. Holmes commençait à craindre le pire. Il espérait dénicher de quoi épater Rebus, l'élément qui permettrait enfin de répondre à toutes les questions. Il avait cherché à contacter l'inspecteur, mais Rebus était introuvable. Il avait disparu.

Ça fit plus de bruit qu'il ne s'y attendait : les tirages sur papier glacé glissèrent soudain d'entre les feuilles et atterrirent sur le parquet. Il se baissa pour les ramasser, sous le regard de plus en plus fasciné de l'étudiant. Dès le premier coup d'œil aux photos éparpillées par terre, Holmes sentit son exaltation virer à la déception : les mêmes clichés du match de boxe, rien de plus. Aucune photo nouvelle, aucune révélation, aucune surprise.

Si seulement ce petit minable de Ronnie McGrath ne lui avait pas mis cet espoir dans la tête ! Une assurance-vie sur une vie qui n'avait déjà plus cours.

Comme l'ascenseur n'arrivait pas, il prit l'escalier en colimaçon et se retrouva au rez-de-chaussée, mais dans une partie de la bibliothèque qu'il ne connaissait pas — un couloir comme on en trouvait dans les librairies anciennes, étroit, avec des livres poussiéreux empilés de part et d'autre. Il s'y fraya un passage, éprouvant un frisson sans trop savoir pourquoi, et sortit dans la salle principale. La bibliothécaire qui l'avait renseigné, de retour à son bureau, gesticula en l'apercevant. Docile, il s'approcha d'un pas rapide. Elle décrocha son téléphone et appuya sur une touche.

— Un appel pour vous, dit-elle en se penchant pardessus le bureau pour lui tendre le combiné.

— Allô ?

Il était intrigué : qui pouvait savoir qu'il se trouvait là ?

— Brian ? Qu'est-ce que tu fous ? Je t'ai cherché partout ! Je suis à l'hôpital.

C'était Rebus, bien entendu. Hôpital... Brian sentit sa gorge se nouer.

— Nell ?

Son ton était tellement alarmé que la bibliothécaire leva brusquement la tête.

— Comment ? grommela Rebus. Non, non, Nell va très bien. C'est elle qui m'a dit où te trouver. Je t'appelle de l'hôpital et ça me coûte une fortune...

Comme pour le confirmer, une série de bips se fit entendre, suivie du bruit des pièces qu'il remettait dans l'appareil. La communication fut rétablie.

— Nell va bien, expliqua Holmes à la bibliothécaire.

Elle hocha la tête, soulagée, et reprit son travail.

— Bien sûr qu'elle va bien, confirma Rebus qui avait entendu. Écoute, j'ai deux ou trois trucs à te demander. T'as de quoi écrire ?

Brian trouva une feuille et un stylo sur le bureau. Il sourit en repensant à sa première conversation avec John Rebus, très semblable à celle-ci — deux ou trois trucs... quand il pensait à tout ce qu'il avait fait depuis !

— C'est bon ?

Holmes sursauta.

— Désolé, monsieur. J'avais la tête ailleurs. Vous pouvez répéter ?

Un grognement de colère et d'impatience retentit dans l'écouteur, puis Rebus répéta et cette fois Brian Holmes ne laissa échapper aucun mot.

Tracy n'aurait su dire ce qui l'avait poussée à venir voir Nell Stapleton, à se confier à elle. Elle éprouvait une sorte de lien avec elle, et pas simplement du fait de son geste. Nell dégageait quelque chose, une sagesse et une bonté dont Tracy s'était sentie privée dans sa vie. Ce qui expliquait peut-être qu'elle ait tant de mal à quitter l'hôpital. Elle arpenta les couloirs, but deux tasses de café dans une cafétéria en face du bâtiment principal, fit un tour aux Urgences, en Radiologie et même dans un service pour diabétiques. Elle finit par s'en aller mais n'avait pas fait cent cinquante mètres, jusqu'aux Beaux-Arts, qu'elle rebroussa chemin.

Elle venait de franchir le portail d'une entrée annexe quand deux hommes l'empoignèrent.

— Hé ! protesta-t-elle.

— Si vous voulez bien nous suivre, mademoiselle.

On aurait dit des vigiles, peut-être même des policiers, alors elle ne leur résista pas. Peut-être que le copain de Nell Stapleton voulait la voir, lui mettre une raclée. Peu lui importait. Ils l'entraînaient vers l'entrée de l'hôpital, elle se laissa faire. Quand elle voulut leur résister, il était trop tard.

Au dernier moment, ils la firent pivoter et la poussèrent à l'arrière d'une ambulance.

— Qu'est-ce... Hé ! arrêtez !

La portière se referma et fut verrouillée. Elle se retrouva seule dans le noir étouffant. Elle se mit à tambouriner sur la carrosserie, mais le véhicule avait déjà démarré. Avec l'accélération, elle se trouva projetée contre la portière puis par terre. Quand elle eut repris ses esprits, elle vit qu'il s'agissait d'une vieille ambulance transformée en vulgaire camionnette. L'intérieur était entièrement dénudé, les vitres masquées, et une cloison métallique séparait l'arrière du conducteur. Elle s'en approcha à quatre pattes et tapa dessus en criant. Soudain, elle fit le rapprochement : ces deux types étaient ceux qui l'avaient suivie dans Princes Street, le jour où elle s'était réfugiée chez Rebus.

— Mon Dieu... murmura-t-elle. Mon Dieu...

Ils la tenaient enfin.

Ça roulait bien pour un samedi soir.

Rebus sonna et attendit dans la chaleur moite. Pendant qu'il patientait, il jeta un coup d'œil à droite et à gauche. Un alignement de belles demeures georgiennes, dont les façades de pierre avaient noirci avec le temps et les gaz d'échappement. Certaines avaient été converties en bureaux et accueillaient désormais des avoués, des experts-comptables et des petites sociétés financières. Quelques-unes, ô combien rares, continuaient de loger confortablement les gens riches et industrieux. Rebus était déjà venu dans cette rue au tout début de sa carrière de policier, pour l'enquête sur le meurtre d'une fillette. Une affaire dont il ne se rappelait pas grand-chose. De toute manière, son esprit était entièrement tourné vers les plaisirs de la soirée à venir.

Il tira sur son nœud papillon noir. Il était passé un peu plus tôt dans une boutique de George Street pour se louer une tenue au grand complet : smoking, chemise, nœud pap et chaussures en cuir sur mesure. Il se sentait un peu couillon, mais avait bien dû convenir, en se voyant dans la glace de la salle de bains, que ça lui donnait une certaine allure. De quoi se fondre dans le décor quand on se rendait chez Finlay's dans Duke Terrasse.

Une jeune femme au sourire rayonnant, à la tenue ravissante, vint ouvrir, lui réservant un accueil qui semblait dire qu'on l'avait beaucoup regretté.

— Bonsoir. Vous entrez ?

Et comment !

Un hall d'entrée raffiné : murs crème, moquette épaisse, quelques chaises d'allure peu confortable avec un très haut dossier qui auraient pu être des créations de Charles Rennie Mackintosh[1].

— Je vois que vous admirez nos chaises.

— Effectivement, fit Rebus en souriant à son tour. Je m'appelle Rebus, au fait. John Rebus.

— Ah oui. Finlay m'a prévenue. Étant donné que vous venez pour la première fois, souhaitez-vous que je vous fasse visiter ?

— Avec plaisir.

— Mais d'abord, un verre. La première consommation vous est offerte par la maison.

Rebus s'efforça de ne pas se montrer trop indiscret, mais en tant que policier brider sa curiosité était vraiment contre nature. Il se permit donc de poser quelques questions à son hôtesse, la charmante Paulette, qui lui montra les différentes parties du club. La cave (« Finlay l'a fait assurer pour deux cent cinquante mille livres... »), la cuisine (« Notre cuisinier vaut son poids en béluga... »), les chambres (« Les juges sont les pires : on en a un ou deux qui finissent

1. Architecte, designer et artiste (1868-1928) originaire de Glasgow, dont le style s'inspire à la fois de la tradition écossaise, de l'Art nouveau et de la simplicité des formes japonaises. *(N.d.T.)*

toujours par dormir ici parce qu'ils ont trop bu pour rentrer... »). Au sous-sol se trouvaient la cuisine et la cave, et au rez-de-chaussée un bar et une petite salle de restaurant, le vestiaire et un bureau. Un escalier avec tapis rouge et tableaux de peintres écossais des XVIIIe et XIXe siècles (Jacob More, David Allan et d'autres) conduisait à la salle de jeu du premier étage : une table de black jack, plusieurs consacrées aux cartes, et une pour les dés. On y trouvait pour l'essentiel des hommes d'affaires qui jouaient prudemment. Pas de gains ni de pertes fracassants : des gens près de leurs jetons.

Paulette lui indiqua deux portes.

— Des salons privés pour jeux privés.

— Quels jeux ?

— Surtout le poker. Les joueurs passionnés réservent une ou deux fois par mois. Ils jouent toute la nuit.

— Comme au cinéma.

— C'est ça ! dit-elle en s'esclaffant. Comme au cinéma.

Au deuxième étage on trouvait les trois chambres pour la clientèle, fermées à clé, et les appartements privés de Finlay Andrews.

— D'accès interdit, bien entendu, précisa Paulette.

— Bien entendu, acquiesça Rebus en la suivant dans l'escalier.

Voilà. Le célèbre club Finlay's. C'était une soirée calme. Rebus n'aperçut que deux ou trois visages familiers : un avocat, lequel l'ignora alors qu'ils s'étaient déjà affrontés au tribunal, un présentateur télé au bronzage suspect, et le Paysan.

— Salut, John.

Engoncé dans sa chemise et son costume, Watson ressemblait tout bonnement à un flic en civil. Installé au bar avec son verre de jus d'orange, il affectait une mine décontractée, mais n'avait pas du tout l'air à sa place.

— Bonsoir, monsieur.

Rebus ne s'attendait vraiment pas à trouver son patron là. Il lui présenta Paulette, qui s'excusa de ne pas avoir été là pour l'accueillir. Watson balaya ses excuses d'un revers de la main.

— On s'est occupé de moi, dit-il en montrant son verre.

Ils s'installèrent à une table libre. Les fauteuils étaient bien rembourrés et confortables. Rebus se sentait plus détendu.

— Finlay n'est pas là ? demanda Watson, qui observait tout avec attention.

— Finlay est toujours là, lui répondit Paulette.

Rebus trouvait étonnant de ne pas l'avoir croisé pendant la visite.

— Alors, comment est le club ? l'interrogea Watson.

— Impressionnant, dit Rebus. Très impressionnant. C'est encore plus grand que vous ne vous imaginez. Attendez un peu de voir les étages.

Paulette lui adressa le sourire d'une institutrice à un élève modèle.

— Et en plus ils se sont agrandis, dit Watson.

— C'est vrai, j'oubliais ça, dit Rebus en se tournant vers Paulette.

— Tout à fait, confirma-t-elle. Nous sommes en travaux à l'arrière du bâtiment.

— Des travaux ? s'étonna Watson. Je croyais que c'était une affaire réglée.

— Pas du tout, dit-elle en souriant. Finlay peut parfois se montrer très exigeant. Le revêtement du sol ne lui allait pas, alors il a ordonné aux ouvriers de tout arracher et de recommencer. Maintenant, on attend du marbre livré d'Italie.

— Ça doit coûter bonbon, dit Watson en hochant pensivement la tête.

Rebus réfléchissait à ces projets d'agrandissement. À l'arrière du rez-de-chaussée ? Après les toilettes, le vestiaire, les bureaux, les placards... il devait y avoir une autre porte... peut-être la porte du jardin, ou de l'ex-jardin...

— Vous prenez autre chose, John ? demanda Watson en indiquant son verre vide.

— Un gin-orange, s'il vous plaît.

— Et vous, Paulette ?

— Non, merci, dit-elle en se levant. J'ai du travail. Maintenant que vous connaissez l'endroit, je vais retourner à l'accueil. Si vous souhaitez jouer à l'étage, on vous remettra des jetons à la réception. L'argent liquide est accepté pour certains jeux, mais pas pour les plus intéressants.

Un nouveau sourire et elle s'éloigna dans un froufrou de soie, laissant tout juste entrevoir ses bas noirs. Watson remarqua que Rebus la suivait du regard.

— Au repos, inspecteur ! lui lança-t-il, l'air amusé.

Puis il se dirigea vers le comptoir, où le garçon lui expliqua qu'il suffisait de faire signe pour qu'on vienne prendre la commande et qu'on l'apporte directement à la table de ces messieurs. Watson regagna son fauteuil.

— La belle vie, hein, John ?

— Tout à fait, monsieur. Que se passe-t-il au QG ?

— Vous voulez parler du petit sodomite qui a porté plainte ? Il s'est tiré, a disparu dans la nature. Fausse adresse, la totale.

— Alors je ne suis plus sur la sellette ?

— C'est presque bon.

Rebus voulut protester, mais Watson le coupa.

— C'est l'affaire de quelques jours, John, je ne vous demande que ça. Le temps que ça s'éteigne naturellement.

— Parce que ça fait jaser, c'est ça ?

— Quelques gars ont fait des plaisanteries, oui. On ne peut pas leur en vouloir. D'ici un jour ou deux, ils tiendront un nouveau sujet et on n'en parlera plus.

— Mais puisqu'il n'y a rien de vrai, bon sang !

— Je sais, je sais. C'est un complot pour vous écarter de l'enquête, monté par un certain Hyde.

Rebus fixa Watson en serrant les lèvres. Il aurait pu se mettre à hurler. Il se contenta de respirer profondément, et le serveur eut à peine le temps de poser le plateau qu'il s'empara de son verre. Il s'était déjà enfilé deux rasades quand le serveur lui expliqua qu'il avait pris la consommation de l'autre monsieur. Le gin-orange, c'était l'autre verre. Rebus rougit et Watson rigola en posant un billet de cinq livres sur le plateau.

— Vos consommations s'élèvent à six livres cinquante, monsieur, fit le serveur avec un toussotement embarrassé.

— Nom d'une pipe !

Watson fouilla dans sa poche et en extirpa un billet d'une livre tout froissé et quelques pièces. Il balança le tout dans le plateau.

— Merci, monsieur.

Le serveur emporta son plateau sans que Watson ait l'occasion de lui demander la monnaie. C'était au tour de Rebus de sourire.

— Tout de même, marmonna Watson. Six livres cinquante ! Il y a des familles qui se nourrissent avec ça pendant une semaine !

— La belle vie, dit Rebus d'un ton amusé.

— C'est bien envoyé, John. J'avais tendance à oublier que la vie ne se limite pas au confort matériel. Dites-moi, vous fréquentez quelle paroisse ?

— Tiens donc ! C'est une descente de police ?

Tous deux se retournèrent en entendant cette nouvelle voix. C'était Tommy McCall. Rebus jeta un coup d'œil à sa montre : huit heures et demie. À voir la tête de Tommy, il s'était arrêté dans quelques pubs avant d'arriver au club. Il se laissa tomber lourdement dans le fauteuil de Paulette.

— Vous buvez quoi ?

Il claqua ses doigts et le serveur s'approcha lentement, le front plissé.

— Messieurs ?

McCall le regarda droit dans les yeux.

— La même chose pour ces messieurs de la police, et pour moi comme d'habitude.

Rebus observa le serveur qui changeait d'expression. Eh oui, mon grand, songea-t-il, on est des flics. Il n'y a pas de quoi tirer une tête pareille...

Le serveur pivota sur ses talons, comme s'il lisait dans les pensées de Rebus, et regagna froidement le bar.

— Alors, qu'est-ce qui vous amène ici tous les deux ? leur demanda McCall en s'allumant une cigarette.

Il était ravi d'avoir trouvé de la compagnie et comptait bien en profiter au maximum.

— C'est une idée de John, répondit Watson. Ça le tentait de faire un tour ici, alors j'ai arrangé ça avec Finlay, et puis je me suis dit que, tout compte fait, je pouvais passer aussi.

— Vous avez bien fait, dit McCall en jetant un coup d'œil à la ronde. Il n'y a pas grand monde ce soir. Pour l'instant, en tout cas. D'habitude, c'est plein à craquer. Toutes sortes de visages connus, de noms qui vous sont familiers. Là, c'est vraiment mort.

Il leur tendit son paquet de cigarettes et Rebus en prit une, le remercia d'un sourire et l'alluma. Il le regretta aussitôt, en sentant la première bouffée se mêler aux vapeurs d'alcool dans ses poumons. Il avait besoin de toute sa tête pour réfléchir. D'abord Watson, et maintenant McCall : il n'avait pas prévu de tomber sur eux.

— Au fait, John, lui dit McCall. Merci de m'avoir ramené hier soir. Désolé de vous avoir dérangé.

— Pas du tout. Vous avez bien dormi ?

— Je dors toujours très bien.

— Comme moi, intervint Watson. Le sommeil du juste !

Tommy se tourna vers lui.

— Dommage que vous ne soyez pas venu à la soirée de Malcolm Lanyon. On s'est bien amusés, n'est-ce pas, John ?

Il sourit à Rebus, qui fit de même. Ça rigolait ferme à la table voisine. Des types qui fumaient de gros cigares, des femmes qui tripotaient leurs bracelets. McCall se pencha vers eux, dans l'espoir peut-être qu'on partagerait la plaisanterie avec lui, mais son regard trop brillant et son sourire trop appuyé ne plaidaient pas en sa faveur.

— Vous avez déjà bu quelques verres ce soir, Tommy ? lui demanda Rebus.

En entendant son nom, McCall se tourna vers eux.

— Un ou deux, répondit-il. J'ai deux camions qui sont arrivés en retard pour des livraisons ; mes routiers avaient sans doute un coup dans le nez. J'ai perdu deux gros contrats. Alors je noie mon chagrin.

— Désolé de l'apprendre, dit Watson sincèrement.

Rebus opina du chef, mais McCall secoua la tête d'un air théâtral.

— Ce n'est rien, dit-il. De toute façon, j'envisage de vendre, de prendre ma retraite tant que j'ai encore l'âge d'en profiter. M'acheter une petite villa à la Barbade, ou quelque part en Espagne... (Il plissa les yeux et baissa la voix.) Et vous savez qui veut me racheter ? Vous ne devinerez jamais ! Finlay.

— Finlay Andrews ?

McCall se cala dans son fauteuil et cligna les yeux en recrachant un nuage de fumée.

— Lui-même. Finlay Andrews. (Il se pencha de nouveau en avant, l'air mystérieux.) Il mange à tous les râteliers. Pas seulement le club. Il est dans plusieurs conseils d'administration et il a des actions un peu partout, en veux-tu en voilà.

— Vos consommations.

Le ton du serveur était très désapprobateur. Il n'avait pas l'air décidé à repartir, même après que McCall lui eut balancé un billet de dix livres sur son plateau.

— Ouais, dit McCall quand il se fut enfin éloigné. À tous les râteliers. Rien que des choses très réglo, cela dit. Vous auriez du mal à prouver le contraire.

— Et il veut racheter votre affaire ? dit Rebus.

McCall haussa les épaules.

— Il m'en a proposé un prix honnête. Rien de mirobolant, mais je ne crèverai pas de faim.

— Votre monnaie, monsieur.

Le serveur était de retour, le ton toujours aussi glacial.

Il tendit le petit plateau à McCall, qui le dévisagea.

— Je n'ai pas demandé la monnaie. C'était le pourboire. Mais bon, dit-il en prenant les pièces avec un clin d'œil à l'intention de Rebus et Watson, si tu n'en veux pas, je la garde.

— Merci, monsieur.

Rebus se régalait. Le serveur cherchait manifestement à prévenir McCall de quelque chose, mais celui-ci était trop bourré ou naïf pour repérer ces signes. En même temps, Rebus se doutait que la présence de Watson et de McCall risquait de compliquer les choses quand la zizanie éclaterait plus tard chez Finlay's, comme le plan le prévoyait.

Soudain, du brouhaha se fit entendre du côté de l'entrée. Des voix un peu fortes, tapageuses mais pas agressives. Puis la voix de Paulette, le ton d'abord courtois puis sévère. Rebus jeta un nouveau coup d'œil à sa montre : neuf heures moins dix. Pile à l'heure.

— Qu'est-ce qui se passe ?

Intrigués, quelques clients s'étaient levés pour aller voir. Le barman appuya sur un bouton à côté des bouteilles à doseur, puis se précipita vers l'entrée. Rebus le suivit. Devant la porte, Paulette s'expliquait sèchement avec quelques types aux costumes un peu défraîchis. L'un d'entre eux soutenait qu'elle ne pouvait pas lui refuser le droit d'entrer vu qu'il portait une cravate. Un autre lui expliqua qu'ils étaient de passage, qu'un copain leur avait parlé du club.

— Philip, qu'il s'appelle. Il nous a dit de dire qu'on venait de sa part, que ça suffirait.

— Je suis navrée, messieurs, mais il s'agit d'un club *privé*.

Le barman s'en mêla, mais sa présence n'était pas souhaitée.

— Je m'explique avec madame, si ça te dérange pas, l'ami, OK ? On veut juste boire un verre, peut-être jouer un peu. Pas vrai, les gars ?

Rebus vit deux serveurs, de jeunes caïds aux visages anguleux, descendre précipitamment du premier étage.

— Écoutez, si...

— ... juste quelques parties...

— ... passer la soirée en ville...

— ... je suis navrée...

— Hé, fais gaffe à mon veston !...

— Hé !

Neil McGrath décocha le premier coup : une droite dans l'estomac d'un serveur particulièrement costaud, qui se plia en deux. Un petit attroupement s'était formé dans l'entrée. Le bar et le restaurant étaient maintenant déserts. Rebus, qui continuait d'observer l'échauffourée, se mit à reculer dans la foule, dépassa le bar, le restaurant, le vestiaire, le secrétariat et les toilettes pour se rapprocher de la porte du fond.

— Tony ! C'est toi ?

Ça devait arriver : Tommy McCall avait reconnu son frère parmi la bande de soi-disant copains en goguette. Distrait, Tony prit un direct du droit en pleine figure et partit à la renverse dans un mur.

— Hé ! touchez pas à mon frangin !

Tommy entra dans la mêlée et se mit à rendre coup pour coup. Les constables Neil McGrath et Harry Todd, des jeunes gens en pleine forme, se débrouillaient bien. Mais en apercevant le superintendant Watson, ils se figèrent par réflexe, alors que celui-ci n'avait pas la moindre idée de qui ils étaient. Chacun reçut un coup vicieux et reprit ses esprits : on n'était pas là pour rigoler. Oubliant Watson, ils se remirent à se battre comme de beaux diables.

Rebus remarqua un des importuns qui ne se donnait pas complètement, retenait un peu ses coups. Et il ne s'éloignait pas trop de la porte, prêt à fuir, tout en gardant un œil sur le couloir, en direction de Rebus, qui le salua d'un geste. Brian Holmes ne lui répondit pas.

Rebus se tourna vers la porte au bout du couloir, celle qui donnait sur les nouveaux locaux du club. Il prit son courage à deux mains, plissa les yeux, serra le poing droit et se frappa en plein visage. Pas de toutes ses forces, l'instinct de conservation s'y étant opposé, mais fort. Comment les gens faisaient-ils pour se trancher les veines ? Il desserra ses paupières larmoyantes et se tâta le nez. Du sang lui coulait des deux narines, sur sa lèvre supérieure. Il n'y toucha pas et frappa à la porte. Rien. Il frappa de nouveau. La bagarre faisait un sacré vacarme. Allez, allez... Il tira un mouchoir de sa poche et le tint sous son nez, interceptant au vol des gouttelettes rouge vif. Un bruit de serrure. La porte s'entrouvrit de quelques centimètres et une paire d'yeux dévisagea Rebus.

— Ouais ?

Rebus se décala légèrement pour que le type puisse voir le tumulte du côté de l'entrée. Celui-ci écarquilla les yeux, regarda le visage ensanglanté de Rebus et ouvrit la porte en grand. C'était un type corpulent, pas très âgé mais au crâne déjà bien dégarni. Comme pour compenser, il arborait d'épaisses bacchantes. Rebus se souvint de la description que Tracy lui avait faite le soir où elle était passée chez lui ; ce gaillard lui correspondait bien.

— On a besoin de vous, dit Rebus. Allez.

L'homme hésita. Rebus se prépara à donner un vigoureux coup de pied, au cas où le type déciderait de refermer sa porte, mais celui-ci finit par franchir le seuil et laissa Rebus, qui lui flanqua au passage une tape dans son dos musclé.

La porte était restée ouverte. Rebus entra et ferma

à clé derrière lui. Il y avait deux verrous, en haut et en bas. Il mit celui du haut : personne n'entre, personne ne sort. C'est seulement alors qu'il jeta un coup d'œil à la ronde. Il se trouvait en haut d'un escalier étroit — des marches en ciment, sans tapis. Paulette disait peut-être la vérité ; tout compte fait, peut-être que les travaux d'agrandissement n'étaient pas terminés. Pourtant, cet escalier n'avait pas l'air destiné au Finlay's : c'était trop étroit, presque furtif. Lentement, il commença à descendre. Les talons de ses chaussures de location résonnaient effroyablement sur le ciment. Il compta vingt marches et se dit qu'il devait être au niveau de la cave, peut-être même un peu plus bas. Finlay Andrews n'avait peut-être pas obtenu son permis de construire. Ne pouvant agrandir son club en hauteur, il l'avait fait sous terre. La porte au bas de l'escalier avait l'air assez solide. Encore du fonctionnel, pas du décoratif. Il faudrait y aller à coups de masse pour la démolir. Rebus se contenta de la poignée. Celle-ci tourna et la porte s'ouvrit.

Le noir total. Il s'avança, en se guidant grâce à la lumière qui lui parvenait d'en haut. Autant dire pas grand-chose. On aurait dit une sorte d'entrepôt. Un grand local vide. Soudain, les lumières s'allumèrent : quatre rangées de spots au plafond. Des ampoules peu puissantes, mais qui suffisaient à éclairer les lieux. Un petit ring occupait le centre, entouré d'une douzaine de fauteuils. C'était donc bien ici. McCallum n'avait pas menti.

L'animateur de radio était prêt à tout pour entrer dans les bonnes grâces de Rebus. Il lui avait raconté toutes les rumeurs dont il avait eu vent, des rumeurs qui faisaient état d'un club au sein du club, où les gens argentés et de plus en plus désabusés engageaient de « curieux paris ». Quelque chose d'un peu particulier, avait dit McCallum. Oui, comme de parier sur de jeunes prostitués, des toxicos grassement payés pour se tabasser et ne pas vendre la mèche. Payés avec du fric et de la drogue. Deux denrées en abondance, depuis qu'une certaine faune émigrait vers le nord.

Hyde's Club. Baptisé en hommage à Edward Hyde, le personnage de Robert Louis Stevenson, symbole de la face sombre de l'âme humaine. Un personnage inspiré de Deacon Brodie, négociant respectable le jour et voleur la nuit. Dans cette vaste pièce, Rebus sentait une odeur de peur, de culpabilité et d'excitation minable. Le cigare froid, le whisky renversé et la sueur. Et Ronnie au milieu de tout ça, avec cette question qu'il fallait résoudre. L'avait-on payé pour photographier ces gens riches et influents — à leur insu, bien évidemment ? Ou bien l'avait-il fait pour son propre compte, en se montrant assez rusé pour apporter un appareil photo alors qu'on l'avait fait venir comme simple punching-ball ? La réponse n'avait peut-être pas grande importance. Ce qui importait, c'était que le propriétaire des lieux, le marionnettiste de ces passions minables, avait tué Ronnie en lui donnant de la mort-aux-rats après l'avoir sevré de sa drogue. Puis il avait envoyé un de ses larbins au squat pour que ça ait bien l'air d'une overdose. On avait laissé un sachet de drogue pure et, histoire de brouiller les pistes, transporté le cadavre au rez-de-chaussée. Un tableau saisissant avec les bougies. Par contre, ils n'avaient pas vu le pentacle et avaient placé le corps dans cette position au hasard. Rebus s'était fourvoyé depuis le départ, en s'imaginant la situation plus complexe qu'elle n'était. Il avait embrouillé le tableau tout seul, en voyant des liens là où il n'y en avait pas, en inventant une conspiration qui n'existait pas. La vraie solution était énorme : une botte de foin comparée à l'aiguille qu'il avait inventée.

— Finlay Andrews !

Son cri fit écho dans la salle, se répétant dans le vide. Rebus se hissa sur le ring et contempla les fauteuils. Il avait presque l'impression de voir les spectateurs, leurs regards luisants et jubilatoires. Le sol en toile du ring était parsemé de taches marron, des traces de sang. Ça ne s'arrêtait pas là, forcément. Il y avait aussi les chambres, les pièces réservées aux « parties privées ». Oui, il s'imaginait sans peine le club transformé en Sodome le troisième vendredi de chaque mois, à en juger d'après l'agenda de James Carew. Les garçons de Calton Hill tenant lieu de clientèle. À table, au lit, où bon vous semblait. Ronnie avait donc pris des photos. Mais Andrews avait découvert son « assurance-vie », ces clichés qu'il tenait cachés. Il ne pouvait pas savoir qu'ils ne valaient rien comme moyen de chantage ni comme preuve. Il ne savait qu'une chose : ces photos existaient.

Ronnie était donc mort.

Rebus descendit du ring et passa devant une rangée de chaises. Au fond de la salle, il découvrit deux portes dissimulées dans l'ombre. Il plaqua l'oreille contre l'une, puis contre l'autre. Aucun son, pourtant il aurait juré que... Il était sur le point d'ouvrir celle de gauche quand une sorte d'instinct l'incita à essayer plutôt celle de droite. Il hésita, puis actionna la poignée et poussa. Il y avait un interrupteur juste à côté de la porte. Rebus le trouva et deux petites lampes s'allumèrent de part et d'autre d'un lit installé le long d'un mur. Il n'y avait pas grand-chose d'autre, mis à part deux miroirs : un sur le mur en face du lit, l'autre au plafond. La porte se referma derrière lui, tandis qu'il s'approchait du lit. Ses supérieurs lui reprochaient parfois d'avoir trop d'imagination. Là, il la mit complètement en veilleuse. Tu dois t'en tenir aux faits, John. Le lit, les miroirs. Un nouveau bruit de serrure. Cette fois il se jeta sur la poignée, mais la porte était fermée à clé.

— Merde !

Il recula et flanqua un coup de pied dedans, du plat de la semelle. La porte trembla, mais ne céda pas. Par contre, le talon se décolla de la chaussure. Génial ! Il pouvait faire une croix sur la caution pour le déguisement de location. Calme-toi, réfléchis. Quelqu'un l'avait enfermé, une personne qui se trouvait en bas avec lui, et il n'y avait qu'un endroit où se cacher, l'autre pièce, juste à côté de cette chambre. Il se retourna et observa le miroir en face du lit.

— Andrews ! hurla-t-il. Andrews !

Une voix lui parvint, étouffée par le mur mais tout de même audible.

— Bonsoir, inspecteur Rebus. Ravi de vous revoir.

Rebus faillit sourire, mais se retint.

— J'aimerais pouvoir en dire autant, dit-il en fixant le miroir.

Il s'imagina Andrews qui se tenait derrière, en train de l'observer. Il fallait gagner du temps, pour rassembler ses forces et ses idées.

— Très malin, poursuivit-il. Les gens qui baisent dans une chambre pendant que d'autres ont tout loisir de les observer derrière une glace sans tain.

— Tout loisir à condition de payer, dit la voix, qui semblait plus proche. Tout se paye, inspecteur.

— Et j'imagine que vous avez aussi installé de quoi photographier.

— Avec un objectif, sans mauvais jeu de mots.

— Le chantage.

Un simple constat.

— De banals services, inspecteur. Rendus sans sourciller, la plupart du temps. Mais quand les gens y rechignent, une petite photo peut s'avérer utile.

— C'est pour ça que James Carew s'est suicidé ?

— Pas du tout. C'est plutôt à cause de vous, inspecteur. James m'a dit que vous l'aviez reconnu. Il pensait que vous remonteriez peut-être la piste jusqu'au Hyde.

— Vous l'avez donc tué ?

— Non, *nous* l'avons tué, John. C'est très dommage : James était un bon ami.

— Oui, mais vous ne manquez pas d'amis, hein ?

Il y eut un éclat de rire ; cependant la voix resta posée, avec des accents presque élégiaques.

— Oui, je conviens qu'on aurait du mal à trouver un juge pour me condamner, un procureur pour me poursuivre, quinze citoyens dignes de me juger. Tous sont passés chez Hyde. Tous. Pour y trouver des jeux un peu plus pimentés que chez Finlay's. C'est un ami de Londres qui m'a donné l'idée. Il a lui-même un établissement de ce genre, même si les sensations y sont un peu moins fortes que chez Hyde. Ce n'est pas l'argent frais qui manque à Édimbourg, John. De l'argent pour tous. Ça vous dirait, un peu d'argent ? Des sensations plus fortes ? Ne me dites pas que votre vie vous rend heureux, avec votre appartement minable, vos disques, vos bouquins et vos bouteilles de pinard.

Le visage de Rebus afficha un air surpris.

— Oui, John, je suis bien renseigné sur vous. L'information, c'est mon petit plaisir ! (Il baissa la voix.) Si vous le souhaitez, John, vous pouvez devenir membre. Moi, je pense que vous êtes tenté. Après tout, ça donne droit à certains privilèges.

Rebus approcha le visage tout près du miroir et chuchota :

— La cotisation est trop élevée.

— Comment ?

La voix d'Andrews était plus proche que jamais, sa respiration quasiment audible.

— Je dis que la cotisation est trop élevée.

Brusquement, Rebus ramena le bras en arrière et projeta son poing sur la glace, qui vola en éclats. Un autre truc appris dans les SAS : ne pas viser la cible mais au-delà, même quand on s'attaque à un mur en brique. Les morceaux de verre déchirèrent sa veste, s'enfoncèrent dans sa peau. Sa main cessa d'être un poing pour devenir une serre. Juste derrière la glace, il trouva la gorge d'Andrews, l'agrippa et tira le bonhomme vers lui. Le pauvre diable hurlait. Il avait du verre partout : dans les cheveux, dans la bouche, dans les yeux. Les dents serrés, Rebus ne relâcha pas son étreinte.

— Je disais, siffla-t-il, que vos cotisations sont trop élevées.

Puis il lui asséna un coup de poing de sa main libre. Quand il lâcha prise, le corps inerte retomba dans l'autre chambre.

Rebus retira sa chaussure abîmée et s'en servit pour faire tomber les morceaux de verre toujours attachés au cadre. Ensuite, il se faufila précautionneusement par l'ouverture et ouvrit la porte.

Il aperçut Tracy tout de suite. Elle se tenait au milieu du ring, l'air perdue, les bras ballants.

— Tracy ? dit-il.

— Peut-être qu'elle ne vous entend pas, inspecteur Rebus. Un des effets de l'héroïne, vous savez.

Rebus vit Malcolm Lanyon sortir de l'ombre. Deux types se tenaient derrière lui. L'un d'eux était grand, en forme pour son âge. D'épais sourcils noirs, une belle moustache avec quelques poils argentés. Des yeux enfoncés, un visage avachi. Le portrait craché d'un austère calviniste. Avec son léger embonpoint, l'autre avait en revanche tout l'air d'une vraie canaille. Cheveux bouclés mais clairsemés, visage égratigné comme un poing de boxeur, traits d'ouvrier.

Rebus jeta un coup d'œil vers Tracy. Ses yeux n'étaient que deux points minuscules. Il se dirigea vers le ring, y monta et la prit dans ses bras. Ses cheveux étaient trempés de sueur et son corps n'offrit aucune résistance. Avec ses membres flasques, on aurait dit une poupée de chiffon. Quand Rebus lui soutint le menton pour la forcer à le regarder, il vit une lueur dans son regard et la sentit frémir.

— Mon atout, dit Lanyon. Apparemment, j'ai bien fait de le jouer. Finlay était persuadé qu'il arriverait à s'occuper de vous tout seul. Après notre petite rencontre d'hier soir, j'en doutais. Va voir comment va Finlay, ordonna-t-il à un de ses hommes.

Le sbire s'éloigna. Rebus n'en demandait pas tant : voilà qui améliorait ses chances.

— Voulez-vous me rejoindre dans mon bureau pour qu'on discute ? lança-t-il.

Lanyon soupesa la situation : Rebus avait beau être costaud, il était gêné par la présence de la jeune femme. Sans compter qu'il était seul, alors que lui avait ses gros bras. Il empoigna une corde et se hissa sur le ring. Maintenant qu'il était face à face avec Rebus, il remarqua les coupures sur les mains et au visage.

— Pas joli, fit-il. Vous devriez montrer ça à un médecin, ou vous risquez...

— De saigner à blanc ?

— Exactement.

Rebus regarda le sol en toile où son sang laissait

de nouvelles traces à côté de celles de tant d'anonymes.

— Combien sont morts sur le ring ? demanda-t-il.

— Franchement, je n'en sais rien. Pas tant que ça. Nous ne sommes pas des bêtes, inspecteur. Il a pu se produire... quelques accidents. Je viens rarement chez Hyde. Je me contente d'amener de nouveaux membres.

— Et quand est-ce qu'on vous nomme juge ?

Lanyon sourit.

— C'est encore très loin. Mais c'est prévu. J'ai fréquenté un club semblable à Londres. D'ailleurs, c'est là que j'ai rencontré Saiko.

Rebus écarquilla les yeux.

— Oui, reprit Lanyon. C'est une jeune femme à l'esprit très souple.

— J'imagine que grâce à Hyde, vous et Andrews avez les mains libres à Édimbourg ?

— Cela peut aider à l'occasion, pour obtenir un permis de construire, un jugement favorable.

— Et maintenant que je suis au courant ?

— Ah, oui... Pas la peine de vous inquiéter : je vois un grand avenir pour vous dans l'essor d'Édimbourg en tant que puissance industrielle et commerciale.

Le garde du corps resté au pied du ring gloussa.

— C'est-à-dire ? demanda Rebus.

Il sentait le corps de Tracy se raidir, retrouver des forces. Sans savoir combien de temps cela durerait.

— C'est-à-dire qu'on pourrait vous conserver dans le béton, par exemple dans un pylône d'un des nouveaux boulevards périphériques.

— Vous avez déjà fait le coup, n'est-ce pas ?

Une question de pure forme : le ricanement du sbire y avait déjà répondu.

— Oui, une ou deux fois. Pour régler certaines affaires.

Rebus nota que Tracy était lentement en train de serrer les poings. À cet instant, l'autre homme de main revint.

— Monsieur Lanyon ! M. Andrews a vraiment l'air mal en point !

Au moment où Lanyon se tournait, Tracy s'échappa des mains de Rebus en poussant un cri féroce. Ses deux poings fusèrent et atteignirent l'avocat au bas-ventre avec un bruit horrible. Secoué de vomissements, il donna plus l'impression de se dégonfler que de tomber. Emportée par son élan, Tracy trébucha et s'étala sur la toile.

Rebus ne tarda pas à réagir. Il s'empara de Lanyon, lui coinça un bras dans le dos et de son autre main lui empoigna la gorge. Les deux sbires foncèrent vers le ring, mais Rebus serra un peu plus fort le cou de leur patron, ce qui les fit hésiter. Après quelques secondes de face-à-face immobile, l'un d'eux se précipita vers l'escalier et son acolyte l'y suivit vite fait. Rebus était tout pantelant. Il relâcha Lanyon et le regarda s'effondrer par terre. Debout au milieu du ring, il compta jusqu'à dix à la manière d'un arbitre et brandit le poing.

Au rez-de-chaussée, les choses s'étaient calmées. Les employés rajustaient leur tenue et se tenaient la tête haute après s'être dignement acquittés de leur tâche. On avait éconduit la bande d'ivrognes — Holmes, McCall, McGrath et Todd — et Paulette avait offert une tournée générale pour détendre l'atmosphère. En apercevant Rebus qui franchissait la porte de Hyde's, elle se figea momentanément, mais reprit aussitôt son rôle d'hôtesse, avec malgré tout un peu moins de chaleur dans la voix et un sourire factice.

— Ah, John... Sacrée bagarre, hein ? Où étiez-vous caché ?

C'était Watson, un verre à la main.

— Vous n'auriez pas vu Tommy McCall ?

— Il est dans les parages. Quand il a entendu parler d'une tournée générale, il a filé droit au bar. Qu'est-ce que vous vous êtes fait à la main ?

Rebus regarda sa main et vit que plusieurs coupures saignaient toujours.

— Sept ans de malheur, répondit-il. Vous avez une minute, monsieur ? Je voudrais vous montrer quelque chose. D'abord, il faut que j'appelle une ambulance.

— Quelle idée ! Le raffut est terminé, non ?

— Je ne parierais pas là-dessus, dit Rebus en fixant son supérieur. Même si la maison m'offrait les jetons.

Rebus rentra chez lui dans un état de lassitude extrême. Ce n'était pas tant la fatigue physique, plutôt l'esprit qui avait pris des coups. L'escalier manqua de l'achever. Il fit une pause sur le palier du premier, devant la porte de Mme Cochrane, pendant ce qui lui parut plusieurs minutes. Il s'efforçait de ne pas penser à Hyde, à ce que ce lieu représentait, aux vices qu'on y assouvissait. Malgré tout, sans qu'il y pense consciemment, des bribes lui traversaient l'esprit, des petits morceaux d'horreur tranchants.

Le chat de la mère Cochrane voulait sortir. Il l'entendait gratter derrière la porte. Il aurait suffi de lui installer une chatière, mais Mme Cochrane ne voulait pas en entendre parler. « Autant laisser sa porte ouverte aux étrangers ! lui avait-elle rétorqué. N'importe quel matou pourrait entrer ! »

Très vrai. Rebus puisa au fond de lui un reste

d'énergie intacte pour monter jusqu'au second. Il ouvrit sa porte et ferma derrière lui. Son sanctuaire. Dans la cuisine, il grignota du pain dur en attendant que l'eau bouille.

Watson avait écouté son récit avec une incrédulité et un malaise croissants. Il s'était demandé à voix haute combien de personnalités étaient impliquées. Seuls Andrews et Lanyon pouvaient répondre à cette question. On avait récupéré des vidéos et une sacrée collection de photos. Les lèvres crispées de Watson étaient toutes blanches, mais Rebus n'avait pas reconnu grand monde parmi tous ces visages. Tout de même quelques-uns. Andrews n'avait pas menti pour les juges et les avocats. Heureusement, il n'y avait aucun policier. Sauf un.

En pensant élucider un meurtre, Rebus était tombé sur un nœud de vipères. Il n'était même pas certain que tout ça éclate au grand jour. Trop de réputations étaient en jeu. La confiance du public dans les valeurs et les institutions de la ville, du pays volerait en éclats. Combien de temps faudrait-il pour recoller les morceaux de ce miroir-là ? Rebus contempla ses mains bandées. Combien de temps pour guérir ces blessures ?

Il emporta son mug de thé dans le salon. Tony McCall l'y attendait, installé dans un fauteuil.

— Salut, Tony.

— Salut, John.

— Merci pour le coup de main.

— Faut bien que les copains servent à quelque chose !

Plus tôt dans l'après-midi, quand Rebus lui avait demandé son aide, Tony McCall avait craqué.

— Je suis au courant, John, lui avait-il avoué. Tommy m'y a emmené une fois. C'était atroce, je suis reparti vite fait. Peut-être qu'ils ont ma photo... j'en sais rien... peut-être.

Rebus n'avait pas eu besoin de poser la moindre question. Tout était sorti d'un trait, comme la bière coulant d'un robinet : les problèmes de couple, on s'amuse un peu, personne à qui se confier parce qu'on ne sait pas qui est déjà au courant. D'ailleurs, il était d'avis qu'on étouffe l'affaire. Rebus n'avait pas tenu compte de cette mise en garde.

— Je compte tout de même y aller. Avec ou sans toi. À toi de choisir.

Tony McCall avait choisi de l'aider.

Rebus s'assit, posa son thé par terre et prit dans sa poche la photo qu'il avait subtilisée dans les dossiers chez Hyde. Il la lança à McCall, qui la ramassa et la regarda d'un air épouvanté.

— Tu sais, lui dit Rebus, Andrews espérait mettre la main sur la boîte de transports de Tommy. Pour une bouchée de pain. Et il serait parvenu à ses fins.

— Salopard, maugréa McCall en déchirant méthodiquement la photo.

— Pourquoi t'as fait ça, Tony ?

— Je te l'ai dit, John. Tommy m'a entraîné là-bas. Histoire de s'amuser...

— Non, je veux dire : pourquoi tu t'es introduit dans le squat pour placer un sachet de drogue pure dans la main de Ronnie ?

— Moi ?

McCall écarquillait les yeux, où ne transparaissait aucune surprise mais toujours la peur. Pure conjecture, mais Rebus savait qu'il avait vu juste.

— Allons, Tony. Tu t'imagines que Finlay Andrews a l'intention de garder des noms sous le coude ? Il sait qu'il est fichu, il n'a aucune raison de ne pas entraîner les autres avec lui.

McCall y réfléchit. Il laissa tomber les petits morceaux de photo dans le cendrier et y mit le feu avec une allumette. Quand il ne resta plus que des cendres noires, il parut satisfait.

— Andrews avait besoin d'un service. Il employait toujours ce mot-là. Je crois qu'il avait trop regardé *Le Parrain*. Pilmuir, c'est mon secteur. Tommy nous avait présentés, alors il s'est dit qu'il pouvait me demander à moi.

— Et tu ne t'es pas fait prier.

— Oui, mais il avait la photo.

— Ça ne devait pas être tout.

— Eh bien...

McCall se tut et écrasa la cendre du bout de l'index, la réduisant en une fine poussière.

— Ouais, reprit-il, ça ne me gênait pas de le faire. Ce type était un junkie, une sous-merde. Et puis, il était déjà mort. Je n'avais qu'à laisser mon petit sachet.

— Tu ne t'es jamais demandé pourquoi ?

— Pas de questions et bla-bla-bla, dit-il en souriant. Et puis, vois-tu, Finlay me proposait de devenir membre. Membre du Hyde's. Je savais ce que ça voulait dire : faire copain-copain avec les types qui comptent. Je me suis même mis à rêver d'une promotion, ce qui ne m'était pas arrivé depuis des lustres. Toi et moi, on est du menu fretin. Pourquoi se le cacher, John ?

— Et Hyde, c'était l'occasion de jouer avec les requins ?

McCall sourit tristement.

— Oui, j'imagine que c'était ça.

Rebus soupira.

— Tony, Tony, Tony... Tu crois que ça t'aurait mené où ?

— Probablement à devenir ton supérieur, répondit-il d'une voix plus sûre. Au lieu de quoi, avec le procès, je vais avoir droit aux gros titres des torchons. Pas vraiment la célébrité que je recherchais ! On se reverra au tribunal.

Sur ce, il se leva et abandonna Rebus à ses pensées et à son thé fade.

Rebus se réveilla de bonne heure, après un sommeil agité. Il prit une douche, sans les vocalises habituelles. Puis il appela l'hôpital ; Tracy allait mieux et Andrews avait été recousu sans avoir perdu trop de sang. Il se rendit ensuite en voiture au poste de Great London Road, où Malcolm Lanyon était en garde à vue.

Rebus était toujours en disponibilité ; l'interrogatoire avait été confié au sergent Dick et au constable Cooper. Mais Rebus tenait à être sur place. Il connaissait les réponses à toutes les questions de Dick et de Cooper, et se méfiait de Lanyon, qui avait plus d'un tour dans son sac. Pas question de laisser filer ce salaud pour un détail de procédure.

Il passa d'abord à la cafétéria, s'acheta un petit pain au bacon et, apercevant Dick et Cooper, vint s'asseoir à leur table.

— Salut, John, fit Dick en fixant le fond de sa tasse à café.

— Vous êtes vachement lève-tôt, observa Rebus. Vous devez être sacrément motivés.

— Le Paysan veut qu'on en soit débarrassés au plus tôt, et même encore plus vite que ça.

— Je n'en doute pas. Écoutez, je serai dans les parages toute la journée, alors si vous avez besoin de moi pour confirmer quoi que ce soit...

— Merci bien, John, dit Dick, l'air aussi ravi que s'il venait de lui proposer un bonnet d'âne.

— Eh bien...

Rebus ne termina pas sa phrase, préférant s'attaquer à son petit déjeuner. Dick et Cooper paraissaient éteints, sans doute le fait d'un réveil très matinal. Pas très loquaces comme convives. Rebus avala son petit pain vite fait et se leva.

— Ça vous dérange si je lui rends une petite visite ?

— Pas du tout, répondit Dick. On arrive dans cinq minutes.

Comme il traversait le hall d'entrée, Rebus faillit se cogner dans Brian Holmes.

— Décidément, c'est l'ouverture de la chasse !

L'air endormi, Holmes le dévisagea bêtement.

— Peu importe. Je vais jeter un coup d'œil à Lanyon, alias Hyde. Ça te dit de jouer les voyeurs ?

Holmes ne répondit rien, mais lui emboîta le pas.

— D'ailleurs, reprit Rebus, l'image plairait à Lanyon.

Holmes était de plus en plus interloqué.

— Laisse tomber, soupira Rebus.

— Désolé, monsieur. Je me suis couché un peu tard hier soir.

— Ah oui ! Merci, au fait.

— J'ai failli mourir quand j'ai aperçu le Paysan ! Avec son costume de croque-mort, et nous en train de jouer les ivrognes.

Ils échangèrent un sourire. Oui, ça faisait léger comme plan. Rebus l'avait concocté dans sa voiture en rentrant du Fife après avoir vu McCallum dans sa cellule. Mais ça avait marché. Ils étaient parvenus à leurs fins.

— Oui, dit Rebus. Je t'ai trouvé un peu nerveux hier soir.

— Qu'est-ce que vous voulez dire ?

— Eh bien... tu nous as fait le coup de l'armée italienne, non ? L'avancée à reculons, quoi !

Holmes s'arrêta net, bouche bée.

— C'est comme ça que vous me remerciez ? Hier soir, on a risqué notre carrière pour vous, tous les quatre. Vous me prenez pour votre domestique : trouve-moi ça, va me vérifier ça... Corvéable à merci, et la moitié du temps pour des boulots qui n'ont rien à voir avec le service ! À cause de vous, ma copine a manqué de se faire tuer...

— Là, je t'arrête une se...

— Et tout ça pour satisfaire la curiosité de monsieur ! D'accord, on a mis quelques salauds derrière les barreaux, tant mieux pour vous. Nous, on s'est pris les coups et on a bousillé nos pompes !

Rebus baissa les yeux, l'air presque contrit. Puis il expira par les narines, comme un taureau.

— Merde... ça m'est complètement sorti de la tête. Je devais rapporter ce maudit costume ce matin. Les godasses sont fichues. Ça m'est revenu à cause de ce que tu viens de dire.

Et il fila dans le couloir en direction des cellules, abandonnant derrière lui un Holmes pantois.

Le nom de Lanyon était écrit à la craie sur une ardoise à l'entrée d'une cellule. Rebus s'approcha de la porte métallique et fit glisser le volet du judas. On se serait cru dans un bar clandestin à l'époque de la prohibition : tapez le code secret et le judas s'ouvre. Il jeta un coup d'œil dans la cellule, sursauta et tira sur la corde de l'alarme à côté de la porte. En entendant la sirène, Holmes oublia sa colère et se précipita vers les cellules. Rebus cherchait à glisser ses doigts entre le chambranle et la porte pour l'ouvrir.

— Il faut à tout prix qu'on entre !

— C'est fermé à clé, monsieur. Voilà quelqu'un...

Holmes n'en menait pas large : Rebus semblait fou furieux.

Un sergent en uniforme arriva au trot, brandissant un trousseau de clés.

— Vite !

Le verrou joua et Rebus ouvrit violemment la porte. Malcolm Lanyon était affalé par terre, la tête appuyée contre le lit et les jambes écartées à la manière d'une poupée. Ses deux poings noircis tenaient une espèce de fil de nylon, comme du fil de pêche. Le nœud était tellement enfoncé dans son cou qu'on ne distinguait plus le fil. Les yeux étaient atrocement exorbités, le visage assombri par l'afflux de sang, la langue gonflée et tirée. Un ultime geste macabre, une grimace dont Rebus avait l'impression qu'elle lui était adressée.

C'était trop tard, mais le sergent desserra le nœud et allongea le corps. Holmes appuya le front sur le métal froid de la porte et ferma les yeux pour ne pas voir l'épouvantable tableau.

— Quelle fin horrible ! murmura le sergent qui tenait le fil de nylon dans sa main. Il devait avoir ça caché sur lui.

Il cherchait des excuses pour cette faute inadmissible.

Il m'a floué, songeait Rebus. Il m'a floué. Moi, je n'aurais pas eu le cran, s'asphyxier lentement... Je n'y arriverais pas, quelque chose me pousserait à arrêter...

— Qui est entré depuis qu'il est ici ?

Le sergent dévisagea Rebus, l'air de ne pas comprendre.

— Comme d'habitude, j'imagine. Il a dû répondre à quelques questions hier soir, après que vous l'avez amené.

— Oui, mais ensuite ?

— Il a eu son repas quand tout le monde est parti ; c'est à peu près tout.

— Salopard, marmonna Rebus qui sortit de la cellule et s'éloigna d'un pas rageur.

Les traits pâles, Holmes le suivit dans le couloir et parvint à le rattraper.

— Ils vont tout enterrer, Brian, s'écria Rebus, la voix tremblante de colère. Je sens ça ! Il ne restera aucune trace, rien du tout. Un toxico qui meurt de sa propre faute. Un agent immobilier qui se suicide. Et maintenant, un avocat dans une cellule de la police. Aucun lien, pas de crime.

— Et Andrews ?

— Tu t'imagines qu'on va où ?

Ils arrivèrent à l'hôpital à temps pour constater l'efficacité du personnel en cas d'urgence. Rebus se précipita, bousculant quelques personnes au passage. Finlay Andrews était allongé sur un lit, sous respiration artificielle, tandis qu'on appareillait son torse nu. Un médecin tendit les électrodes et les appliqua doucement sur la poitrine. Une seconde plus tard, le corps fut pris d'une secousse. Aucun signal sur l'écran de contrôle. Un peu plus d'oxygène, d'électricité... Rebus se détourna. Il avait lu le scénario, connaissait la fin du film.

— Alors ? fit Holmes.

— Une crise cardiaque, dit Rebus d'un ton badin en filant dans le couloir. On va s'en tenir là, puisque c'est ça qui figurera dans le dossier.

— Et après ?

Holmes marchait aussi vite que lui. Lui aussi se sentait floué.

— Les photos devraient disparaître. En tout cas, celles qui comptent. Et puis, qui pourrait témoigner ? Témoigner de quoi ?

— Ils ont pensé à tout.

— Sauf à une chose, Brian : je sais qui ils sont.

Holmes s'arrêta.

— Qu'est-ce que ça peut faire ? lança-t-il à son supérieur.

Mais Rebus était déjà loin.

L'affaire fit un peu scandale, mais tout fut vite oublié. Dans les salons feutrés des élégantes demeures georgiennes, on retrouva le moral et l'humeur légère. La nouvelle des décès de Finlay Andrews et de Malcolm Lanyon ne passa pas inaperçue, et les journalistes firent de leur mieux pour remuer la fange. En effet, Finlay Andrews gérait un club dont toutes les « activités » n'étaient pas d'une parfaite légalité, et Malcolm Lanyon s'était effectivement suicidé au moment où l'étau se resserrait autour de ce petit empire. Non, on ne savait rien précisément desdites « activités ».

Quant au suicide de l'agent immobilier James Carew, il n'avait aucun rapport avec celui de Lanyon, bien que les deux hommes fussent liés d'amitié. Et concernant d'éventuels liens entre l'avocat et le club de Finlay Andrews, sans doute qu'on ne connaîtrait jamais le fin mot de l'histoire. Par la plus triste des coïncidences, Lanyon se trouvait être l'exécuteur testamentaire de M. Carew. Mais bon, cette ville ne manquait pas d'avocats de talent...

Et c'est ainsi que l'affaire s'était conclue : les

articles s'espacèrent, les rumeurs mirent un peu plus de temps à s'estomper.

Rebus fut ravi d'apprendre que Nell Stapleton avait trouvé un boulot pour Tracy, dans un café près de la bibliothèque de l'université. Un soir, après un passage prolongé au Rutherford Arms, il s'arrêta dans un restau indien pour s'acheter un plat à emporter. Il fut surpris d'apercevoir Tracy, Brian et Nell attablés dans un coin, en train de manger et de bien rigoler. Il fit demi-tour sans rien commander.

De retour à l'appartement, il s'installa à la table de la cuisine et rédigea un énième brouillon pour sa lettre de démission. Mais il n'arrivait pas à trouver les mots pour décrire précisément ce qu'il ressentait. Il roula la feuille en boule et la balança dans la poubelle. Dans le restaurant, il s'était subitement rappelé le coût humain de l'affaire Hyde, et le peu de justice à en être sorti.

On frappa à la porte et il alla ouvrir, une lueur d'espoir au cœur.

Gill Templar se tenait là, souriante.

Au milieu de la nuit, il se glissa dans le salon et alluma la lampe de bureau. Une lumière coupable, comme la torche d'un policier, éclaira le petit classeur à tiroirs à côté de la stéréo. La clé était dissimulée sous un angle du tapis — une cachette qui valait bien le matelas de grand-mère. Il déverrouilla le classeur et y prit une fine chemise cartonnée, puis retourna à son fauteuil, qui lui faisait office de lit depuis quelques mois. Calme, il s'assit et se souvint de ce jour dans l'appartement de James Carew. Il avait été tenté de subtiliser l'agenda personnel de Carew. Mais il avait résisté à la tentation. Pas chez Hyde, en revanche. Seul dans le bureau de Finlay, il avait pris la photo de Tony McCall. Tony le copain, le collègue, avec qui il n'avait plus grand-chose en commun. Sauf un sentiment de culpabilité, peut-être.

Il ouvrit le dossier et sortit les photos. Quatre photos prises au hasard, en même temps que celle de McCall. Il observa les visages, comme il faisait souvent les nuits d'insomnie. Des visages qu'il connaissait. Auxquels se rattachaient des noms, des poignées de main, des voix. Des personnes importantes, influentes. Il y avait beaucoup réfléchi, ne pensait quasiment plus qu'à ça depuis cette soirée chez Hyde. Il tira la corbeille métallique de sous le bureau, y laissa tomber les photos et craqua une allumette qu'il tint au-dessus, comme il l'avait déjà fait tant de fois.

Ian Rankin
dans Le Livre de Poche

L'Étrangleur d'Édimbourg n°37028

John Rebus parcourait la jungle de la ville, une jungle que les touristes ne voient jamais, trop occupés à mitrailler les temples dorés du passé. Édimbourg était une ville d'apparences ; le crime n'y était pas moins présent, tout juste plus difficile à repérer. Édimbourg était schizophrène, la ville de Jekyll et de Hyde, bien entendu, mais aussi celle de Deacon Brodie, des manteaux de fourrure sans petite culotte, comme on disait à Glasgow. Mais c'était aussi une petite ville. Un avantage pour Rebus. Il traqua sa proie dans les bars à voyous, dans les lotissements où le chômage et l'héroïne tenaient lieu de blason, parce qu'il savait que quelqu'un d'aguerri saurait survivre dans cet anonymat. Jetant un coup d'œil à la ronde, il vit qu'il avait atterri au cœur du désespoir.

Nom de code : Witch n°37033

Cela fait des années que la Special Branch et le MI 5 essaient de mettre la main sur une femme : Witch, terroriste internationale particulièrement dangereuse et performante. Le problème, c'est que personne n'est capable de la décrire avec précision. Il suffit de l'étrange explosion d'un bateau de plaisance au milieu de la Manche, de l'assassinat d'un banquier en Écosse et de l'arrivée imminente, à Londres, de nombreux chefs d'État, pour semer la panique : aucun doute, Witch s'apprête à frapper de nouveau. Entre Calais, Paris, l'Allemagne et une fête foraine à Brighton, la traque fébrile menée de front par les services secrets français et britanniques se resserre autour du Centre de conférences proche de Buckingham Palace et connaît un dénouement renversant sous les remparts de York.

Composition réalisée par JOUVE

Achevé d'imprimer en septembre 2006 en France sur Presse Offset par

BRODARD & TAUPIN

GROUPE CPI

La Flèche (Sarthe).
N° d'imprimeur : 35095 – N° d'éditeur : 72684
Dépôt légal 1re publication : novembre 2004
Édition 05 – septembre 2006
LIBRAIRIE GÉNÉRALE FRANÇAISE – 31, rue de Fleurus – 75278 Paris cedex 06.